붉은 바람 1권

붉은 바람 1권

초판1쇄 인쇄 | 2022년 11월 10일
초판1쇄 발행 | 2022년 11월 15일

지은이 | 이원호
펴낸이 | 박연
펴낸곳 | 한결미디어

등록 | 2006년 7월 24일(제313-2006-000152호)
주소 | 서울시 마포구 모래내로 83 한올빌딩 6층
전화 | 02-704-3331
팩스 | 02-704-3360
이메일 | okpk@hanmail.net

ISBN 979-11-5916-167-4(04810) 979-11-5916-166-7 (세트)

붉은 바람 1권

바람끝에 눕다

이원호 장편소설

한결미디어
HANGYEOL MEDIA

저자의 말

"붉은 바람"은 용병전(傭兵傳) 2부입니다. 이라크 지도자 사담 후세인의 용병이 되었던 한국계 혼혈 용병 지노 장의 파란만장한 일대기입니다.

용병(傭兵)은 기원전 이집트 왕조 이전부터 존재했습니다. 용병(傭兵)은 고용된 병사, 즉 돈을 받고 주인을 위해 싸우는 병사로, 한니발의 군대에도 카르타고 병사보다 용병이 더 많았습니다. 고대부터 전쟁사에 용병이 개입되지 않은 전쟁이 없습니다.

그러나 용병(傭兵)에 대한 전사(戰史)는 따로 기록되지 않습니다. 정규군보다 용병대가 더 전과를 올렸는데도 그렇습니다. 현대에도 용병(傭兵)이 전사하면 기록에 남지 않고 따라서 포로 대우도 받지 못하고 처리됩니다.

현대에 용병을 가장 많이 고용한 국가는 미국입니다. 그리고 용병의 전력에 의해 전장(戰場)을 유지합니다. '보안요원'이라고 불리는 미국 용병단은 이라크, 아프간에 만여 명씩 파병되어 정규군 대신 용명을 떨쳤습니다. 모두 특수부대 출신의 전문가여서 정규군의 능력 이상을 발휘하기 때문이지요.

용병(傭兵) 지노 장이 일으킨 붉은 바람이 여러분의 가슴을 일시나마 덥혀 주기를 바랍니다.

감사합니다.

이원호

차례

1장 카밀라와 후세인의 귀국

자이단을 골짜기에 놔두고 지노와 수르토는 옆쪽 골짜기 위로 올라갔다. 20미터쯤 위쪽의 평지에 마주 보고 앉았을 때 수르토가 번들거리는 눈으로 지노를 보았다.

"카밀라 공주님의 용병이라고?"

그때 지노가 대답했다.

"내 이름은 지노, 각하의 용병이오."

"지노."

엉겁결에 따라서 이름을 불렀던 수르토가 눈을 치켜떴다.

"그 용병?"

"내가 각하의 육성 테이프를 파리에서 터뜨렸소."

"아니, 그럼……."

"그때 카밀라 공주와 함께 이라크를 탈출했지요."

"그, 그러면."

"그러고 나서 다시 이라크로 잠입해서 각하를 모시고 탈출했습니다."

이제는 수르토가 숨을 죽였고 지노의 목소리가 숲을 울렸다.

"그리고 지금 나는 각하와 함께 다시 이라크로 돌아온 겁니다."

"정말이오?"

이제는 수르토가 갈라진 목소리로 물었는데 정중한 표정이다. 지노가 똑바로 수르토를 보았다.

"대령은 내가 처음 만나는 반군 지휘자요. 난 가민 장군과 1호까지 만나고 싶소. 그 위치를 아시지요?"

"내가 압니다."

수르토가 바로 대답했다.

"그런데 각하께선 어디 계십니까?"

"북쪽 국경 근처에 계십니다. 내가 먼저 내려온 겁니다."

"우리도 소문은 들었습니다."

수르토가 말을 이었다.

"1호 주위에는 가민, 마흘락 장군이 있습니다. 파라드 대령도 있군요."

지노가 고개를 끄덕였다.

"그런데 대령."

수르토의 시선을 받은 지노가 한마디씩 힘주어 말했다.

"각하께선 프랑스에서 얼굴 성형을 하셨습니다."

"얼, 얼굴 성형을?"

"그렇소. 그러나 목소리나 머릿속은 변하지 않으셨으니 곧 익숙해질 것입니다."

"성형을 하시다니……."

"본래의 얼굴로는 이곳까지 오기 힘들었습니다."

지노는 수르토의 눈동자가 흔들리는 것을 보았다. 충격이 큰 것 같다.

잠시 후에 골짜기를 나오는 사내들이 있다.

일렬종대로 선 사내들의 앞장에는 자이단과 첨병 하나가 섰다. 그 뒤로 수르토의 부하가 둘, 그다음이 지노와 수르토, 뒤에 수르토 부하 셋이 따른다.

지금 지노와 수르토는 후세인에게 가는 것이다. 1호가 아니다. 수르토가 간곡하게 부탁했기 때문이다. 그래서 지노가 1호에게 가기 전에 먼저 수르토에게 후세인을 알현시키려는 것이다.

"무스 함버크."

깁슨이 앞에 선 무스를 보았다.

오후 7시 반.

이곳은 아르카디의 사령부 안. 아르카디는 현재 티크리트를 중심으로 20개 조, 지원 요원까지 약 250명의 요원을 보유하고 있다. 무스가 시선을 들고 깁슨에게 대답했다.

"예, 장군."

상황실 안이 조용해졌다. 무스 조(組) 7명 중 4명은 시체도 찾지 못했고 3명이 귀환했다. 부상자가 있었기 때문에 셋은 헬기로 귀환한 것이다. 깁슨이 무스의 시선을 끌어당기듯이 받았다.

"넌 규칙을 어기고 무스타파 영역 깊숙이 진입했어."

깁슨이 잇새로 말을 이었다.

"거기에다 무스타파의 병사를 짐승 사냥하는 것처럼 없앴어. 그것도 두 번이나."

"……."

"더구나 그놈들한테 흔적을 남겨놓고 돌아왔단 말야, 아르카디의 흔적을."

"장군."

무스가 입을 열었을 때 옆쪽에 서 있던 톰슨이 소리쳤다.

"입 닥치고 들어!"

그러자 깁슨이 숨을 고르더니 말을 이었다.

"넌 부하들로부터도 불신임을 받고 있어, 대위."

상황실 안에는 숨소리도 들리지 않는다.

"자, 넌 올라가서 할라드를 내려 보내."

발을 멈춘 지노가 자이단에게 옆쪽 산을 가리켰다. 위쪽 동굴에서 할라드가 자이단의 아내 마하라를 잡고 있는 것이다. 자이단은 이곳에서 집으로 돌아간다.

깊은 밤. 10시가 되어가고 있다. 지노가 옆에 선 수르토에게 말했다.

"내가 각하 호위로 파키스탄에서 탈레반 전사들을 모아왔어요."

놀란 수르토가 한 걸음 다가섰고 지노가 말을 이었다.

"30명을 데려와서 터키에서 훈련시켰습니다. 정예군이오."

"그런데 각하께선 어떻게 성형을 하셨습니까?"

수르토가 망설이다가 물었다. 그것이 못내 궁금한 것 같다. 어둠 속에서 수르토의 두 눈이 번들거리고 있다.

"저는 각하하고 독대한 적이 없습니다. 부대에 오셨을 때도 먼발치에서만 뵈었지요."

"전혀 다른 얼굴입니다만 저는 익숙해졌어요. 목소리가 같아서 그런가 봅니다."

그때 옆쪽 비탈에서 인기척이 나더니 할라드가 내려왔다. 자이단에게 마하라를 넘겨주고 온 것이다. 할라드와 합세한 지노가 다시 발을 떼었다.

"여덟 명."

야간용 스코프로 아래쪽을 내려다 본 휴스가 말했다.

"거리 440미터, 서북방으로 북상 중."

마틴이 스코프에 잡힌 여덟을 보면서 투덜거렸다.

"야합 부족이야? 아니면 무스타파야?"

왼쪽으로 곧장 가면 야합의 구역이고 오른쪽은 무스타파 구역이다. 이곳은 그 분계선이다. 그때 8명은 아래쪽 산기슭을 돌아 북상하고 있는 것이다.

"잡을까요?"

휴스가 묻자 마틴이 입맛을 다셨다.

"야, 무스가 지금 근신 중이야. 부하들 시신도 못 찾았어."

"그 조장은 문제가 있습니다."

휴스가 망원경에서 눈을 떼고 마틴을 보았다.

"그대로 보냅니까?"

"놔둬. 부족한테 돌아가는 놈들을 공격할 필요는 없다."

마틴이 결정했다.

이곳은 부족 연합과의 국경선이다. 마틴의 아르카디 용병 12조는 산 중턱에서 부족 영지를 감시하고 있다. 목적은 후세인의 출현을 기다리는 것이다.

이렇게 지노와 수르토는 아르카디의 감시초소를 지나갔다.

그 시간에 가민과 마흘락은 후르딘을 만난다. 후르딘은 수르토의 부하다.

"응, 웬일이냐?"

밤 12시 반이 넘은 시간이다. 후르딘은 가민과 안면이 있다. 그때 후르딘이 보고했다. 방 안에는 가민과 마흘락뿐이다.

"장군, 대령이 지금 각하를 만나러 가셨습니다."

"뭐라고?"

놀란 가민이 후르딘을 노려보았다.

"각하를 만나러? 여기 온단 말인가?"

“아닙니다.”

당황한 후르딘이 손까지 저었다.

“용병 지노 씨하고 같이 각하한테 가셨습니다.”

“뭐? 지노?”

깜짝 놀란 가민의 목소리가 커졌다.

“지노가 왔단 말이냐?”

“예, 대령이 지노 씨를 만났습니다.”

“어떻게?”

후르딘이 만난 과정을 말하는 동안 둘은 숨을 죽였다. 다 듣고 난 가민이 서둘러 물었다.

“그래서 지금 같이 각하를 만나러 갔다는 거냐?”

“예, 장군. 만나 뵙고 보고를 하시겠다는 겁니다.”

“아니, 그럼 각하께서 근처에 계시다는 것인가?”

마흘락이 묻자 후르딘이 대답했다.

“예, 지노 씨가 모시고 왔다고 합니다.”

“으음.”

신음을 뱉은 마흘락이 가민과 마주 보았다. 그때 가민이 탄성처럼 말했다.

“각하께서 오셨구만.”

가민이 몸을 일으켰다. 1호한테 전하려는 것이다.

“오셨군요.”

말을 들은 1호의 목소리가 떨렸다. 1호의 거처 안이다. 자다가 일어난 1호의 흐려졌던 두 눈에 생기가 돌아왔다.

“제가 이제 소원을 풀었습니다.”

"1호, 지금부터 시작이야."

가민의 두 눈도 번들거렸다.

"너하고 각하께서 함께 움직이면 놈들을 혼란시킬 테니까."

"예, 저도 최선을 다하지요."

"네가 그동안 열심히 해줬어. 각하께서 고맙게 생각하실 거야."

감정에 북받친 가민의 목소리가 떨렸다.

"각하가 마침내 돌아오셨구만."

오전 3시.

그동안 2번을 쉬고 6시간 동안 산맥 2개를 건너 7킬로를 걸은 셈이다.

"지노."

어둠 속에서 다가온 바질이 손을 들어 알은체를 했다. 이곳은 바질 조의 경비 지역이다. 바질이 지노의 어깨를 감싸 안더니 뒤에 선 수르토를 보았다.

"각하를 뵈러 온 거야. 이라크군 대령이시지."

지노가 수르토를 소개했다.

"잘 오셨어."

바질이 수르토를 향해 고개를 끄덕였다. 바질에게는 이라크군 대장도 예우해 줄 마음은 없다.

지노가 바질의 경비초소를 지나 다시 발을 떼었다. 이곳에서 후세인의 본진까지는 1킬로다. 바질이 보낸 전령이 먼저 본진으로 뛰었다.

지노가 동굴로 들어섰을 때는 30분쯤 후다. 후세인은 그동안 또 거처를 옮긴 것이다.

지노 뒤에는 잔뜩 긴장한 수르토가 따르고 있다. 동굴 안에는 양초를 켜놓았지만 밝다. 길이가 10미터쯤 되었고 넓이는 5미터쯤 되어서 넓다. 그때 안쪽에 앉아있는 후세인이 일어섰다. 압둘 자말이다.

"오, 왔느냐?"

다가온 후세인이 지노를 껴안고 입을 맞췄다. 세 번 볼에 입을 맞춘 후세인이 몸을 떼었을 때 지노가 비켜서며 말했다.

"각하, 수르토 대령입니다."

"오!"

대답만 한 후세인이 2미터쯤 앞에 선 수르토를 보았다. 정색한 얼굴. 수르토도 후세인의 시선을 맞받는다. 얼굴이 굳어 있다. 그때 지노가 수르토에게 말했다.

"대령, 대통령 각하시오."

"예."

대답은 했지만 수르토는 움직이지 않았다. 그대로 후세인에게 시선을 떼지 않은 채 서 있다. 그렇게 3초쯤 지났을 때 지노가 물었다.

"대령, 뭘 하시는 거요?"

낮은 목소리로 물은 것이다. 그때 후세인의 얼굴에 쓴웃음이 떠올랐다.

"대령, 네 이름이 뭐라고?"

"예."

눈동자의 초점을 잡은 수르토가 대답했다.

"카만 수르토입니다."

"어느 부대냐?"

"제4공수특전단 2연대장이었습니다."

"그럼 쟈드락 소장 휘하였느냐?"

"예, 각하."

"샤드락이 바그다드에서 전사했지?"

"예, 각하."

"4공수는 카르빌라에서 늦게 이동했어. 너도 비행기가 없어서 트럭으로 바그다드에 왔느냐?"

"예, 각하."

"샤드락이 죽기 전에 나한테 전화를 했다. 명령을 어겨서 죄송하다고 하더군."

"……."

"날더러 오래 살라고도 하더구나."

"……."

"난 나한테 오지 말고 피하라고 했는데 그놈은 부대원을 트럭에 태우고 바그다드로 달려오다가 당했어."

후세인의 눈이 흐려졌다. 말하는 동안 동굴 안은 숨소리도 나지 않았다. 앞에 선 수르토는 석상처럼 굳어 있고 뒤쪽의 지노도 숨을 죽이고 있다. 그때 후세인이 길게 숨을 뱉었다.

"샤드락의 휘하 3개 연대가 정예였지. 그런데 연대장 중 하나인 네가 살았구나."

"각하."

갑자기 한 걸음 다가선 수르토가 후세인의 손을 두 손으로 쥐더니 입을 맞췄다. 그러더니 짧게 흐느껴 울고 나서 고개를 들었다.

"샤드락이 전화를 할 때 저도 옆에 있었습니다."

수르토가 말을 이었다.

"그 방법밖에 없었습니다. 바그다드로 가다가 다 죽더라도 가만있을 수는 없었습니다."

이제는 무릎을 꿇은 수르토가 후세인의 발등에 입을 맞췄다.

"넌 팀을 이끌 재목이 아냐."

깁슨이 차분한 얼굴로 무스 함버크를 보았다.

오전 8시 반.

깁슨이 상황실로 무스를 부른 것이다. 이곳은 모술 북방의 아르카디 본부. 상황실에는 보좌관 톰슨까지 셋이 모여 있다. 무스는 깁슨에게 시선을 준 채 입을 열지 않았다. 다시 깁슨이 말을 이었다.

"네 조원이 이제 하나밖에 남지 않았는데 너하고 같은 조원이 되겠다는 사람이 없어."

마침내 무스가 외면했다.

"그래서 말인데……."

깁슨이 무스를 보았다.

"너한테 현지인 안내인을 하나 붙여주겠어. 정보원인데 이라크군 상사 출신이다. 유능한 놈이지."

"……."

"넌 그놈을 데리고 후세인을 잡아라. 죽여도 좋아. 죽여서 머리만 베어와도 돼."

"……."

"측근의 간부도 좋아. 반군 따위한테 신경 쓸 필요도 없어. 오직 후세인과 그 측근을 잡는 역할이다."

그때 깁슨의 시선을 받은 톰슨이 말을 이었다.

"보고는 정기적으로 안 해도 돼. 안내역하고 산속, 황무지, 군벌들의 영역을 수색해서 후세인을 잡아."

"알았습니다."

마침내 무스가 어깨를 펴고 대답했다.

"하지요."

무스는 후세인 추적의 별동대인 셈이다.

"가민한테 전해라."

후세인이 앞에 앉은 지노와 수르토에게 말했다.

오전 9시.

동굴 안이다. 후세인이 말을 이었다.

"1호를 내세워서 반군을 적극적으로 규합하라고."

지노와 수르토는 시선만 주었고 후세인이 말을 이었다.

"나는 무스타파하고 합의를 했어. 여기 있는 지노가 무스타파를 만났다."

수르토에게 한 말이다.

"그리고 1호에게도 내 말을 전해."

"예, 각하."

"고맙다고. 1호의 이름이 사하란이다."

"예, 각하."

"사하란이란 이름을 아는 건 나 하나뿐일 것이다."

"예, 사하란."

"사하란에게 죽는다면 바라스카의 언덕 밑에 묻어주겠다고 전해라. 바라스카가 1호의 고향이다."

"예, 각하."

어깨를 늘어뜨린 수르토가 흐려진 눈으로 후세인을 보았다.

"각하, 다녀오겠습니다."

지노가 심호흡을 했다. 수르토가 돌아오고 싶은 모양이다.

미 국무부 극동담당 부국장 존 매커비가 모술에 도착했을 때는 오전 11시 무렵이다. 티크리트의 사단 사령부에서 제공한 헬기로 날아온 것이다.

매커비는 17연대 연대장을 만나 브리핑을 받고 나서 깁슨을 찾아왔다. 곧장 상황실로 들어선 매커비를 깁슨이 맞는다. 상황실에는 깁슨과 보좌관 톰슨 둘이 기다리고 있다. 자리 잡고 앉았을 때 매커비가 입을 열었다.

"깁슨 씨, 후세인이 이라크로 잠입한 것이 분명해요."

매커비가 서두르듯 말을 이었다.

"수색 상황은 어떻게 되었습니까?"

깁슨은 대답하지 않았다. 후세인이 프랑스 리옹 병원에서 쟝 샹티에의 집도로 성형 수술을 받았다는 것을 매커비도 안다. 이윽고 고개를 든 깁슨이 매커비를 보았다.

"지금 북부지역에 있는 것 같습니다."

"내가 듣기로는 대역도 이 지역에 와 있다던데, 맞지요?"

"그런 것 같습니다."

"이런."

어깨를 치켰다가 내린 매커비가 깁슨에게 물었다.

"아르카디 능력으로는 벅찬 일입니까?"

"무슨 말씀입니까?"

깁슨이 매커비의 시선을 맞받았다.

"우리가 후세인이 성형 수술 했다는 것도 밝혀내지 않았습니까?"

"그건 CIA, 인터폴이 추적해낸 일 아니오?"

"자백을 받아낸 건 우리지요."

"불법적인 방법이었겠지."

"매커비 씨, 다른 방법이 있습니까?"

"용병단이 아르카디뿐만이 아니오, 깁슨 씨."

매커비의 눈빛도 강해졌다.

"당신과 계약했던 리차드 해리슨은 곧 구속될 거요."

"우린 미국 정부와 계약했지, 해리슨과 계약한 건 아니오."

"어쨌든 한 달 안에 해결 못 하면 용병단 계약은 취소하고 다른 업체로 바꾸겠습니다."

매커비가 번들거리는 눈으로 깁슨을 보았다.

"한 달에 6천만 불을 지급한다면 이보다 더 큰 업체를 고용할 수가 있으니까."

깁슨이 어금니를 물고는 대꾸하지 않았기 때문에 톰슨이 헛기침을 했다.

"부국장님, 제가 브리핑을 하겠습니다."

매커비가 시선만 주었을 때 톰슨이 말을 이었다.

"현재 후세인 추적조로 22개 조가 출동한 상황입니다."

톰슨이 준비한 자료를 매커비 앞에 내밀었다.

매커비가 날아온 것은 그만큼 급하다는 증거다. 지금까지 미국은 헛고생을 한 셈이 될 테니까.

오후 3시 반.

무스와 아크발이 개울에서 늦은 점심을 먹는다. 육포를 씹고 개울물을 떠먹는 것이다. 이곳은 다후크 동쪽 25킬로 지점. 바위산 골짜기 안이다. 그때 아크발이 고개를 들고 무스를 보았다.

"대장, 이곳이 투르크족으로 통하는 입구입니다."

아크발이 골짜기 위쪽을 가리켰다.

"이쪽은 안전지대지요. 투르크족은 미군과 동맹을 맺었기 때문에 민병대는 물론 반군도 얼씬하지 않지요."

"바로 그것이 허점이지."

무스가 개울물을 손으로 떠 마시고는 손등으로 입가를 씻었다. 허름한 저고리와 바지 차림으로 머리에는 더러운 터번을 감았다. 얼굴이 검은 수염으로 덮였으니 영락없는 반군이다. 옆에 앉은 아크발도 마찬가지다.

아크발은 35세. 이라크군 상사 출신으로 아르카디 정보원이 된 지 6개월. 그동안 아크발은 10만 불이 넘는 상금을 받았다. 이라크 장군 1명, 대령 2명을 포함해서 장교 8명을 체포, 사살하는 데 정보를 제공했기 때문이다.

아크발은 장신에 마른 체격으로 날렵하다. 모술 근처에서 10여년 군 생활을 했기 때문에 지리에 훤하고 친척들이 많다. 자이툰족으로 이란과 우호적인 부족 출신이라 장교가 되지 못했다고 했다. 식사를 마친 무스가 일어서며 말했다.

"이쪽을 수상한 놈들이 통로로 사용할 수가 있지."

오늘도 아침부터 북부지역을 휘젓고 다니는 것이다. 별동대가 되고 나서 무스는 아크발을 앞세워서 쉬지 않고 산과 골짜기를 종횡으로 수색하고 있다.

수르토를 앞세운 지노가 1호가 머무는 동굴에 들어섰을 때는 오후 4시 무렵이다. 이곳은 가파른 암산 중턱의 동굴 기지. 먼저 지노를 본 가민이 두 손을 벌리고 다가와 껴안았다.

"지노, 고생했어."

지노의 뺨에 세 번이나 입을 맞춘 가민의 눈이 흐려졌다. 겨우 포옹을 푼 가민이 뒤에 서 있는 마흘락을 소개했다.

"지노, 마흘락 소장이시네."

"장군, 반갑습니다."

"이렇게 만나서 영광이오."

마흘락이 다가와 지노를 껴안았다. 마흘락도 지노의 뺨에 입을 맞춘다.

마흘락과 포옹을 푼 지노가 이제는 맨 뒤에 서 있는 1호를 보았다. 후세인이다. 1호의 눈동자가 흔들렸다. 입술 끝도 희미하게 흔들리고 있다. 그때다. 지노가 1호에게 거수경례를 했다. 그러고 나서 허리를 굽히더니 1호의 손을 잡아 손등에 입술을 붙였다. 최대의 예우다. 후세인 대통령을 만났을 때의 예우나 같다. 그때 당황한 1호가 손을 떼면서 말했다.

"지노 씨, 우리끼리 있으니까 됐습니다."

"아닙니다."

정색한 지노가 허리를 펴고 똑바로 1호를 보았다.

"간부들만 있을 때라도 각하 대우를 해드리라고 각하께서 지시하셨습니다."

그것은 동굴 안에 있는 간부들에게도 하는 말이다. 뒤쪽의 파라드까지 긴장했고 그때 수르토가 1호에게 말했다.

"각하께서는 사하란에게 바라스카 언덕 밑을 잊지 않고 있다는 것을 말하라고 하셨습니다. 그리고 고맙다고도 하시더군요."

1호의 눈에서 눈물이 흘러내렸다.

"각하께서 제 말을 기억하고 계시는군요. 이제 됐습니다. 마음 놓고 죽을 수 있겠습니다."

그때 마흘락이 다가와 1호에게 말했다.

"각하, 이제 앉으시지요."

대번에 후세인의 지시가 이행되고 있다.

수르토, 파라드, 가민, 마흘락이 후세인 친위대의 장교단이다. 그러나 병력은 5백여 명밖에 되지 않는다. 그것도 사방에 흩어져 있었기 때문에 본진(本陣) 격인 이곳에는 40여 명뿐이다. 추적자를 피해 수시로 이동해야 되기 때문이다.

이제는 피하는 데도 익숙해졌지만 추적자들도 그만큼 교활해졌다. 어떤 때는 미리 앞쪽을 차단하고 기다리기도 한다. 이쪽의 도피 루트를 예상하는 것이다. 더구나 정찰위성, 정찰기를 띄워서 개가 지나는 것도 수 킬로 상공에서 내려다보는 터라 바위틈으로 이동할 때가 많다.

"반군을 적극적으로 규합하라고 하셨습니다."

수르토가 말했다.

"1호 님을 내세워서 말입니다."

"그래야지."

마흘락이 커다랗게 고개를 끄덕였을 때 이번에는 지노가 말했다.

"무스타파하고 합의를 했습니다."

동굴 안의 분위기는 점점 활기가 차올랐다. 특히 1호의 분위기가 안정되었다. 예전, 후세인이 동굴에 앉아있는 분위기가 되어가고 있는 것이다.

그날 밤.

지노는 1호의 동굴에서 둘이 마주 앉아 있다. 동굴 안에 촛불을 켜놓았는데 1호의 얼굴은 영락없는 후세인이었지만 지노에게는 낯설었다. 지금까지 성형 수술한 압둘 자말과 함께 살아왔기 때문이다. 그러나 이 얼굴이 더 정겹다.

그래서 더 오래 같이 있고 싶은 충동이 일어났다. 1호에게 후세인을 대한 것처럼 예우를 한 것은 지노가 그렇게 판단했기 때문이다. 즉흥적이었다. 후세인이 시키지 않았다.

동굴에 들어선 순간 1호가 맨 뒤에 서 있는 것을 보고 분위기를 알아차린 것이다. 수르토가 1호를 처음 만났을 때의 분위기를 오면서 말해준 것도 도움이 되었다. 지노가 1호를 지그시 보았다. 웃음 띤 얼굴이다.

"각하, 정말 똑같으십니다."

"그렇습니까?"

따라 웃은 1호가 얼굴을 손바닥으로 쓸었다.

"나도 때로는 내가 진짜 각하인 것으로 착각할 때가 있어요."

"각하, 둘이 있을 때라도 저한테 하대를 하십시오. 그것이 자연스럽습니다."

"그럴까요?"

"장군들한테도 제가 다시 주지시키겠습니다. 각하께서도 그것을 원하고 계실 테니까요."

"각하는 건강하시지요?"

"예, 각하."

"지노 씨가 오시고 나서 금방 이곳 분위기가 잡혔습니다."

"저는 용병입니다, 각하. 그리고 지노라고 아들처럼 불러주시지요."

"그러지."

고개를 끄덕인 1호가 얼굴을 펴고 웃었다.

"정말 고맙네, 지노."

그 시간에 수르토는 가민, 마흘락, 파라드 등 간부들과 둘러앉아 있다.

"전혀 다른 얼굴이셨습니다."

수르토가 정색하고 말했다.

"하지만 얼굴 모습은 바뀌었어도 금방 각하를 느낄 수가 있었습니다."

"상관없어."

가민이 먼저 말했다.

"우리는 얼굴만의 사담 후세인을 원한 것이 아니니까. 우리가 기다렸던 것은 지도자 사담 후세인이야."

"그렇지."

마흘락이 고개를 끄덕였다.

"이젠 원군이 온 셈이야. 각하의 지시를 받은 1호가 마음껏 활동할 수 있게 되었으니까."

그때 파라드가 나섰다.

"마음껏 활동은 안 되겠지만 결집력은 강해질 것입니다."

그러자 가민이 풀썩 웃었고 마흘락도 따라 웃었다. 수르토가 말을 이었다.

"지금부터 반군 규합에 전력을 다해야겠습니다."

"그래야지."

가민이 고개를 끄덕였다.

"반군을 규합해서 무스타파와 연합하면 미국은 한 번 더 전쟁을 치를 각오를 해야 될 테니까."

그때 마흘락이 말을 받는다.

"지금은 미국에 반전(反戰) 여론이 높아지고 있어. 부시가 전쟁 명분을 만들려고 이라크에 핵이 있다는 증거를 조작했다는 소문이 퍼져있는 상황이니까."

후세인의 육성 녹음이 그 분위기에 일조를 한 것이다.

다음 날 저녁.

산을 타는 세 사내가 있다. 앞장선 사내는 조디, 북부지역을 제 손바닥처럼 아는 가민의 부하다. 그 뒤를 지노와 가민이 따른다. 가민이 후세인을 만나려고 지노를 따라온 것이다.

마흘락, 1호까지 만류했지만 가민은 고집을 부렸다. 그것을 조정한 사람이 1호다. 가민 다음에 마흘락이 각하를 뵈러 가는 것으로 결정한 것이다.

후세인이 은신한 거처와는 35킬로 거리. 하루 반나절이 걸린다. 한낮에는 몇 킬로밖에 움직일 수 없기 때문이다.

"이제는 나도 산양이 다 되었어."

뒤를 따르던 가민이 가쁜 숨을 몰아쉬며 말했다.

"산길을 타도 이젠 지치지 않아."

거짓말이다. 가쁜 숨을 뱉는 것이 그 증거다. 그러나 목소리에 활기가 띠어져 있다.

"몇 마리 가져간다고?"

아부핫산이 묻자 고단이 양을 자루에 넣으면서 말했다.

"3마리."

"야채는?"

"3자루면 돼."

오후 7시.

이곳은 산 중턱에 위치한 아부핫산의 기지. 아부핫산과 12명의 반군의 동굴 기지다. 아부핫산이 손을 들어 동굴 안쪽을 가리켰다.

"저기, 어제 가져온 양배추하고 양념이 있어. 차 봉지는 구석의 자루에 있고."

고단의 부하 둘이 그쪽으로 다가갔다. 아부핫산은 보급창의 책임자다. 본부에 식품을 대는 역할이다.

가민은 본부에서 직접 식품이나 필수품을 구입하지 않고 따로 '부대'를 편성하여 전달받는 방식을 택했다. 쫓기는 입장이라 추적당하지 않으려는 것이다.

3단계, 4단계를 거치기도 한다. 미군이나 민병대 정보원, 그리고 아르카디 용병단의 추적이 더욱 거세졌기 때문이다. 이윽고 자루를 챙긴 고단이 아부핫산에게 말했다.

"자, 그럼, 다음에 봐."

고단은 부하 7명을 데리고 왔다. 4명이 짐을 졌고 3명이 호위역이다. 모두 몸이 날래고 힘이 센 대원들이다.

"저기, 오른쪽."

산마루에서 기다리던 로하스 조(組)의 휴고가 낮게 말했다.

오후 8시 반.

흐린 날씨여서 별도 떠 있지 않은 깊은 밤. 그러나 열 추적 스코프에 붉은 열 반점이 7개 드러났다. 거리는 712미터. 아래쪽 골짜기를 지나가고 있어서 바위 뒤로 지나갈 때는 열 반점이 사라졌다가 나타난다. 휴고의 옆에 엎드린 쟈크가 말했다.

"반군이야."

이곳은 투르크 부족 영지와 살라드 영지의 분계선 근처. 아래쪽에 큰 마을이 있어서 반군, 민병대, 부족의 병사들 왕래가 많은 지역이다. 민간인은 말할 것도 없지만 밤에 일렬로 지나지는 않는다.

"조장, 어떻게 할까요?"

휴고가 묻자 로하스가 스코프에서 눈을 떼었다.

"좋아, 잡자."

로하스가 몸을 일으켰다.

"셋만 따라와."

로하스의 조(組)는 조장 포함해서 8명, 그 절반인 4명이 출동했다.

바위 모퉁이를 지났을 때 고단이 앞에 선 유크란에게 말했다.

"서둘러라."

이곳에서 본부까지는 8킬로, 산길이다. 산을 2개, 골짜기 3곳을 지나는데 4시간이 걸리는 것이다. 그때 뒤를 따르던 하비브가 무전기를 귀에 붙였다. 연락이 온 것이다.

바위틈에 엎드린 카리프가 앞쪽을 노려보았다.

"넷이야. 뒤를 따르는 놈들은 없어."

"알라 아크바르."

스코프를 눈에 붙인 하다르가 알라를 찬양했다.

"저놈들이 고단을 따라온 거야."

"민병대인가?"

"알 수가 없지."

그때 조장 만푸드가 말했다.

"기다려라."

이곳은 고단이 다가오는 앞쪽 산 중턱. 고단과의 거리는 658미터. 만푸드 조는 고단의 경계를 맡은 조다. 고단의 본부 수송조 행로를 감시하는 역할이다.

그런데 이쪽으로 다가오는 고단의 수송조 7명의 옆쪽으로 4명이 다가오고 있다. 가로막으려는 듯이 재빠르게 앞쪽 산을 내려오고 있는 것이다. 4명과의 거리는 335미터. 우측 산 중턱에서 갑자기 나타났기 때문에 만푸드는 깜짝 놀란 상태.

"놈들이 고단을 잡으려는 것 같다."

4명이 내려오는 속도가 빠르다. 곧 4명은 고단이 다가오는 앞길을 가로막을 것이다.

"천천히."

앞장선 유크란에게 고단이 말했다. 이제 고단 조(組)는 긴장하고 있다. 하비브로부터 연락을 받은 것이다.

"놈들이 다가오고 있어. 왼쪽 산에서 내려온다."

고단이 말을 이었다.

"만푸드가 저놈들을 기다리고 있어."

"누굴까?"

유크란이 낮게 되물었을 때 하비브의 허리에 찬 무전기가 진동했다. 만푸드 조에서 연락이 온 것이다. 하비브가 무전기를 귀에 붙였을 때 만푸드의 목소리가 울렸다.

"앞쪽 바위 뒤에 멈춰서 은폐해."

"엇, 저놈들이 바위 뒤에서 멈췄다."

앞장서서 산을 내려가던 로하스가 잠깐 멈춰 서서 아래를 내려다보면서 말했다. 거리는 412미터.

"저놈들이 쉬는 모양이다."

스코프를 눈에서 뗀 로하스가 다시 발을 떼면서 말했다.

"1백 미터만 더 내려가서 놈들을 치기로 하지."

로하스가 다시 바위를 타고 산을 내려가기 시작했다. 뒤를 요원 셋이 따른다. 저쪽 7명은 산 중턱을 질러가는 상황이라 이쪽이 빠르다. 내려가면 4명이 횡대로 벌려 서서 공격을 할 것이다.

이윽고 로하스가 가쁜 숨을 뱉으면서 목표로 삼은 바위 뒤에 엎드렸다. 그러고는 눈에 스코프를 붙였더니 거리가 245미터로 나타났다.

놈들도 그동안 다가온 것이다.

로하스가 숨을 고르면서 말했다.

"기다려라!"

거리가 240미터, 238미터로 가까워졌다. 앞장선 사내와의 거리다.

"내가 먼저 쏠 테니까."

로하스가 말했다.

"내가 앞장선 놈을 맡을 거야."

거리가 235미터. 로하스가 방아쇠에 건 손가락에 힘을 주었다. 1단, 그 순간이다.

"퍽!"

둔탁한 충격음이 울렸다.

고개를 돌린 휴고가 숨을 들이켰다.

로하스의 머리가 반쯤 날아가 있는 것이다. 휴고가 입을 떡 벌렸을 때다.

"퍽!"

다시 충격음이 들리더니 휴고의 머리통이 부서졌다.

"타앙!"

총성이 골짜기를 울렸다. 이것은 마크론의 머리통을 부숴버린 총의 발사음이다. 이 총은 소음기를 끼지 않은 것이다.

"타앙!"

또 한 발의 총성이 울렸을 때 쟈크가 벌떡 일어섰다. 옆에 엎드려 있던 로하스에 이어서 휴고, 마크론까지 총에 맞아 죽은 것이다. 저격당했다.

"타앙, 타앙."

다시 두 발의 총성이 울리면서 쟈크가 두 손을 휘저으면서 쓰러졌다. 바위 위에 4구의 시체가 널브러져 있다.

엎드려 있던 고단이 몸을 일으켰다. 총성이 그치고 1분쯤이 지난 후다.

"가자."

고단이 발을 떼면서 말했다. 방금 하비브가 연락을 받은 것이다.

식량 운반조는 다시 산길을 걷기 시작했다.

운반조를 기습하려던 기습자들은 사살되었다. 넷이다.

12분 후.

기습조가 몰살당한 바위로 다가간 카리프 조가 시체를 확인했다.

"서양인이야."

하다르가 무기를 걷으면서 말했다.

"용병들이다."

"용병 넷이야."

만푸드가 시체를 뒤적여 지갑을 챙기면서 말을 받는다.

"미군 놈들이다."

무기는 AK-47에 권총, 고급 무기인 SA80도 1정 포함되었다. 용병들이나 갖고 다니는 무기다.

"아르카디다."

카리프가 단정했다. 이 근처의 용병은 아르카디뿐이다.

지노와 가민이 후세인을 만났을 때는 오전 5시가 되어갈 무렵이다. 36시간이 걸린 것이다.

이곳은 산 중턱의 통나무집 안.

안으로 들어선 가민이 자리에서 일어서는 사내를 보았다. 바위틈에 박힌 집 안은 어두워서 양초를 세워놓았는데 처음 보는 사내다. 작업복에 바지를 입었다. 맨머리, 콧수염은 짙었지만 굵은 눈썹, 곧은 콧날, 맑은 눈. 그때 옆에 선 지노가 사내에게 말했다.

"각하, 돌아왔습니다."

그러나 사내의 시선은 가민에게 향한 채 옮겨가지 않는다. 그때 사내가 가민에게 두 팔을 벌렸다.

"가민, 이리 오너라."

순간 숨을 들이켠 가민이 흠칫 했지만 발을 떼지도 입을 열지도 않았다. 그때 사내가 얼굴을 일그러뜨리며 웃었다.

"압둘 가민, 등의 피부병은 다 나았느냐?"

목소리는 후세인이다. 가민이 얼떨결에 대답했다.

"예."

"이리 오너라."

다가선 후세인이 덥석 가민의 상반신을 안았다.

"내 얼굴에 익숙해지지 못했구나, 가민."

후세인이 가민의 볼을 세 번 부딪치고는 떼었다. 가민은 그저 건성으로 답례한다.

"자, 앉자."

가민이 끌리듯이 앞쪽에 앉는다. 방 안에는 후세인과 지노, 가민과 로간까지 넷이 둘러앉았다.

"자, 1호까지의 상황을 듣자."

후세인이 가민에게 말했다.

"나하고 이야기 하다보면 너도 익숙해질 테니까."

후세인이 얼굴을 펴고 웃었다.

"너도 조급하게 생각할 것 없다."

"로하스 조가 당했습니다."

아크발이 무전기를 귀에서 떼고 말했다.

"로하스 조장하고 조원 셋까지 넷이 당했습니다."

이곳은 다후크 동쪽 17킬로 지점의 마을. 위치를 또 옮겼다. 그동안 투르크 부족 3개 팀을 보냈고 반군 2개 소를 지나갔다. 무스가 쓴웃음을 지었다.

“나만 당한 것이 아니구만.”

“여긴 조장이 당한 겁니다.”

아크발이 말을 이었다.

“아르카디가 계속 당하고 있습니다.”

오후 6시 반.

무스가 자리에서 일어서며 말했다.

“오늘은 마을에서 쉬도록 하지.”

밤이 깊었다.

저녁을 함께 먹고 나서 두 시간 가깝게 이야기를 하는 동안 가민의 눈빛이 부드러워졌다. 그리고 깊어졌다. 시선이 후세인의 얼굴에서 자꾸 비껴가더니 시간이 지나자 점점 시선이 마주쳤다.

둘러앉은 사람은 이제 셋. 후세인과 지노, 그리고 가민이다. 이윽고 후세인이 말했다.

“가민, 네가 이곳에 나하고 함께 있는 것이 좋겠다. 그러면 1호 측과 합동작전을 할 수 있을 것이다.”

“예, 각하.”

가민이 바로 대답했다.

“그것이 합리적입니다. 1호는 마흘락 중장이 보좌하고 있도록 하지요.”

그러고는 덧붙였다.

“조금 후에 마흘락을 불러 격려해주시지요.”

밤.

후세인의 숙소를 나온 지노와 가민이 앞쪽 바위 옆으로 다가가 섰다.

"어때요? 각하를 다시 만난 감상이?"

불쑥 지노가 묻자 가민이 어깨를 치켰다가 내렸다. 두 눈이 번들거리고 있다.

"시간이 지나면서 점점 가슴이 미어졌어. 그래서 눈물이 나오려고 해서 혼났네."

"우시지 그랬어요?"

"기회를 놓쳤지."

가민이 어둠 속에서 이를 드러내고 웃었다.

"각하의 체취가 맡아졌어. 각하의 분위기 말이네."

"이제 저도 마음이 놓입니다."

지노가 길게 숨을 뱉었다.

"두 달 반 동안을 어떻게 보냈는지 모릅니다."

"그렇군. 자네는 용병 이상의 일을 했네, 지노."

가민이 커다랗게 고개를 끄덕였다.

"자네는 이라크의 영웅이네."

다음 날 아침.

가민을 안내해왔던 조디가 혼자 1호에게로 떠났다. 후세인의 지시를 적은 쪽지와 연락 방법을 갖고 떠난 것이다.

이제 후세인은 가민이 측근으로 가담했기 때문에 활발하게 행동할 수 있게 되었다. 브라운, 로간, 바질과 탈레반 30명이 후세인의 친위대 역할이다.

저녁 무렵.

후세인 거처에 찾아온 용병대장 바질, 브라운이 가민과 만난다. 어제 로간과는 인사를 했기 때문에 외곽 경비를 맡은 둘까지 부른 것이다. 가민이 입을 열었다.

"각하의 지시를 받아서 지금부터는 자네들이 용병이지만 이라크 해방군의 계급을 정하겠네. 자네들을 모두 이라크군 대령으로 임명하셨네."

가민의 얼굴에 쓴웃음이 번졌다.

"패망한 국가의 군(軍) 대령으로 임명했지만 조직을 관리하려면 필요한 조치야. 앞으로 대령으로 부르겠네."

"지노도 대령입니까?"

로간이 가민 옆에 서 있는 지노를 눈으로 가리키며 물었다. 브라운, 바질, 지노까지 웃었지만 가민이 대답했다.

"그래. 지노도 대령이야."

"그럼, 받지요."

로간이 정색하고 말했다.

"불만 없습니다."

"계약금은 그대로야."

가민의 말에 이제는 모두 웃었다.

그날 밤.

후세인의 경호원으로 임명된 타슈크가 지노의 숙소로 찾아왔다. 11시 45분이다.

"각하께서 부르십니다."

서둘러 일어선 지노가 옆쪽의 거처로 들어섰을 때 후세인은 벽에 등을 붙이고 앉아 기다리고 있었다.

"각하, 부르셨습니까?"

"거기 앉아라."

부드럽게 말한 후세인이 지그시 지노를 보았다. 지노가 자리에 앉았을 때 후세인이 입을 열었다.

"지노, 지금부터 전쟁이 시작되었다."

"예, 각하."

"긴 싸움이 되겠지."

한숨을 쉰 후세인이 말을 이었다.

"조금 전에 가민하고도 상의했어."

"……."

"지노."

"예, 각하."

"카밀라를 데려와야겠다."

순간 숨을 들이켠 지노가 후세인을 보았다.

"각하, 공주를 말씀입니까?"

"내가 필요하다."

"……."

"내 딸 때문이 아니야. 내 참모로 필요하다."

지노가 후세인을 보았다. 카밀라의 안전을 위해서 터키에 두고 왔던 후세인이다. 두 달 반 전, 카밀라를 데리고 천신만고 끝에 이라크를 탈출하던 장면이 떠올랐다.

그런데 다시 데리고 오란 말인가? 그때 후세인이 다시 입을 열었다.

"지노, 부탁한다."

"각하, 알겠습니다."

지노가 고개를 들고 대답했다.

"가지요."

"고맙다, 지노."

"할라드만 데리고 가겠습니다."

"그건 네가 알아서 하도록."

"준비를 하고 내일 저녁에 출발하겠습니다."

그때 후세인이 길게 숨을 뱉었다.

"카밀라도 기다리고 있을 거야."

"그래. 카밀라 양이 합류하는 것이 낫다는 생각이 드네."

다음 날 아침, 가민을 만난 지노가 어젯밤 후세인을 만난 이야기를 했더니 바로 말했다.

"카밀라 양이 홍보, 관리 분야에 정통해. 장관도 했고."

"터키에서 떠날 때 공주는 남는 것으로 했습니다."

"나한테도 그렇게 말씀하시더군. 그런데 마음이 바뀌신 것 같네."

가민의 얼굴에 쓴웃음이 번졌다.

"혼자 남겨두는 것보다 이곳이 더 안전하다고 생각하시는 것 같네."

"이곳이 말입니까?"

"함께 있는 것이 차라리 낫겠다고 하셨어. 마음이 놓이신다고."

"……."

"그러니 내가 어쩌겠는가?"

"알겠습니다."

"자네가 또 고생이군."

"각하 옆에 장군이 계셔서 마음은 놓입니다."

"자네가 데려온 용병들을 믿고 각하가 그러시는 것 같아."

가민이 혼잣소리처럼 말했다.

"갓댐. 또 간단 말야?"

로간이 투덜거렸고 바질이 이맛살을 찌푸렸다. 브라운은 쓴웃음만 짓는다.

"여자 데리고 왔다 갔다 하다가 세월 다 가겠다."

"너희들한테 잘 부탁한다."

어젯밤에 모이고 나서 다시 초소로 돌아갈 바질과 브라운에게 지노가 작별했다.

"다녀올게."

"걱정 말고."

바질이 지노를 껴안았다.

"잔소리는 더 할 필요 없다, 지노."

"내가 가민 말 잘 들을 테니까."

브라운이 지노를 껴안으면서 한 말이다. 그 말을 들은 로간이 풀썩 웃었다.

무전기를 내려놓은 톰슨이 깁슨에게 보고했다.

"무스는 지금 무스타파 영역으로 들어가고 있습니다."

깁슨은 듣기만 했고 톰슨이 말을 이었다.

"북부지역 끝까지 들어가겠다는 것입니다."

"지금까지 몇 명 잡았다는 거야?"

"넷입니다. 둘씩 잡았는데 모두 반군이라고 합니다."

"증거는?"

"압수한 지갑이 있다는군요."

깁슨이 벽에 걸린 지도를 보았다. 지도에는 아르카디 조의 위치, 반군, 민병대, 북부지역 군벌들의 주둔지까지 표시되어 있다.

그동안 매복하고 있던 로하스 조가 붕괴되었다. 조원 8명 중에서 조장 로하스를 포함 4명이 저격을 당해 사살된 것이다.

지금 후세인이 반경 50킬로 지점 안에 은신하고 있는 것은 확실하다. 반경 1백 킬로 안에는 대역인 1호가 숨어있는 것이다. 그때 톰슨이 어깨를 늘어뜨리면서 말했다.

"북부지역이 아프간하고 비슷합니다. 동굴 사이로 돌아다니면 위성으로도 잡기 힘듭니다."

"그걸 누가 모르나?"

버럭 소리친 깁슨이 손목시계를 보았다. 오후 1시 반이다. 2시부터 헬기를 동원한 산악지역 수색이다.

무스가 걸음을 멈추고는 앞쪽 산등성이를 보았다.

망원경에 잡힌 앞쪽 산등성이를 사내 하나가 지나가고 있다. 거리는 355미터. 등에 배낭을 메고 앞에 총 자세로 AK-47을 들고 빠르게 전진하고 있다. 앞에서 망원경을 눈에 붙인 아크발이 말했다.

"무스타파 부족입니다."

이곳은 무스타파 부족의 영지다.

"터번에 붉은 색 자수가 들어가 있지 않습니까?"

"그렇군."

"그것이 무스타파군 친위대 표시입니다."

고개를 든 아크발이 무스를 보았다.

"대장, 저놈을 잡아도 이득이 없습니다. 놔두시지요."

무스가 쓴웃음을 짓더니 망원경을 눈에서 떼었다. 지금까지 짐승 사냥하는 것처럼 보이는 놈들은 다 쏴 죽였다.

조디는 서둘러 발을 떼었다. 무스타파 영역을 벗어나 10여 킬로를 더 가야 1호 본진이 나오는 것이다.

터번에 무스타파 친위대 기장인 붉은 자수 실을 맨 것은 호신용이다. 가민을 각하께 안내하고 나서 이제 1호의 본진으로 돌아가는 중이다.

"저 산만 넘으면 됩니다."

할라드가 앞쪽 산을 가리키며 말했다.

"계곡이 깊어서 3시간쯤 걸리겠는데."

오전 2시 반.

북상한 지 7시간 가깝게 된다. 지노가 다시 발을 떼었다.

이곳은 야합의 지역이다. 터키 국경까지는 8킬로 정도가 남았다. 카밀라는 국경에서 30킬로 떨어진 터키의 소도시에 있을 것이다. 후세인과 함께 있었던 곳이다. 앞장서 걷던 할라드가 말을 이었다.

"날이 밝기 전에 국경을 넘어야 하는데 이 길은 처음이라서……."

길이 아니다. 산을 가로지르고 골짜기를 횡단하면서 국경으로 다가가는 중이다. 산길은 부족의 경계병, 민병대의 수색병, 아르카디 조의 초소로 다 막혔다.

지노가 이마에 흐르는 땀을 손등으로 닦았다. 가는 데 이틀, 오는 데 나흘 일정으로 잡았지만 더 걸릴 수도 있다.

이곳은 바위가 칼날처럼 솟아있는 바위산 지역이다. 앞쪽 바위 밑으로 미끄러진 할라드가 시야에서 사라졌다가 나타났다. 메고 있던 AK-47이 바위에 긁혀 쇳소리가 났다.

"어이쿠!"

할라드가 신음을 뱉더니 멈춰 섰다. 바위를 의지한 채 선 할라드가 바위에서 내려온 지노를 보았다.

"대장, 손등이 찢겼습니다."

지노가 고개를 숙여 할라드의 손등을 보았다. 바위에 찢겨서 손등에서 피가 번지고 있다. 지노가 주머니에서 붕대를 꺼내 할라드의 손을 감아주었다. 행동에 지장이 없었기 때문에 둘은 다시 발을 떼었다.

험한 산이다. 앞쪽 시야는 10미터가 고작이다. 시야가 좁았기 때문에 이쪽도 불리하지만 상대도 마찬가지다. 할라드를 치료해주고 나서 지노가 앞장을 섰다. 땀을 쏟으면서 지노가 바위 모퉁이를 지났을 때다.

"탕, 탕, 탕."

총성이 울리면서 총탄이 옆쪽 바위에 맞아 튀더니 얼굴이 따끔거렸다. 파편이다. 반사적으로 엎드린 지노가 AK-47을 고쳐 쥐었다.

"타타탕."

뒤쪽에서 총성이 울렸다. 할라드가 반격한 것이다. 지노가 바위틈으로 앞쪽을 보았다.

"타타타탕."

섬광이 드러났다. 오른쪽. 10여 미터. 2정이다. 지노가 곧장 그쪽으로 총구를 돌리고는 발사했다.

"타타타탕."

10여 미터 거리다. 그때 지노가 주머니에서 수류탄을 꺼내고는 이빨로 안전핀을 벗겨 내었다. 그러고는 손바닥을 폈다가 2초를 기다린 후에 섬광이 번쩍이는 곳으로 던졌다.

"꽈앙!"

폭음이 울리면서 파편이 이곳까지 튀었다. 다음 순간, 벌떡 일어선 지노가 그쪽을 향해 다가갔다. 바위에 걸려 비틀거리면서 다가간 지노가 곧 바위 뒤에 널브러진 사내 2명을 보았다. 사내 하나가 꿈틀거리고 있다.

"타타탕."

지노가 꿈틀거리는 사내에게 3발을 쏘았다. 주위를 둘러본 지노가 곧 뒤에 대고 소리쳤다.

"됐다, 할라드."

둘뿐이다. 이곳은 야합 부족 초소 같다. 그러나 빨리 떠나야 한다.

"할라드, 가자."

다시 소리친 지노가 몸을 돌려 할라드에게 다가갔다.

"할라드."

엎드려 있는 할라드를 부른 순간 지노가 숨을 들이켰다. 눈을 치켜뜬 할라드의 머리 위쪽이 부서져 있다. 아프간 출신 탈레반 할라드가 파키스탄 페샤와르에서 차출되어 이라크 북부지역 산속에서 죽었다.

바질 조는 후세인의 본부에서 서쪽 1킬로 지점에 주둔하고 있다. 이곳은 바위틈에 세워진 바질 조의 진지. 2개의 동굴에 조원은 8명이다.

오전 4시 반.

진지의 우측 50미터 지점의 참호에 들어가 있던 마쉬락이 파야드에게 물었다.

"조금 전에 마합이 물 뜨러 내려갔지?"

"응, 그래."

깜빡 졸았던 파야드가 대답하더니 시계를 보았다.

"어라? 벌써 30분이 지났네."

잠이 깬 파야드가 마쉬락을 보았다.

"이 자식 돌아왔나?"

"글쎄."

"글쎄라니? 너 졸았어?"

"너도 졸았으면서."

"이런 젠장."

아래쪽 개울까지는 왕복 15분 거리다. 긴장한 둘이 서로의 얼굴을 보았다. 개울에서 올라오면 꼭 둘 앞을 지나야 하는 것이다.

"이거 비상 아냐?"

"그래."

파야드가 무전기를 들고 버튼을 눌렀다. 금방 참호의 당번 야코스가 무전을 받는다. 파야드가 속삭이듯 말했다.

"비상. 물 뜨러 간 마합이 돌아오지 않았어."

"알았어."

야코스가 바로 대답했다. 모두 페샤와르에서 훈련을 받은 탈레반 전사들이다.

"한 발에 맞춰야 돼."

거트가 무전기를 귀에 대고 말했다.

"저놈들 위쪽에 본부가 있어."

여기서 초소는 가려져서 보이지 않는다. 그래서 저격은 산 건너편의 저격수에게 맡긴 것이다. 건너편 산 중턱의 서비와 하론에게는 218미터. 저격수인 그들에게 직선거리로 218미터쯤은 백발백중이다.

거트가 옆에 엎드린 요원들을 둘러보았다. 모두 다섯 명이다. 숨을 고른 거트가 무전기에 대고 다시 속삭였다.

"발사."

발사음은 들리지 않는다. 그러나 다음 순간, 무전기에서 서비의 목소리가 울렸다.

"맞혔다."

무전기를 든 야코스가 파야드를 불렀다.

"파야드."

대답이 없었기 때문에 야코스가 다시 불렀다.

"파야드, 듣고 있나?"

"……."

"파야드."

무전기를 귀에서 뗀 야코스가 바질을 본 순간이다. 바질이 자리에서 일어섰다.

"진지를 옮겨."

습격에 대비해서 준비해놓은 제2의 진지로 옮기는 것이다.

"비상이다."

그 순간이다.

"콰쾅!"

폭음이 울렸다.

"앗!"

앞쪽에서 놀란 외침이 울렸을 때다.

"타타타타타타."

총성이 울렸다. 4, 5정이다. 기습이다. 바질이 총을 움켜쥐고 뛰쳐나갔다.

수류탄이 폭발하면서 동굴 입구로 화염이 뿜어 나왔다.

"다다다다."

거트가 동굴 입구를 향해 AK-47을 난사했다. 옆쪽에 엎드린 조원들도 동굴을 향해 난사하고 있다. 그때다.

"타타타타타."

총성이 울리면서 거트 옆의 조원이 AK-47을 내던지며 쓰러졌다. 총탄이 거트의 볼을 스치고 지나갔다. 거트가 눈을 부릅떴다.

동굴 하나가 또 있다.

바질이 앞쪽에 드러난 사내들을 향해 AK-47을 난사했다.

거리는 40여 미터. 잘 겨누기만 하면 맞는다. 그러나 엄폐물이 많아서 바위 파편이 튄다. 옆에서 신음소리가 울렸다. 야코스가 쓰러지고 있다.

"이런."

바질이 어금니를 물었다. 이제 둘이 남았다. 그때다.

"꽈꽝!"

옆에서 폭음이 터지면서 바질의 몸이 훌쩍 떠올랐다.

"우측 초소가 당했습니다."

로간이 말했을 때는 총성이 울린 지 10분쯤이 지난 후다. 우측 초소는 바질의 초소다. 본진에서 우측으로 700미터쯤 떨어진 산 중턱이다.

오전 5시 10분.

날이 밝아지고 있다.

"각하, 가시지요."

로간이 말하자 후세인이 옆에 선 가민을 보았다.

"시작이군."

"예, 각하."

가민이 외면한 채 대답했다.

이곳까지 노출될 줄은 예상 밖이다. 후세인이 거처를 나왔을 때 이미 본부 병력은 이동 준비를 마친 상태다. 본부 경비조는 로간이 지휘하는 탈레반 10명, 후세인 호위대 2명, 가민까지 15명이다.

곧 15명은 일렬종대로 출발했다. 목표는 제2기지. 미리 피신처를 정해 둔 것이다.

"로간, 바질의 생사는?"

총성과 폭음이 그쳐 있는 것이 더 음산했기 때문에 후세인이 앞에서 걷는 로간의 등에 대고 물었다. 그때 로간이 고개를 돌리고 말했다.

"연락이 끊겼습니다."

"상대는 누군가?"

"아직 모릅니다."

로간의 두 눈이 번들거렸다.

"기습을 받은 것은 확실합니다."

후세인이 고개를 돌려 하늘을 보았다.

"바질, 미안하구나."

공허한 목소리가 흩어졌다.

거트 조의 조장 거트가 본부에 보고를 했을 때는 오전 5시 20분이다. 당직을 맡고 있던 보좌관 톰슨이 무전을 받는다.

"반군 1개 조를 전멸시켰습니다."

거트가 말을 잇는다.

"8명입니다."

규모가 작은 반군 무리였기 때문에 톰슨이 건조한 목소리로 물었다.

"좋아. 아군 피해는?"

"4명 전사, 2명 부상입니다."

"갓댐."

번쩍 정신이 든 톰슨이 무전기를 고쳐 쥐었다.

"뭐야? 4명 전사라구?"

"예, 교전이 치열했기 때문에……."

톰슨이 어깨를 늘어뜨렸다.

거트 조는 북부지역 깊숙이 침투한 조(組) 중 하나다.

지노가 국경을 넘었을 때는 오전 7시가 조금 넘었을 때다.

터키 영내로 진입한 것이다. 이제는 혼자다. 할라드의 시체는 그대로 남겨두고 산을 넘었다. 마을을 찾아 내려온 지노가 국경에서 30킬로 떨어진 마르딘의 안가로 전화를 했다.

오전 9시 10분이다.

안가에는 카밀라가 경호원 둘의 보호를 받고 있다. 마을의 찻집 안이다. 카밀라하고는 헤어진 지 20여 일이 지났다. 전화기를 귀에 붙인 지노가 숨을 골랐다. 그동안 카밀라하고는 통화도 하지 못했다. 통화를 할 수단도 없는 상황이었다. 수단을 만들지도 않은 것은 서로 위험했기 때문이다.

신호음이 다섯 번, 열 번이 되었을 때 지노가 호흡을 골랐다. 열다섯 번이 되었을 때 지노가 전화기를 귀에서 조금 떼었다. 그리고 20번을 세고 나서 전화기를 내려놓았다.

지노는 이제 허름한 작업복 저고리에 바지 차림으로 등에 배낭을 메었으니 산악지대에 사는 농민 차림이다.

얼굴은 덥수룩한 수염으로 덮인 데다 선이 굵은 용모여서 아랍인과 차이가 나지 않는다. 배낭 안에는 개머리판을 분해한 AK-47을 넣었고 허리춤에는 권총을 찔러 넣었다.

지노가 버스로 마르딘에 도착했을 때는 오전 11시 무렵이다. 버스에서 내린 지노는 곧장 우체국을 향해서 걸었다.

인구 5천 명 정도의 작은 도시다. 버스정류장에서 중심부의 우체국까지는 걸어서 5분 거리다.

카밀라와 직접 통신 수단을 갖추지 않았지만 '비상연락망'은 확보하고 헤어졌다. 도피 생활에 이골이 난 터라 카밀라가 만든 것이다.

첫 번째는 전화번호다. 안가의 전화번호는 전(前) 주인의 전화번호를 인수했기 때문에 안전하다. 두 번째는 사고가 났을 때 안가 침실의 탁자 다리에 숫자를 써놓기로 했다. 간단하다. 숫자는 2개. 1번은 내부사고, 2번은 외부사고다. 그다음의 숫자는 피신처를 말한다. 예를 들어서 13이면 내부의 사고가 일어나 3번 피신처로 갔다는 뜻이다.

그리고 그럴 경황도 없으면 우체국의 개인 사물함 24번에 쪽지를 넣는 것이다. 지금 지노의 호주머니에 24번의 열쇠가 들어있다. 열쇠 하나는 카밀라가 갖고 있는 것이다.

카밀라는 3개의 안가가 있다. 경호원인 아탑과 무스람도 모르는 안가다.

우체국으로 들어선 지노가 사물함으로 다가가 24번 사물함에 열쇠를 넣었다. 열쇠를 돌려 사물함을 연 지노가 숨을 들이켰다.

접힌 쪽지가 있다. 서둘러 쪽지를 꺼낸 지노가 사물함을 닫고는 읽는다.

"경호원들 눈치가 수상해서 빈(VAN)으로 갑니다. 반의 컨티넨탈 호텔 사물함에 루이스란 이름으로 메시지를 남겨 놓겠습니다."

반(VAN)은 지난번에 들른 관광도시다.

"없어."

고개를 저은 아탑이 무스람을 보았다.

"마르딘에는 없는 것 같아."

둘은 아침부터 돌아다니다가 지금 돌아왔다. 무스람이 어깨를 부풀렸다가 내렸다.

"그년이 도망 다니다 보니까 여우가 다 되었어. 어떻게 눈치를 채었지?"

"우리가 이야기하는 걸 들은 건 아냐."

"눈치챌 만한 행동은 안 했는데."

"젠장."

집 안을 둘러본 아탑이 무스람에게 물었다.

"이 집을 부동산에다 내놓을 수 없을까?"

"글쎄."

무스람이 고개를 기울였다.

"마지막 방법인데, 그건."

"카밀라를 잡아서 미군한테 넘기면 1천만 불은 받을 텐데."

"그 이상이야. 더 올랐어."

"그 여우 같은 년. 어떻게 눈치를 챘지?"

그때 응접실 안으로 누가 들어섰기 때문에 둘은 고개를 들었다.

"앗."

둘의 입에서 동시에 외침이 터졌다.

지노다. 손에 소음기를 낀 베레타를 들고 있었지만 겨누지는 않았다. 둘이 튕

기듯이 일어섰지만 몸이 그대로 굳어 있다. 그때 지노가 베레타를 흔들면서 말했다.

"거기, 나란히 앉아라."

아탑과 무스람이 소파에 엉거주춤 앉았다. 엉덩이를 절반쯤 걸친 자세다. 그러고 나서 아탑이 겨우 입을 열었다.

"언제 오셨습니까?"

그때 지노가 앞쪽에 앉으면서 총을 겨누었다. 거리는 3미터 정도. 아탑이 입을 다물었고 이번에는 무스람이 말했다.

"공주님이 어디 가신지 모르겠습니다. 그래서 찾고 있습니다."

"……."

"6일쯤 되었습니다. 아니, 7일째인가……."

그때다.

"퍽!"

지노가 겨누었던 베레타에서 발사음이 울렸다. 어깨를 맞은 무스람이 벌떡 뒤로 몸을 젖히면서 신음했다.

"퍽!"

다시 한 발이 발사되면서 아탑이 비명을 질렀다.

"으악!"

무릎뼈가 박살이 난 아탑이 두 손으로 무릎을 감싸 쥐었다.

"퍽!"

또다시 한 발.

"악!"

이번에는 무스람의 무릎. 몸을 비틀면서 무스람이 한 손으로 무릎을 덮었다.

"퍽!"

이번에는 아탑의 어깨가 부서졌다. 그때 지노가 입을 열었다.

"언제부터 공주를 팔아먹으려고 계획을 세운 거냐?"

"죽여라."

아탑이 잇새로 말했을 때 지노가 빙그레 웃었다.

"너, 나를 만만하게 보았구나, 탈레반."

"퍽!"

"으악!"

아탑의 다른 쪽 무릎이 박살났다.

"언제부터 계획한 거냐?"

"살려주면 말하지요."

먼저 무스람이 말했다.

"살려만 줘요."

"말해."

"열흘쯤 되었어요. 공주가 가방에서 돈 꺼내는 것을 보고……."

지노의 권총을 응시하면서 무스람이 말을 이었다.

"그 돈을 뺏는 것보다 공주를 잡아서 넘기자고 했어요."

"……."

"아탑은 공주를 잡아서 은행에 예치한 돈을 빼내자고 했지만 난 말렸어요."

"……."

"공주를 고문할 수도 없을 것 같아서요."

"……."

"그런데 공주가 갑자기 사라진 거요."

고개를 끄덕인 지노가 자리에서 일어섰다. 그러고는 무스람의 이마에 총구를 겨누고는 방아쇠를 당겼다.

"퍽!"

무스람이 벌떡 누우면서 온몸을 떨었다. 지노의 시선이 아탑에게로 옮겨졌다.

잠시 후에 저택에서 불길이 솟아올랐다.

응접실에서 솟은 불길이 금방 저택을 불구덩이로 만들었다. 그때 응접실에서 처절한 비명이 울렸지만 아무도 듣지 못했다. 불길이 더 치솟았을 때 계속되던 비명이 멈췄다. 곧 불길은 저택을 감싸더니 기둥이 무너지면서 불꽃이 튀었다.

오전 11시.

반(VAN)의 컨티넨탈 호텔 프런트 매니저 바라무시가 전화를 받는다.

"예, 매니저 바라무시입니다."

"사물함 체크하려는데요, 루이스란 이름으로 남겨놓은 메시지가 있지요?"

"아, 잠깐만요."

바라무시가 잠깐 메시지 박스를 뒤적이더니 대답했다.

"예, 있습니다."

"그럼 가지러 가지요."

그러고는 통화가 끊겼다.

전화기를 내려놓은 지노가 커피숍을 나왔다. 이제 지노는 말쑥한 양복 차림이다.

이곳은 반(VAN)의 번화가여서 오가는 행인들의 옷차림도 양복 차림이 많다. 지노도 이발소에 들러 말쑥하게 머리와 얼굴을 다듬고 콧수염만 보기 좋게 남겼다. 회색빛 정장 양복을 입고 구두를 신었다. 손에는 검정색 가죽 가방을 든 것이 잘 어울렸다.

이윽고 발을 뗀 지노가 택시정류장으로 다가갔다.

"루이스가 남긴 메시지를 보십시다."

지노가 말하자 바라무시는 곧 뒤쪽 메시지 박스를 꺼내더니 봉투 하나를 내밀었다. 메시지 봉투다.

"고맙습니다."

"천만에요."

봉투를 받은 지노가 프런트에 선 채로 안의 메모지를 꺼냈다. 메모지에는 전화번호와 함께 메모가 적혀 있다.

"이곳에서 하르타를 찾으세요."

전화번호는 시내 중심부에 위치한 카페다. 20평쯤 되는 규모에 종업원이 서너 명 오갔고 12시가 되어가고 있어서 카페 안에는 손님들이 절반쯤 차 있다.

안으로 들어선 지노가 다가온 종업원에게 물었다.

"하르타가 누구요?"

"저기."

남자 종업원이 옆쪽 여자 종업원을 가리켰다. 나이 든 여자다. 여자에게 다가간 지노가 다시 물었다.

"당신이 하르타?"

"그런데요?"

"내가 컨티넨탈 호텔 메시지를 보고 왔는데."

그 순간 여자가 눈을 크게 떴다.

"당신이 누구죠?"

"지노."

그러자 여자가 고개를 끄덕였다.

"여기서 기다리시죠."

"얼마 동안이나?"

지노가 되묻자 여자는 고개를 저었다.

"모르죠, 나도 연락을 해야 되니까."

여자가 몸을 돌렸을 때 지노가 자리에 앉았다. 카밀라가 여자를 매수한 것 같다.

30분쯤이 지났을 때 카페 안으로 여자가 들어섰다.

카밀라다. 카밀라는 히잡을 썼고 재킷에 바지를 입었다. 곧 지노를 발견한 카밀라가 시선을 준 채 다가왔다. 눈도 깜빡이지 않는다. 입구에서 지노까지는 5미터쯤 되었다.

그 순간 지노는 주위의 소음이 들리지 않았다. 손님들도 보이지 않았다. 카밀라의 얼굴만 보였다. 그때 다가선 카밀라가 지노를 보았다.

"지노."

지노가 대답했다.

"카밀라, 당신을 데리러 왔어."

"지노."

카밀라의 눈에서 눈물이 흘러내렸다.

"내가 밖에 나갔다가 들어왔을 때 아탑이 내 가방을 뒤지는 것을 보았어."

카밀라가 말했다. 이곳은 카페에서 사거리 하나 떨어진 주택 안. 30평 규모의 1층 주택이지만 5평쯤 되는 마당도 있다. 둘은 응접실에서 마주 앉아 있다.

"모른 척했지만 불안해서 그날 오후에 뭐 사러 간다고 하고 집에서 나온 거야."

그러고는 카밀라가 소파에 등을 붙이면서 말을 이었다. 피곤한 표정이다.

"반에 도착하고 나서 이 집을 구한 후에 연락을 해줄 사람을 찾은 거야. 하르타로 정하고 나서 컨티넨탈 호텔의 메시지 박스에 메시지를 넣은 거지."

고개를 끄덕인 지노가 카밀라를 보았다.

"카밀라, 어디 아픈 거야?"

"조금. 이틀 전부터 몸에 열이 나서."

다가간 지노가 카밀라의 이마에 손을 짚었다. 그 순간 지노가 숨을 들이켰다. 뜨겁다.

"카밀라, 뜨거운데, 약은 먹었어?"

"아니, 그냥 누워있었어."

카밀라가 팔짱을 끼듯이 제 몸을 껴안았다. 볼이 상기되었고 눈은 번들거리고 있다. 주위를 둘러보던 지노가 허리를 굽히더니 카밀라를 번쩍 안았다. 방으로 들어간 지노가 카밀라를 침대에 눕히고는 시트를 목까지 덮어주었다.

"약을 사 올게. 증세는 어때?"

"머리가 아프고 추워. 몸은 뜨겁고."

"언제부터?"

"이틀 전 밤부터."

"기다려."

지노가 서둘러 방을 나갔다.

잠시 후에 약을 사온 지노가 카밀라에게 먹였다.

침대에 누운 카밀라의 옆쪽 의자에 앉아 지노가 이라크에서의 이야기를 해주었다. 1호를 만난 이야기, 가민과 후세인이 함께 있다는 이야기를 해주었더니 카밀라가 탄성을 뱉었다.

이곳에 오면서 할라드가 죽은 이야기를 하던 지노는 카밀라가 잠이 든 것을 보았다. 검은 머리칼이 이마 위로 몇 가닥 흘러내렸고 긴 속눈썹이 가지런하게 덮여 있다.

한동안 카밀라를 내려다보던 지노가 시트를 올려주고는 옆자리에 다시 앉았다. 곧 카밀라의 고른 숨소리가 들렸고 옅은 향내까지 맡아졌다. 카밀라의 향내다. 심호흡을 한 지노도 의자에 앉은 채로 눈을 감았다.

"하첼이 각하를 만나겠다고 하는데."

마흘락이 고개를 들고 파라드를 보았다. 동굴 안. 오후 5시. 파라드가 물었다.

"꼭 만나야겠다는 겁니까?"

"전령한테 그렇게 말한 거야."

파라드가 잠깐 침묵했다.

하첼은 반군 대장으로 이라크군 정예군단이었던 제3군단 연대장 출신이다. 계급은 대령. 이라크가 멸망하자 휘하의 부대원을 이끌고 반군이 되었다. 현재 휘하 병력은 6백여 명. 반군 중 규모가 큰 편이다. 거기에다 기율도 잡혀있고 무기도 우세해서 정예다.

그 하첼이 1호를 만나야 합세하겠다는 것이다. 이윽고 파라드가 고개를 저었다.

"안 됩니다. 아무나 이곳으로 끌어들일 수 없습니다. 일단 연합전선을 결성하고 나서 기회를 봐서 만나는 것이 낫습니다."

"그래도 하첼은 규모가 큰 부대야. 정예라구."

마흘락이 말을 이었다.

"하쳇은 예외로 해줘도 돼. 그리고 하쳇과 부관, 호위병 셋만 온다는 거야."

"장군, 수르토를 끌어들였다가 당했지 않습니까? 정보가 샐지도 모릅니다."

파라드가 말하자 마흘락이 입맛을 다셨다. 수르토는 본대가 기습을 받아 궤멸된 후에 50명 정도의 소규모 부대로 전락했다. 그때 마흘락이 입을 열었다.

"그럼 하쳇과 부관, 둘만 오라고 하는 것이 어때?"

파라드의 시선을 받은 마흘락이 말을 이었다.

"둘만 오는 건 되지 않을까? 각하의 얼굴을 보이는 건 사기에 엄청난 영향을 줄 테니까."

맞는 말이다. 1호의 임무가 바로 그것이다.

이곳은 후세인의 거처.

다시 옮긴 거처는 동굴이다. 산악지역 깊숙한 암산의 동굴 안이다. 로간이 후세인에게 말했다.

"브라운을 우측에 배치시켰습니다. 바질의 빈자리를 없앤 겁니다."

후세인이 시선만 주었고 로간이 말을 이었다.

"이제 본진 주변으로 경비를 끌어들였습니다."

"알았다, 로간."

고개를 끄덕인 후세인이 말을 이었다.

"너한테 맡기겠다."

길게 숨을 뱉은 후세인이 옆에 앉은 가민을 보았다.

"현재까지 연합한 반군의 규모는 얼마나 되지?"

"모두 22개 부대에 3500명가량 입니다."

"거기에다 북부 부족 연합군 병력을 합하면 2개 사단은 된다."

"하지만 정규군으로는 안 됩니다. 철저한 게릴라 부대로 운용되어야 합니다."

가민이 말하자 후세인이 고개를 끄덕였다.

"그렇지. 정규군으로 미군에 대적할 수는 없지."

"30명 기준, 많으면 1백 명이 적당합니다, 각하."

"가민, 네가 조직을 맡아라."

"총사령관으로 마흘락을 임명하십시오. 저는 각하를 옆에서 모시면서 친위군을 지휘하겠습니다."

후세인이 고개를 끄덕였다.

"그래야지."

"각하가 계시는 본진은 로간과 브라운이 지휘하는 20명의 경호군에다 수르토 대령의 50여 명을 포함시켜 70여 명으로 구성하겠습니다."

이렇게 후세인의 본진이 조직되었다.

하첸 대령과 부관 오스달 대위가 1호의 동굴에 도착했을 때는 오후 8시 무렵이다.

마흘락의 주장대로 하첸과 부관 오스달 둘만 1호의 본진에 와서 각하를 뵙기로 한 것이다. 물론 본진에서 나간 전령 2명의 안내를 받고 찾아왔다.

동굴로 들어선 하첸과 오스달을 먼저 마흘락 소장이 맞는다. 하첸은 마흘락과 안면이 있었기 때문에 반갑게 인사를 한다.

"장군, 그동안 건강하셨습니까?"

반갑게 경례를 한 하첸이 마흘락과 곧 포옹하고 볼을 비볐다.

"잘 왔어, 대령. 각하께서 기다리고 계신다."

마흘락이 앞장서서 옆쪽 동굴로 안내하면서 말했다.

"각하께서 반가워하셨다."

마흘락이 앞장서서 동굴 안으로 들어서자 안쪽에 앉아있던 1호가 일어섰다.

하쳇에게는 후세인이다.

"각하, 하쳇 대령입니다."

마흘락이 비켜서면서 하쳇을 소개했다.

"오!"

그때 1호와 하쳇의 시선이 마주쳤다. 그 순간이다. 숨을 들이켠 하쳇이 경례를 했다. 작업복에 허름한 터번 차림의 반군 복장이고 1호도 마찬가지다.

"각하."

손을 내린 하쳇의 눈에서 눈물이 흘러내렸다. 그때 1호가 하쳇에게 다가갔다.

"대령, 잘 왔다."

"예, 각하."

1호가 하쳇의 어깨를 당겨 안았다. 그러고는 하쳇의 양쪽 볼에 입을 맞추고 떨어졌다. 이제 하쳇의 얼굴은 눈물범벅이 되었다.

"자, 앉자."

1호가 앞쪽을 가리키면서 먼저 자리에 앉았다. 동굴에는 하쳇의 부관 오스달까지 넷이 둘러앉았다. 그때 하쳇이 물었다. 아직도 얼굴이 눈물범벅이다.

"각하, 저, 기억하십니까?"

그 순간 1호가 눈을 가늘게 떴다. 마흘락의 얼굴도 굳어졌다.

하쳇이 오기 전에 마흘락, 파라드는 1호와 상의를 했던 것이다. 1호는 하쳇을 만난 기억이 없다. 그런데 하쳇이 난데없이 저를 기억하느냐고 묻다니. 그때 1호가 고개를 저었다.

"기억나지 않는다. 대령, 미안하다."

"제가 진급할 때 제 고향을 물어보셨습니다."

"오, 그런가?"

"그것이 5년 전이었습니다."

하쳇이 번들거리는 눈으로 1호를 보았다. 1호가 고개만 끄덕였을 때 마흘락이 쓴웃음을 짓고 말했다.

"대령, 각하께서 다 기억하실 수는 없지."

"예, 그렇습니다."

심호흡을 한 하쳇이 말을 이었다.

"각하께선 수십 명을 만나셨을 테니까요."

"앞으로는 기억하게 되겠지."

1호가 정색하고 말했다.

"대령이 내 측근에 있게 될 테니까 말이야."

하쳇의 반군 부대는 앞으로 1호의 주력부대가 될 것이었다.

2장 기습

1호를 '알현'하고 나온 하첫이 마흘락의 동굴로 들어왔다. 오후 9시가 되어가고 있다.

"제 부대 근처로 본부를 옮기시지요. 제가 준비를 하겠습니다."

하첫이 말했다. 하첫의 본대는 이곳에서 35킬로 떨어진 산악지대에 자리 잡고 있다. 마흘락이 고개를 끄덕였다.

"각하도 허락하셨어. 준비가 되면 바로 옮기기로 하지."

그때다.

"타타타타탕."

총성이 울렸기 때문에 모두 고개를 들었다.

"꽈꽝!"

이어서 폭음과 함께 동굴 천장에서 바위 부스러기가 떨어졌다.

"타타타타타."

다시 총성이 울렸는데 이번에는 수십 정이다. 습격이다.

"뭐냐?"

벌떡 일어선 마흘락이 소리쳐 물었을 때다. 동굴 안으로 파라드가 뛰어 들어왔다.

"습격이오! 나갑시다!"

파라드가 소리치더니 다시 뛰어나갔다. 마흘락과 하첫이 정신없이 따라 나간다.

"각하! 이쪽으로!"

1호 동굴로 뛰어든 파라드가 소리쳤다.

"기습입니다!"

이미 일어서 있던 1호가 뛰어 나온다.

"누군가?"

"아직 모릅니다!"

그때 바로 옆쪽에서 포탄이 터졌다.

"꽝!"

파편과 폭풍이 휘몰아치는 바람에 1호가 옆으로 뒹굴었다가 일어났다. 그러나 다친 곳은 없다. 이제 사방이 총성과 폭음으로 뒤덮였다.

이곳 '1호의 본부'에는 약 40명 정도의 병사가 있다. 마흘락과 파라드 휘하 병력과 1호의 경호대다.

1호가 파라드의 뒤를 따라 달렸고 그 뒤를 경호원들이 따른다.

"쾅!"

포탄이 터지면서 뒤쪽 경호원 둘이 허공으로 떠올랐다.

"포탄이 제대로 들어갑니다."

톰슨이 깁슨에게 보고했다.

"완전히 포위한 상황입니다."

깁슨이 고개를 끄덕였다.

후세인의 기지는 아르카디 용병단의 12개 조에 의해서 완전히 포위되어 있는 것이다. 여기서도 폭음과 총성이 선명하게 들린다. 다시 귀에서 무전기를 뗀 돔슨이 깁슨을 보았다.

"장군, 서쪽의 3개 조가 진입하고 있습니다."

깁슨이 손목시계를 보았다. 9시 5분이다.

오늘은 역사적인 날이다. 반군 대장 하첸이 후세인을 만나러 간다는 정보를 받고 나서 하첸을 미행시킨 것이 오늘의 성과를 만들었다. 하첸이 '아르카디'를 끌어들인 것이다.

"오늘 결판을 낸다."

깁슨이 주위에 둘러선 참모들에게 말했다.

이곳에서 후세인의 기지까지는 약 2킬로. 진압되면 단숨에 헬기로 날아갈 것이다.

"이쪽으로!"

파라드가 소리쳤을 때다.

"콰광!"

다시 박격포 포탄이 터지면서 주변이 환해졌다.

"아앗!"

신음이 터졌기 때문에 파라드가 몸을 돌렸다. 그 순간 파라드가 눈을 치켜떴다. 1호가 쓰러져 있다.

"각하!"

소리친 파라드가 1호에게 달려갔다. 그때 1호가 고개를 들고 말했다.

"다리를 다친 것 같다."

파라드는 1호의 다리가 피투성이가 되어 있는 것을 보았다. 파라드가 1호의 허리를 당겨 안고 소리쳤다.

"각하를 들어라!"

포탄이 계속해서 기지로 떨어졌고 총탄은 마치 빗발처럼 쏟아지는 중이다. 공터는 좁았지만 이곳저곳에 시신과 부상자가 널브러져 있다.

파라드와 경호원 하나가 1호를 들고 바위틈으로 달려갔다.

"비상구는?"

하첸이 소리쳐 물었을 때 마흘락이 고개를 저었다. 마흘락의 두 눈이 번들거리고 있다.

"막혔어."

이곳은 동굴 밖 남쪽 바위 틈. 앞쪽에서 기관포가 계속 발사되고 있어서 모두 몸을 숙이고 있다.

"포위당했다."

"각하는?"

"파라드 대령이 모시러 갔어."

그때 옆에 엎드려 있던 하첸이 고개를 숙였다. 무심결에 그쪽을 보았던 마흘락과 하첸의 시선이 마주쳤다. 순간 마흘락이 숨을 들이켰다. 화광에 비친 하첸의 눈이 흐려져 있다. 마흘락이 손을 뻗어 하첸의 어깨를 흔들었다.

"대령."

그때 하첸의 머리가 밑으로 떨어졌다. 몸이 늘어져 있다. 그때 대원 하나가 소리쳤다.

"서쪽으로 적이 침투했다!"

그 순간 총성이 딱 그치더니 마이크로 외침이 들렸다.

"항복해라!"

외침이 이어졌다.

"30초 시간을 준다. 두 손을 들고 자리에서 일어서라!"

그 순간 하늘로 조명탄이 솟아올랐다. 2발. 조명탄이 허공에서 터지더니 사방이 대낮처럼 밝아졌다.

"항복해라! 30초 남았다!"

다시 외침이 밤하늘을 울렸다.

"25초!"

그때 장교 하나가 마흘락에게 말했다.

"장군, 대여섯 명밖에 안 남았습니다."

"20초!"

다시 외침이 울렸다.

"각하는? 피신했나?"

마흘락이 묻자 장교는 고개를 저었다.

"모르겠습니다."

"15초!"

마이크 목소리가 다시 울렸을 때 장교가 마흘락을 보았다. 두 눈이 번들거리고 있다.

"장군! 싸웁시다!"

그때 마흘락이 이를 드러내고 웃었다.

"고맙다."

"10초!"

다시 마이크 소리가 울렸을 때 마흘락이 앞쪽을 향해 소리쳤다.

"이라크 만세!"

"타타타타타타!"

다음 순간 마흘락이 AK-47을 난사했고 이곳저곳에서 발사음이 울렸다. 살아있던 병사들이다. 그 순간 다시 진지는 총성으로 뒤덮였고 이어서 폭음이 울리기 시작했다.

“기다려라.”

엎드린 파라드가 잇새로 말했다. 갑자기 총성과 폭음이 딱 멈췄기 때문에 1호와 파라드, 경호원 둘까지 넷은 동쪽 바위틈에 엎드려 있었던 것이다.

움직일 수 없는 상황이다. 습격자들은 30초 여유를 주고 항복을 기다리고 있다. 그래서 사방이 쥐 죽은 듯이 조용해졌다. 기척을 내면 표시가 난다.

마이크로 30초에서 20초, 15초로 카운트하는 소리만 울리고 있다. 그동안 넷은 동쪽 바위틈에 엎드린 채 기다렸다. 바위 바로 위쪽에 기습군이 있는 것이다.

그때 10초 카운트 소리가 들리더니, ‘이라크 만세’ 외침이 울렸다. 다음에 총성. 이번 총성은 더 격렬해졌고 위쪽 바위 위에서도 기관총을 쏘아 갈기기 시작했다.

“가자.”

파라드가 1호의 겨드랑이에 손을 끼며 말했다. 병사 둘이 1호의 다리를 한쪽씩 들었다. 그러고는 바위틈으로 빠져나가기 시작했다.

이곳이 비상탈출구다. 파라드와 마흘락, 그리고 1호의 경호병 두어 명만 알고 있는 통로.

그때 1호가 신음했다. 왼쪽 무릎이 파편을 맞아 부서져 있다. 그래서 옷깃을 찢어 임시로 묶어놓았지만 중상이다.

총성이 그쳤다. 기지에서의 총성이다.

“사격 중지!”

아르카디의 지휘관인 제3조장 핸더슨이 지시했다.

“포격 중지!”

핸더슨의 지시를 부하가 무전기에 대고 복창했다. 다음 순간 이쪽의 사격과 포격이 그쳤기 때문에 암산은 정적에 덮였다. 그때 핸더슨이 다시 지시했다.

"2조, 6조, 8조, 10조가 내부로 진입해서 수색해라!"

시신과 부상자 수색이다.

"앞이 막혔습니다."

앞장서 가던 경호병이 파라드에게 보고했다. 가쁜 숨을 뱉으면서 경호병이 말을 이었다.

"빠져 나가려면 절벽 아래로 내려가야 합니다."

파라드가 고개를 흔들었다.

"갈 수 있어."

발을 뗀 파라드가 다시 1호의 겨드랑이에 팔을 넣었다.

"각하, 가시지요."

뒤쪽의 기지는 이미 습격군에 점령되었다. 기지와의 거리는 약 1백여 미터. 적의 포위망은 벗어났지만 앞에 다시 포위망이 쳐져 있다.

살아남은 인원은 1호 포함해서 넷. 바위 사이를 지나 넷은 한 걸음씩 절벽 쪽으로 다가갔다. 앞쪽의 적 초소와는 약 1백 미터 거리.

"하둔 마흘락을 잡았습니다!"

무전기에서 핸더슨의 목소리가 울렸다.

"중상입니다."

"후세인은?"

깁슨이 묻자 핸더슨이 대답했다.

"찾지 못했습니다."

"가민은?"

"없습니다."

핸더슨이 말을 이었다.

"하쳇의 시신은 찾았습니다. 시신은 모두 37구나 됩니다."

"후세인을 찾아."

깁슨이 뱉듯이 말했다.

"거기 있었을 거다. 찾아. 가민, 파라드도 있다고 들었다."

무전기를 내려놓은 깁슨이 옆에 선 톰슨을 보았다.

"후세인을 찾아야 돼."

절벽 앞에 선 파라드가 1호에게 말했다.

"각하, 여기서 좀 쉬었다가 내려갈 방법을 찾아봅시다."

"잠깐."

1호가 파라드를 보았다. 어둠 속에서 두 눈이 번들거리고 있다.

"대령, 나는 가망이 없어."

"각하."

"대령, 각하와 합류하게."

"무슨 말씀을 하시는 겁니까?"

눈을 부릅떴던 파라드가 어깨를 부풀리며 말했다.

"안 됩니다. 저는 각하와 생사를 함께할 것입니다."

"대령, 죽는 것보다 사는 것이 더 힘든 법이야."

1호의 얼굴에 웃음이 떠올랐다.

"마침 각하께서 오셨지 않은가?"

"각하."

"이것이 각하께 더 기회가 될 수도 있어, 대령."

"무슨 말씀입니까?"

"내가 후세인으로 잡혀서 죽겠네."

파라드의 시선을 받은 1호가 말을 이었다.

"잡히면 미국 놈들은 나를 재판하고 사형을 시키겠지. 하지만 시간은 걸릴 거야. 아마 몇 년 후쯤 되겠지."

"……."

"그동안 각하께선 새 얼굴로 기반을 굳히시는 거야."

그때 1호가 손을 뻗어 파라드의 손을 움켜쥐었다.

"대령."

"예, 각하."

1호의 얼굴에 웃음이 떠올랐다.

"각하께 나, 사하란의 유언을 전해주게."

"각하."

"사하란은 끝까지 후세인으로 죽겠다고 말씀드리게."

"……."

"각하께선 새 얼굴로 새 이라크를 건설하시기를 소망한다고 전하게."

"……."

"그리고 지금까지 각하께서 베풀어주신 은혜를 잊지 않겠다고."

"각하."

"대령, 후세인으로 마지막 명령이야."

1호의 목소리가 결연해졌다.

"대령, 떠나라."

"잡았습니다!"

30분쯤 후에 깁슨은 핸더슨의 환호성 같은 외침을 듣는다.

"후세인을 잡았습니다!"

충격이 컸기 때문에 깁슨은 숨만 들이켰고 핸더슨이 이제는 아우성을 치듯이 말했다.

"부상당한 후세인이 절벽 위에 숨어 있다가 생포되었습니다!"

"확실해?"

마침내 깁슨이 묻자 핸더슨이 소리쳤다.

"예, 본인이 후세인이라고도 밝혔습니다. 후세인의 얼굴이 분명합니다! 마침내 후세인을 생포한 것입니다!"

카밀라의 상태는 나아지지 않았다. 그래서 다음 날 아침 지노는 카밀라를 택시에 태워 병원에서 진찰을 받았다.

"말라리아요."

의사가 진찰을 하더니 바로 말했다.

"입원을 해야 합니다."

두말할 필요도 없다. 그 자리에서 수속을 밟은 지노가 카밀라를 입원시켰다.

"미안해."

1인실의 침대에 누운 카밀라가 지노를 보았다. 아직도 얼굴은 상기되었고 눈의 흰자위에 붉은 기운이 번져 있다.

"당신은 빨리 돌아가야 하는데."

"이런 상태에서 돌아갈 수는 없지."

지노가 침대 옆자리에 앉아서 말을 이었다.

"이삼 일 늦춰도 돼. 급할 것 없어."

다시 국경을 넘으려면 산악지역을 옮겨 다니는 강행군을 시작해야 한다. 병으로 약해진 몸을 끌고 돌아갈 수는 없다.

다음 날 아침. 카밀라가 침대에 누운 채 TV를 보고 있다.

오전 8시 반.

아직 팔에는 링거 바늘을 꽂은 상태다. 지노는 어젯밤 병실에서 자고 나서 밖에 나가 아침을 사 먹고 조금 전에 돌아왔다. 병실 안에는 둘뿐이다. 그때 TV에 후세인의 얼굴이 나왔기 때문에 놀란 지노가 리모컨으로 볼륨을 높였다. 채널을 영어 방송으로 고정시켜서 곧 영어로 말하는 기자 목소리가 방 안을 울렸다.

"어젯밤 이라크 주둔 미군 특공대는 사담 후세인의 은신처를 기습, 후세인을 체포하고 일당 37명을 사살했습니다."

지노가 숨을 죽였고 카밀라는 상반신을 일으켰다가 쓰러졌다. 다시 방송기자의 목소리가 이어졌다.

"현재 후세인은 부상을 당해 체포된 상태여서 치료 중입니다. 이것으로 이라크 정권 전복 후에 도피 중이었던 사담 후세인이 체포됨으로써 정국은 대전환을 맞았습니다."

그때 리모컨으로 볼륨을 줄인 지노가 카밀라를 보았다.

"1호야."

카밀라는 아직도 TV만 보았고 지노가 말을 이었다.

"가민이 각하한테 왔지만 1호 옆에 마흘락과 파라드가 있었는데……."

"……."

"기습을 당한 거야. 거처가 발각된 것이지."

"……."

"각하는 1호를 내세우려고 하셨지만 이제는 방법을 바꿔야 되겠지."

그때 카밀라가 입을 열었다.

"빨리 가야겠어."

카밀라가 충혈된 눈으로 지노를 보았다.

"아버지를 도와야 돼."

"정신차려, 카밀라."

침대로 다가간 지노가 말을 이었다.

"잡힌 건 1호야, 각하가 아니라구."

지노가 카밀라를 내려다 보았다.

"각하는 압둘 자말이야. 오히려 이젠 더 안전해지셨을 수도 있어."

카밀라가 지노에게 시선을 준 채 입을 열었다가 닫았다. 눈이 물기로 덮여 있다.

파라드가 고개를 들고 후산, 코비를 보았다.

이곳은 북부 군벌 지역 중 무스타파의 영역 남부, 골짜기 안이다.

오전 9시 반.

거처에서 15킬로 정도 서쪽 지점.

"여기서 2시간만 쉬자."

바위 사이에 몸을 숨기듯 셋이 앉아있었기 때문에 보이지 않는다. 후산과 코비는 이라크군 상사 출신이다. 충성심이 강했기 때문에 1호의 경호원으로 선발되었던 것이다. 그때 코비가 파라드에게 물었다.

"대령님, 각하는 체포되셨을까요?"

"그랬을 거다."

파라드가 길게 숨을 뱉었다.

"체포되시려고 님았으니까."

"지금 우리는 진짜 각하한테 가는 중입니까?"

코비가 다시 물었을 때 파라드의 얼굴이 일그러졌다.

"상사, 무슨 말이냐?"

"저희들은 각하 측근 경호원입니다."

"그래서?"

"진짜 각하가 이라크에 오셨다는 것을 들었습니다."

"누구한테서?"

"가민 장군과 각하께서 말씀하시는 것을 들었습니다."

파라드가 입을 다물었다. 지금까지 경호원들한테도 1호를 후세인으로 위장시켜놓았던 것이다. 그때 후산이 말했다.

"대령님, 각하께서는 마지막까지 각하께 충성을 다하셨습니다."

1호가 후세인에게 충성을 다했다는 말이다. 후산이 말을 이었다.

"저희들은 각하께 충성을 바쳤습니다. 이제는……."

말을 그친 후산이 파라드를 보았다.

"새 각하를 뵙게 되겠군요."

파라드가 고개만 끄덕였다. 자신도 새 각하는 처음 만난다.

후세인은 라디오를 통해 1호의 소식을 들었다. 미군이 운영하는 이라크 방송을 통해서 들은 것이다.

"1호가 체포되다니."

후세인이 망연해진 얼굴로 가민을 보았다. 어느덧 눈이 흐려져 있다.

"마흘락을 만나지도 못했구나."

마흘락은 부상을 입고 체포되었지만 곧 사망한 것이다.

"각하, 미국은 각하께서 성형 수술을 한 것도 알고 있습니다."

가민이 가라앉은 표정으로 말했다.

"각하에 대한 추적은 계속 되겠지요."

"그렇게 될 것 같다."

후세인이 고개를 끄덕였다.

"1호가 포섭한 반군은 어떻게 되나?"

"하첫 대령의 부대를 수습해야 될 것 같습니다. 수르토에게 전령을 보내 수습하도록 하겠습니다."

수르토와 파라드는 미군 측의 발표에 포함되지 않았던 것이다. 그러니 둘은 살아있을 가능성이 많다. 그때 후세인이 고개를 들고 가민을 보았다.

"미국은 이제 사담 후세인이 체포되었다고 선전을 해대겠군."

"그렇습니다."

가민이 말을 이었다.

"1호를 각하로 내세워서 이라크의 완전 패망을 세계에 선언하겠지요."

"1호는 애국자다."

"각하를 위해 목숨을 바칠 각오를 하고 있었습니다."

가민의 눈이 흐려졌고 목소리가 떨렸다.

"1호는 각하라고 고집할 것이고 미국도 알면서도 그것을 받아들일 것입니다."

"……."

"아니, 네가 1호냐고 묻지도 않겠지요."

"……."

"1호는 각하로서 죽는 것을 영광으로 생각한다고 했습니다."

후세인이 어금니를 물었다. 이제 압둘 자말과 미국과의 전쟁이다. 사담 후세인은 재판을 받고 사형을 당하겠지만 압둘 자말이 남았다. 그때 가민이 눈의 초점을 잡고 후세인을 보았다.

"지노도 이 사건을 들었을 것입니다."

"기다려."

카밀라를 내려다 본 지노가 말했다.

"우선 몸이 낫고 나서 결정을 하지."

"좀 나았어."

카밀라가 아직도 상기된 얼굴로 지노를 보았다.

"내일쯤이면 일어날 수 있을 것 같아."

"기다려."

창가의 의자에 앉은 지노가 말을 이었다.

"서둘 것 없어, 미군은 1호를 각하로 선전하고 체포한 것으로 선전할 테니까. 각하가 성형 수술 하신 것은 공식적으로 발표하지 않고 숨길 거야."

미국은 빨리 마무리를 짓고 싶어 할 것이다.

존 매커비가 후세인을 내려다보았다.

이곳은 바그다드. 미 제12의무대대의 병실 안. 1인용 입원실이다. 후세인은 병상에 누워있었는데 무릎은 수술을 하고 나서 붕대를 감은 상태다. 매커비가 입을 열었다.

"후세인 씨, 괜찮나?"

후세인이 똑바로 매커비를 보았다. 매커비 옆에는 미국 제7사단장 마크 카튼 소장과 아르카디 본부장인 깁슨이 서 있다. 그때 후세인이 매커비를 보았다.

"너는 누구야?"

순간 숨을 들이켠 매커비의 눈 밑이 붉어졌다. 그러나 대답은 했다.

"난 미국 국무부 중동담당관 존 매커비야."

"그럼 부국장급이군."

매커비가 눈만 껌벅였을 때 후세인이 쓴웃음을 지었다.

"전쟁 음모를 꾸몄던 리차드 해리슨이 지금은 청문회에 출석 중이라지?"

"……."

"구속되었나?"

"이봐, 후세인 씨."

"내가 비록 너희들 포로가 되었지만 예의를 지켜라, 부국장."

"아니……."

"이라크는 너희들한테 정복당했지만 난 지금도 이라크 대통령이야. 대통령 대우를 해, 부국장."

"가소롭군."

매커비가 어깨를 부풀렸을 때 후세인이 쓴웃음을 지었다.

"이제 난 재판을 받겠지. 그럼 너희들은 시민 사담 후세인을 법정에 세워둘 거냐?"

"……."

"이라크 대통령 사담 후세인을 법정에 세울 것 아닌가? 그럼 날 대통령으로 예우해라, 부국장."

"……."

"너 같은 말단이 감히 나한테 뭘 물을 수는 없어. 난 대답 안 한다."

그때 카튼이 매커비에게 말했다.

"매커비 씨, 나갑시다. 시간은 많으니까 다음에 옵시다."

"아직도 정신을 못 차렸군, 후세인."

어깨를 부풀린 매커비가 후세인을 흘겨보더니 몸을 돌렸다. 그때 카튼이 후세인에게 말했다.

"치료 잘 하시오, 각하."

카튼이 매커비의 뒤를 따라 방을 나갔을 때다. 얼쩡거리던 깁슨이 방 안에 혼자 남게 되자 후세인에게 한 발짝 다가섰다. 후세인의 시선을 받은 깁슨이 물었다.

"너, 1호지?"

그때 후세인이 눈을 가늘게 떴다.

"넌 누구냐?"

"난 아르카디 본부장이야."

"미군의 개군."

후세인이 쓴웃음을 지었다.

"내가 지노한테서 네 이야기를 들은 것 같다."

순간 숨을 죽인 깁슨에게 후세인이 말을 이었다.

"지노가 네 칭찬을 많이 했어, 유능하다고."

병실 밖으로 나온 깁슨에게 복도에 서 있던 카튼이 물었다.

"무슨 이야기 한 거요?"

"그냥."

얼버무리는 깁슨에게 카튼이 한 걸음 다가가 섰다. 매커비는 기분이 상했는지 사라져 보이지 않았다.

"후세인 맞는 것 같습니까? 대역 같지 않아요?"

"진품 같은데요."

고개를 기울였다가 세운 깁슨이 말을 이었다.

"내 생각은 그렇습니다."

밖에서 기다리던 보좌관 톰슨이 깁슨을 만나더니 바로 물었다.

"보셨습니까?"

후세인을 보았느냐고 묻는 것이다.

"묻기까지 했어. 둘이 있을 때 말야."

막사 옆에 선 깁슨이 톰슨을 보았다.

"네가 1호냐고 물었어."

"그랬더니요?"

"그랬더니 내가 누구냐고 되묻길래 아르카디 본부장이라고 하니까."

깁슨의 얼굴에 쓴웃음이 번졌다.

"내 이야기를 지노한테서 들었다고 하는군."

"지노한테서 말입니까?"

놀란 톰슨이 눈을 크게 떴다.

"그놈이 지노 이야기를 했습니까?"

"그래. 후세인한테 내 칭찬을 했다는군."

깁슨이 어깨를 치켰다가 내렸다.

"지금 국경 근처에 있는 놈, 성형 수술한 놈을 없애야 돼. 그래야 다 끝나."

"무스 함버크."

무전기에서 톰슨의 목소리가 울렸다. 무전기를 귀에 붙인 무스가 바위에 등을 붙였다.

"예, 보좌관님."

오후 2시 반.

이곳은 북부지역 야합 부족의 영내다. 산 중턱의 바위 옆. 그때 톰슨이 말했다.

"너 우리가 후세인 잡은 거 알지?"

"앗, 후세인을 잡았습니까?"

놀란 무스가 소리쳤다. 안내역 아크발과 둘이서 두 마리 늑대처럼 산악지역, 황무지를 돌아다니던 무스다. 라디오도 없으니 알 리가 없다.

"누가 잡았습니까?"

그것이 가장 궁금하다. 엄청난 현상금을 어떤 놈이 쥐었단 말인가? 그때 톰슨이 대답했다.

"반군 한 놈의 정보를 받고 그놈 대장의 뒤를 미행해서 후세인의 본거지를 알아낸 것이지."

"……."

"12개 조를 투입해서 후세인을 생포했고 장군 포함 37명을 사살했다."

그렇다면 단체로 잡은 셈이다. 치솟았던 무스의 질투심이 가라앉았다. 그때 톰슨이 말을 이었다.

"성형 수술을 한 후세인이 남았어. 하지만 비공개 사냥이야."

"무슨 말입니까?"

"후세인은 생포된 거야. 후세인은 끝났고 성형 수술을 한 놈은 후세인이 아니다."

무스의 얼굴에 쓴웃음이 번졌다. 그래서 아르카디 용병단은 후세인 체포 상금을 받게 되는 것이다. 1억 불인가?

"알겠습니다. 그럼 성형 수술한 놈을 잡으면 얼마 줍니까?"

"미군 당국은 안 줄 거야."

"그럼 우리가 줍니까?"

"그렇지. 1백만 불."

"진짜가 1백만 불이라니요? 지금 잡힌 놈은 대역 아닙니까?"

"끝났다니까 그러네."

톰슨이 자르듯 말했다.

"명심해, 솔저."

지노와 카밀라가 국경을 넘었을 때는 5일이 지난 후다. 1호가 생포된 지 사흘째가 되는 날이다.

카밀라는 남장을 했다. 머리에 터번을 감은 데다 바지에 작업복 차림. 어깨에 AK-47을 걸쳤고 등에 배낭을 메었다. 날씬한 몸매여서 뒤에서 보면 남자였지만 미끈한 얼굴은 영락없는 여자다.

오후 7시 반.

둘은 산악지역의 산줄기를 타고 남하하는 중이다.

"저쪽에 초소가 있어."

지노가 앞쪽 산을 가리키면서 말했다.

직선거리로는 5백 미터 정도지만 계곡을 건너서 다시 올라가야 했기 때문에 2시간쯤 걸리게 된다. 주위는 어둠에 덮였고 찬바람에 옷자락이 날린다.

"산을 우회해서 건너가기로 하지. 시간이 두 배쯤 걸릴 거야."

카밀라가 고개를 끄덕였다. 지노와 함께 이라크를 탈출했던 카밀라다. 지난번 천신만고 끝에 탈출했던 때와는 다른 상황이다, 오늘 밤은 산속에서 지내겠지만 내일 밤에는 아버지를 만나게 될 테니까.

"이곳은 야합 부족의 서북쪽입니다."

아크발이 말했다.

"북쪽으로 15킬로쯤 가면 터키 국경이 나옵니다."

"그럼 서쪽으로 조금 더 가자."

무스가 결정했다.

"오늘 밤에 5킬로쯤 가면 날이 밝겠지. 거기서 쉬고 내일 오후에 돌아오는 거야."

암산의 중턱이다.

밤 9시 15분.

무스와 아크발이 걸음을 멈추고는 바위틈에 앉아 늦은 저녁을 먹는다.

"대장, 북쪽으로 올라온 건 우리 둘뿐인 것 같습니다."

말린 양고기를 삼킨 아크발이 무스를 보았다.

"우리는 사냥꾼인 셈이지요."

무스가 쓴웃음을 지었다. 목적은 '성형 수술한' 후세인을 찾으려는 것이다.

후세인이 체포되고 나서 아르카디 조는 국경 지대에서 제각기 20킬로 정도 뒤로 물러난 상태다. 반군이 남아 있는 데다 아직 '성형 수술한 후세인'에 대한 '작전'은 풀리지 않았기 때문이다.

그렇다고 깁슨은 생포한 후세인이 '대역'인지 조사할 생각은 없다. 현상금이 1억 불이다. 일단 '후세인'을 '후세인'으로 팔아먹고 '실물'인 성형 수술한 후세인은 따로 처리하면 되는 것이다. 못 잡으면 말고.

"진지를 옮겼다면 그곳에 표시가 남아있을 거야."

앞장서 가면서 지노가 말했다.

밤 10시 반.

지노와 카밀라가 산 중턱을 지나고 있다. 지난번에 목격했던 경비초소를 우회해서 가고 있는 것이다. 카밀라가 바짝 붙어 걸으면서 물었다.

"오늘 밤은 어디서 쉬지?"

"3시간만 더 걷기로 하지."

지노가 말을 이었다.

"10킬로쯤 남았어."

낮에는 정찰기, 정찰위성에 발각될 위험 때문에 걷지 못하는 것이다. 지노 혼자라면 날이 밝을 때까지 걷겠지만 카밀라 때문에 오전 2시까지만 걷고 쉴 예정이다.

암산이다. 가파른 바위가 칼날처럼 솟은 바위산이다.

길도 없기 때문에 바위 모퉁이를 돌다보면 제자리로 돌아오는 경우도 많아서 무스는 아예 정상 쪽으로 길을 잡았다. 아크발이 말없이 뒤를 따른다. 방향은 아크발이 잡았지만 산을 타는 데는 무스가 더 노련했기 때문이다.

오후 11시 40분.

가쁜 숨을 몰아쉬며 정상에서 암산을 내려가던 무스가 문득 걸음을 멈췄다.

깊은 밤. 그러나 앞쪽의 산등성이에서 인기척을 느꼈기 때문이다. 거리는 약 2백 미터.

무스의 손짓에 아크발이 걸음을 멈췄다. 그때 무스가 앞쪽을 가리켰다.

"잠깐, 저쪽으로 돌아가는 것이 낫겠어. 여기서 기다려."

지노가 카밀라에게 말하고는 아래쪽을 내려다보았다.

"여기서 내려가려면 2시간쯤 걸릴 거야. 내려가서 쉬자."

"알았어."

카밀라가 숨을 고르면서 말했다. 지노가 바위 한쪽을 움켜쥐고는 아래를 내려다보았다. 약 10미터 높이의 절벽 위다. 그 아래쪽은 보이지 않는다. 지노가 고개를 들고 카밀라를 보았다.

"절벽이야."

그 순간이다.

“타앙!”

총소리가 산을 울렸다. 메아리도 없는 건조한 총성이다. 그 순간 지노의 몸이 훌쩍 공간으로 떠오르더니 절벽 아래로 떨어졌다. 놀란 카밀라가 절벽 끝 쪽으로 몸을 날려 아래쪽을 보았다.

“지노!”

카밀라의 목소리가 산을 울렸다.

“엇.”

스코프에서 눈을 뗀 무스가 놀란 외침을 뱉었다. 여자의 외침이다.

“이건 뭐야?”

소총을 쥔 채 엉거주춤 일어선 무스가 아크발을 보았다. 그때 다시 여자의 외침이 울렸다.

“지노!”

“지노라니?”

무스가 물었을 때다.

“지노!”

다시 여자의 외침이 산을 울렸을 때 무스가 앞으로 달려 나갔다.

카밀라가 절벽 아래쪽을 내려다보았지만 지노는 보이지 않았다.

아래쪽은 검은 공간이다.

카밀라는 입을 벌렸다가 닫았다. 갑자기 눈물이 쏟아졌다.

그제서야 지노는 의식이 돌아왔다.

"으음."

저절로 입에서 신음이 터졌지만 몸을 움직일 수가 없다. 그러나 의식이 돌아왔기 때문에 자신의 몸을 판단한다. 의식은 돌아왔지만 통증이 없다. 아직 귀에 소리도 들리지 않는다. 그러나 몸이 바위 사이에 쑤셔 박혀 있는 것은 알겠다.

다리가 위로 들렸고 상반신은 바위틈에 박혀 있다.

그때 조금씩 통증이 밀려왔다.

먼저 가슴, 오른쪽 어깨에서 3센티쯤 안쪽으로. 등 쪽에 끈적이는 느낌. 관통했다. 등 쪽은 아이 손바닥만 하게 찢어져 있겠지. 왼쪽에 맞았다면 심장이 뚫렸을 테니 지금쯤 시체가 되어있을 것이다.

그리고 머리의 통증. 위쪽이 바위에 부딪쳐 깨졌다. 2군데. 피가 흘러내려 얼굴을 적시고 있다.

그리고 다리. 이곳의 통증이 가장 심하다. 왼쪽 다리가 분질러져서 옆으로 꺾여 있는 것이다. 눈으로 보이지는 않지만 옆으로 늘어진 것은 알겠다.

그때다. 귀가 뚫렸다.

"지노!"

카밀라. 카밀라다. 아, 카밀라.

지노가 이를 악물었다. 그러나 몸은 움직이지 않는다.

"지노!"

카밀라가 다시 부른 순간이다. 뒤에서 인기척이 났다. 그 순간 카밀라가 옆에 놓인 AK-47을 쥐었지만 다가온 사내가 발로 밟았다.

"잡아!"

사내가 소리치자 다른 사내가 카밀라를 덮쳤다.

"악!"

카밀라가 소리쳤다.

"봐! 이놈들아!"

아랍어다.

"신이시어!"

카밀라의 목소리가 다시 어둠에 덮인 산을 울렸다. 그 순간이다.

"타타탕, 타타탕, 탕탕!"

총성과 함께 총탄이 쏟아졌다. 총탄에 맞은 바위 파편이 튄다.

"잡아서 끌고 가자!"

놀란 무스가 소리쳤다.

"그년을 기절시켜서 업고 가!"

무스가 총탄이 쏟아지는 쪽을 보았다. 건너편 산이다. 마음을 놓은 무스가 다시 소리쳤다.

"그년을 업고 뒤쪽으로!"

아크발이 카밀라의 머리를 개머리판으로 치더니 어깨에 메었다. 그러고는 산 뒤쪽으로 먼저 넘어갔다. 뒤를 무스가 따른다.

지노는 총성까지 다 들었다. 카밀라의 외침도 다 들었다. 이곳에서 위쪽 절벽까지는 약 30미터. 30미터를 떨어졌다. 10미터 절벽 밑으로 떨어진 후에 굴러 내려온 것이다.

"카밀라."

지노가 입술을 달싹이며 카밀라를 불렀다. 어느덧 눈에서 눈물이 흘러내려 뺨을 적셨다. 이제 총성은 그쳤다. 카밀라의 목소리도 들리지 않는다.

"도망쳤어. 여자를 데리고."

하라바가 AK-47을 세워들고 말했다.

"두 놈이야. 반군 수색조 같다."

"못 맞춘 거야?"

파스타가 묻자 마쿤이 대답했다.

"바위가 많아서 안 돼."

더구나 건너편 산이다.

그쪽까지 가려면 산에서 내려가 골짜기를 건너 다시 건너편 산으로 올라가야 한다. 비록 굽은 골짜기였지만 30분은 걸린다. 직선거리로 150미터여서 사격은 가능했던 것이다.

이곳은 야합의 전초기지다.

초소에 있던 셋은 총성을 듣고 놀라 개입했던 것이다. 파스타가 자리에서 일어서며 말했다.

"자, 가보자구."

파스타가 뒤에 대고 말했다.

"둘만 따라와."

초소에는 6명이 있다.

"여기 총이 걸려있어."

위쪽에서 사내 하나가 소리쳤다.

"이 자식들이 급하게 도망쳤어."

"여자는 누굴까?"

"누구를 부르던데, 여러 번."

"신을 부르는 소리는 들었어."

지노가 위쪽의 소음을 듣나가 마침내 결심했다. 위쪽 놈들은 야합의 조소병이다.

"살려줘! 여기야!"

순간 위쪽 소음이 뚝 그쳤다. 그때 지노가 다시 소리쳤다.

"여기 아래로 떨어졌어!"

오전 1시 30분.

깁슨이 톰슨의 전화를 받는다. 깁슨은 지금 모처럼 티크리트의 숙소에서 현지처 마냐와 함께 침대에 누워있던 참이다.

"장군, 무스가 결국 일을 저질렀습니다."

톰슨의 말에 깁슨은 이맛살을 찌푸렸다.

"뭐야, 또?"

"무스가 조금 전에 후세인의 딸 카밀라를 잡았습니다."

"뭐? 확실해?"

깁슨이 시트를 젖히고 일어났다. 마냐가 몸을 웅크렸다.

"예, 장군. 확인은 안 되었지만 무스가 지노를 쏘고 카밀라를 생포했습니다."

"지노를 쏘았어?"

"예, 쏘았는데 맞고 낭떠러지로 떨어졌다는 것입니다."

"확인 못 했다면서?"

"지노가 카밀라를 데리고 후세인을 만나러 가던 중이었습니다."

"좋아. 카밀라는?"

"지금 무스가 데리고 있는데 야합 지역입니다."

"그럼 그곳에 헬기를 보내."

"예, 즉시 보내지요."

전화기를 내려놓은 깁슨의 눈이 흐려졌다. 생각하는 표정이다.

이곳은 야합의 거처.

야합의 참모 칼리드가 제15초소장 파스타로부터 보고를 받는다. 파스타가 보고했다.

"칼리드 님, 제15초소에서 중상을 입은 용병 하나를 구출해냈습니다."

"용병?"

자다가 깬 칼리드가 목소리를 높였다.

"용병이라니? 아르카디 놈이냐?"

"아닙니다. 후세인의 용병이라고 합니다."

"후세인?"

이맛살을 찌푸린 칼리드가 상반신을 세웠다.

"후세인의 용병이라니?"

"지노라고 하는데요."

"아."

칼리드도 들었다. 후세인을 구출해 나간 용병. 아르카디가 전(全) 용병단을 동원해서 추적했던 용병.

"그놈을 잡았다고? 중상을 입었어?"

"예, 기습자의 총에 맞은 것을 구해냈다고 합니다. 지금 중상인데요."

"……."

"정신은 말짱해서 알라신의 가호를 바라고 있습니다."

"알라신의 가호를?"

"예, 칼리드 님."

숨을 들이켠 칼리드가 이건 야합을 깨울 필요도 없다고 생각했다. 알라신은 자비롭다.

"좋아. 데려와라."

무스가 웃음 띤 얼굴로 카밀라를 보았다.

이곳은 산기슭 옆의 평지. 오전 2시 10분이다.

"분명히 총에 맞았어. 가슴을. 그러고는 절벽에서 떨어졌으니까 끝난 거지."

카밀라는 외면한 채 대답하지 않는다. 땅바닥에 주저앉은 카밀라의 두 손은 등 뒤로 묶여 있다. 무스가 말을 이었다.

"내가 운이 좋아. 하느님은 공평하시지. 하나가 좋으면 하나는 나쁘게 해. 지노가 그 하나야."

"……."

"카밀라, 그 유명한 카밀라 후세인을 내가 잡다니."

무스가 심호흡을 했다.

카밀라라는 것을 알게 된 것은 배낭을 뒤졌기 때문이다. 배낭 안에 카밀라는 이라크 시절의 신분증까지 넣어두었던 것이다. 그때 먼 쪽에서 헬기의 로우터 소음이 울리더니 아크발이 어둠 속에서 나타났다.

"대장, 헬기가 옵니다."

아크발의 목소리에도 활기가 차 있다. 카밀라 후세인의 현상금은 5백만 불이다. 무스가 받게 되면 얼마쯤 떼어줄지도 모른다는 희망에 부풀어 있다. 그래서 더 고분고분해졌다.

다음 날 오전 9시.

후세인의 거처. 이곳은 동굴 안이다. 산 중턱.

동굴로 가민이 들어섰을 때 후세인은 코란을 읽는 중이었다. 후세인은 틈이 나면 코란을 꺼내 읽는다. 1호가 체포되고 나서 횟수가 늘어났다.

"각하."

앞쪽에 다가선 가민이 외면한 채 말했다. 그래서 옆얼굴만 보인다.

"방금 바그다드 방송에서 들었습니다. 공주께서 체포되셨습니다."

후세인이 코란을 덮었다. 그러나 이번에는 후세인이 외면한 채 입을 열지 않는다.

"각하."

다시 가민이 불렀을 때 후세인이 고개를 들었다. 두 눈이 흐려져 있다. 1호에 이어서 카밀라까지 체포된 것이다. 그때 가민이 말했다.

"지노가 공주와 함께 있었을 것입니다."

"……."

"그런데 지노에 대한 보도가 없습니다."

"……."

"지노가 사살되었다고 해도 보도를 했을 텐데요. 하지만."

어깨를 편 가민이 후세인을 보았다.

"공주를 찾겠습니다."

"……."

"우선 공주의 위치를 확인한 후에 특공대를 조직해서 습격하겠습니다."

가민이 번들거리는 눈으로 후세인을 보았다.

"각하, 제가 목숨을 걸고 공주를 구해내겠습니다."

가민의 얼굴이 상기되었고 목소리가 떨렸다. 그때 후세인이 입을 열었다.

"내 잘못이야. 내가 이곳으로 부른 것이 잘못이었어."

후세인의 얼굴이 일그러졌다.

"내가 욕심을 부렸어. 너희들은 가족까지 다 버리고 싸워주는데 나는 내 자식과 함께 있으려고 욕심을 부린 거다."

"각하."

"그럴 것 없나, 가민."

"각하."

"나가 보아라. 혼자 있고 싶다."

후세인이 외면했기 때문에 가민이 자리에서 일어섰다.

"카밀라 씨."

매커비가 웃음 띤 얼굴로 카밀라를 보았다.

오전 11시.

티크리트의 제7사단 헌병대 본부의 조사실 안.

카밀라는 미군 군복 차림으로 탁자 앞에 앉아있다. 죄수복이 없었기 때문에 여 군복을 대신 입은 것이다. 매커비가 말을 이었다.

"당신 부친은 바그다드로 후송되어서 여기서 만날 수는 없을 것 같습니다."

카밀라는 외면한 채 입을 다물고 있다.

"당신도 여기서 조사를 마치면 바그다드 수용소로 옮겨가게 될 겁니다."

"……."

"자, 그럼, 몇 가지 물어볼 것이 있는데요, 카밀라 씨."

매커비가 지그시 카밀라를 보았다. 조사실에는 둘뿐이다. 오늘 카밀라는 헬기로 후송된 후에 처음 조사를 받는다. 매커비가 말을 이었다.

"아버지를 만나러 가시는 길이었지요?"

카밀라가 고개를 끄덕였다.

"그래요."

"아버지가 부르신 건가요?"

"그래요."

"그런데 누구하고 가는 중이었지요?"

"경호원."

"경호원 누굽니까?"

"이름은 모릅니다."

"지노라고 부르셨다던데."

"누구요?"

"지노, 지노 장."

"모르는 사람입니다."

"지노를 부르셨다고 하던데."

"누가요?"

"당신을 체포한 요원이."

"잘못 들었겠죠."

"지노, 그러니까 당신 경호원을 쏘았다는 겁니다. 분명히 맞혔다는군요."

"……."

"지노는 절벽 아래로 떨어졌고. 그때 동료들이 지원사격을 했기 때문에 놓쳤다는군요."

"난 모르는 일이에요."

매커비가 지그시 카밀라를 보았다.

"카밀라 씨, 당신은 전범으로 재판을 받게 될 겁니다."

"……."

"아마 10년 이상의 중형을 받게 되겠지요. 하지만 빠져나갈 방법이 있어요."

"……."

"그것은 당신이 관리하고 있는 후세인의 비자금, 통치자금을 털어놓으면 됩니다. 그럼 당신은 비공식으로 석방될 수도 있어요."

"……."

"정상참작이 될 겁니다, 카밀라 씨."

그때 카밀라가 고개를 들었다.

"생각해보겠어요."

"총탄이 가슴을 관통했어."

지노가 눈을 떴을 때 옆에 앉아있던 사내가 말했다. 얼굴을 덮은 수염의 절반이 회색으로 변한 중년. 눈가의 주름이 깊다.

"머리가 두 군데 깨져서 40바늘을 꿰맸고 다리가 부러졌어. 살아난 게 기적이야."

지노는 그제야 자신의 머리가 온통 붕대로 감겨 있는 것을 보았다. 얼굴도 눈과 입만 내놓은 상태다. 가슴 전체에도 붕대를 감았고 왼쪽 다리에는 깁스를 해놓았다.

이곳은 흙벽으로 둘러싸인 주택 방 안.

벽에 촛불을 켜놓았지만 밤인지 낮인지 알 수가 없다. 창문이 없기 때문이다. 의식을 잃었다가 깨어났으니 시간이 얼마나 지났는지 알 수가 없다. 그때 전신에 통증이 밀려오자 입에서 저도 모르게 신음이 뱉어졌다. 숨을 고른 지노가 사내에게 물었다.

"여기가 어디요?"

"야합 족장의 영지야."

"당신이 날 살려준 거요?"

"칼리드 님이지."

"칼리드라니?"

"족장의 참모, 원로시지."

"……."

"난 칼리드 님의 지시를 받고 수술을 했을 뿐이야."

"당신 이름은?"

"무함마드."

"의사요?"

"이라크 제1의 외과의사지. 의사 면허는 없지만 심장 이식 수술을 한 적도 있어. 성공했다구."

"……."

"심장에 총을 맞은 무스타파 부족 놈의 심장을 양의 심장으로 이식해준 적이 있지."

"……."

"5일이나 양의 심장을 달고 살았어."

그때 인기척이 나더니 이번에는 수염이 모두 백발인 사내가 들어섰다. 무함마드가 일어나 사내를 맞는다.

"칼리드 님, 의식이 돌아왔습니다."

무함마드가 손으로 지노를 가리켰다.

"깨어나자마자 꼬치꼬치 묻습니다. 강인한 체력입니다."

그때 다가선 사내가 주름진 얼굴로 지노를 내려다보았다.

"네가 후세인의 용병 지노라고 했나?"

"그렇습니다."

"난 칼리드다. 야합 부족의 원로지. 족장의 참모이기도 하고."

"제 목숨을 살렸다고 들었습니다."

"알라께서는 적이라도 자비를 구하면 살려주신다."

"고맙습니다."

"네 몸이 강인해서 살았다. 보통 사람이라면 이미 죽었을 것이라고 한다."

"신(神)께서 이 세상에 더 사용할 일이 있다고 생각하시는 것 같습니다."

"말이 많구나."

칼리드가 지그시 지노를 보았다.

"네가 이곳에서 치료받는 건 족장도 모르는 일이야. 내가 초소 놈들한테도 입막음을 했거든."

지노가 숨을 죽였고 칼리드가 말을 이었다.

"넌 현상금이 걸린 놈이야. 그리고 대단히 위험한 놈이고. 족장이 알면 널 내다 팔지도 모른다. 경솔한 짓이지. 그래서 내가 널 감추고 있는 거야."

자리에서 일어선 칼리드가 엄격하게 말했다.

"여기서 나을 때까지 기다려라."

"여기 현상금이다."

톰슨이 무스에게 수표를 내밀었다.

오후 4시 반.

티크리트의 아르카디 상황실 안이다. 수표를 받은 무스가 금액을 보더니 고개를 들었다.

"아니, 22만 불이라니? 이게 뭡니까?"

"뭐라니?"

톰슨이 이맛살을 찌푸렸다.

"그게 어쨌다는 거야, 솔저?"

"솔저고 지랄이고 22만 불이 뭡니까? 카밀라 후세인은 5백만 불 아닙니까? 세금을 떼고도 250만 불은 되어야 하는 거 아뇨?"

"3백만 불이야. 카밀라 현상금이 내렸어."

눈을 가늘게 뜬 톰슨이 무스를 노려보았다.

"아무리 돈독이 든 용병이라고 해도 눈깔 부릅뜨고 돈타령하지 마라, 무스 함버크."

"그래도 계산이 틀리잖소?"

"3백에서 세금 떼면 150이야."

톰슨이 말을 이었다.

"거기서 50퍼센트는 아르카디 몫이지."

"……."

"거기에다 죽은 네 팀원에 대한 보상금을 떼어야 돼. 팀장의 의무지."

"갓댐."

"그런 자세니까 네 팀원이 되려는 요원이 없는 거야, 솔저."

"이거 더럽군."

"그 돈에서 네 안내를 맡았던 아크발한테도 좀 떼어줘야 할 거다."

"벼룩의 간을 빼 먹지."

"네가 성형 수술한 후세인을 찾으러 다니려면 아크발이 필요할 테니까 말야."

말을 마친 톰슨이 의자를 돌려 앉았다. 더 이상 말 섞기가 싫다는 표시다.

"중령, 카밀라 후세인은 외부에 노출시키면 안 돼."

매커비가 정색하고 존슨에게 말했다. 존슨은 7사단 헌병대장으로 카밀라의 보호 책임자다.

"무슨 일이 있을 때는 나에게 꼭 보고해주기 바라네."

"알겠습니다."

존슨이 고개를 끄덕였다.

매커비가 누구인가? 대단한 영향력이 있는 국무부 부국장이다. 사단장과 함께 다니는 거물인 것이다.

카밀라가 헌병대 숙소에 감금된 지 오늘로 나흘째가 된다. 헌병대 유치장 시설이 열악했기 때문에 카밀라는 숙소 한쪽을 개조해서 감금 상태로 만들어 놓았다. 카밀라 후세인은 후세인 다음으로 최고위급 포로인 것이다.

이것으로 후세인 일족은 모두 체포된 셈이다.

그날 오후 6시.

헌병대장실로 방문객 둘이 들어섰다. 사단 참모장 로버트슨 준장과 또 한 사내. 뉴욕타임스 기자 닉 월링이다. 놀란 존슨이 얼굴을 굳혔을 때 로버트슨이 말했다.

"중령, 카밀라 인터뷰를 시켜라. 데려와."

"예?"

존슨이 숨을 골랐다. 매커비한테서 주의를 받은 지 세 시간도 안 되었다. 나흘 동안 티크리트 주재 특파원들이 헌병대 앞에서 진을 치고 있는 상황이다. 존슨이 작심하고 대답했다.

"참모장님, 그건 좀. 매커비 씨한테서 여러 번 경고가……."

"닥쳐."

로버트슨이 존슨의 말을 잘랐다.

"지금 당장 카밀라를 데려와, 중령."

"예, 참모장님, 하지만……."

"중령."

로버트슨이 쓴웃음을 지었다.

"너, 중령 몇 년 차지?"

"5년 차입니다."

"너, 대령 못 되겠다."

어깨를 부풀린 로버트슨이 웃음 띤 얼굴로 말을 이었다.

"사단장 명령인데도 넌 국무부 부국장 지시를 받겠단 말이지?"

"그건 아닙니다만."

당황한 존슨의 얼굴이 굳어졌다.

"저는 매커비 씨 부탁을 받아서……."

그때 로버트슨이 몸을 돌리더니 문을 열고 소리쳤다.

"여기 부관 있나?"

"예, 참모장님."

부관인 대위가 들어서자 로버트슨이 말했다.

"사단장 명령 불복종으로 헌병대장을 체포, 구금한다. 즉시 영창에 수용할 것."

"예, 참모장님."

"무장을 해제시키고 끌고 가."

"예, 참모장님."

"도주하면 전시니까 사살해도 된다."

"예."

부관이 존슨의 등을 밀었다.

"가시죠."

그때 로버트슨이 말했다.

"헌병대장이 누구한테 연락하거나 전언을 보내도 안 된다. 이적 행위를 할 가능성이 있으니 주의하도록."

20분쯤 후에 카밀라가 조사실로 들어서자 기다리고 있던 닉 윌링이 자리에서 일어섰다.

"어서 오십시오."

닉은 웃음 띤 얼굴이다. 미 군복 차림인 카밀라는 머리를 뒤에서 묶었고 화장기가 없는 얼굴은 창백했다.

힐끗 닉에게 시선을 준 카밀라가 고개만 끄덕였다. 닉과 안면이 있었기 때문이다. 카밀라가 문화부장관이었을 때 인터뷰한 적도 있다. 조사실에는 둘뿐이다. 테이블에서 마주 보고 앉았을 때 닉이 입을 열었다.

"매커비를 만나셨지요?"

카밀라는 시선만 주었고 닉이 말을 이었다.

"매커비가 무슨 말을 했는지 말씀해주시겠습니까? 이건 카밀라 씨를 보호하는 입장에서 말씀드리는 겁니다."

"……."

"매커비가 지금도 청문회에서 조사 중인 리차드 해리슨 차관의 심복인 거 알고 계시지요?"

"……."

"해리슨과 매커비는 이라크가 핵과 화학무기를 보유하고 있다는 증거를 조작한 전범이죠. 그들의 배후에는 군수산업체가 있고요."

닉이 목소리를 낮췄다.

"카밀라 씨, 매커비가 찾아온 거 알고 있습니다. 매커비가 뭐라고 했습니까?"

"대통령 비자금 내역을 말해주면 석방시켜 주겠다고 하더군요."

이제는 닉이 입을 다물었고 카밀라의 말이 이어졌다.

"비공식으로 석방시켜 주겠다구요. 그래서 생각해보겠다고 말했는데……."

카밀라가 흐린 눈으로 닉을 보았다.

"그게 가능한 일인가요?"

"카밀라는 아직도 티크리트에 있는 모양이야. 후세인은 바그다드로 옮겨

갔고."

칼리드가 말했다.

"티크리트에 언론사 기자들이 수백 명 모여 있다는군. 카밀라를 만나려고 말야."

오후 10시 반.

방 안에는 칼리드와 지노 둘뿐이다.

이곳은 산 중턱에 위치한 칼리드의 안가(安家)다. 외딴집이어서 의사 무함마드만 오갈 뿐 밤에는 칼리드하고 둘이 남는다. 칼리드는 가족도 없는 것이다. 칼리드가 말을 이었다.

"이젠 이라크라는 나라가 없어지고 수십 개 군벌, 부족의 전쟁터가 되었어. 지금까지 이라크가 존재했던 이유는 후세인이라는 절대 권력이 있었기 때문이지. 그런데 이젠 끝났다."

칼리드가 고개를 저었다.

"이라크 국민에게 불행이 온 거야. 지금도 후세인 시절을 그리워하는 사람들이 늘어나고 있어."

"……."

"내가 야합 부족장한테 절대로 무스타파는 물론이고 살라드 부족과의 연대도 하지 말라고 했어. 그 이유가 뭔지 아나?"

"세력이 커지면 당장 미군의 타깃이 될 테니까요."

"바로 그거야."

쓴웃음을 지은 칼리드가 말을 이었다.

"지금 무주공산이 된 이라크 땅을 거저먹을 것처럼 보이지만 먼저 나서는 놈, 세력을 키우는 놈은 미국의 제물이 되는 거다."

"노인께서는 정세판단이 정확하십니다."

"내 판단이 맞단 말이냐?"

"후세인 각하도 그런 말씀을 했습니다."

"그런데 잡혔으니 다 끝났다."

"잡힌 건 대역입니다."

마침내 지노가 털어놓았다. 칼리드가 믿을 만했기 때문이다. 칼리드는 생명의 은인이기도 했다. 칼리드가 눈을 크게 떴다.

"무슨 말이냐?"

"후세인 각하는 성형 수술을 했습니다."

"……."

"나는 카밀라와 함께 성형 수술한 각하를 만나러 가는 길이었지요."

지노가 칼리드에게 지금까지의 과정을 설명했다. 이야기가 끝날 때까지 숨도 죽이고 있던 칼리드가 길게 숨을 뱉었다.

"그렇군. 각하가 살아 계시군."

"이 근처에 계십니다."

"이 근처에?"

"그렇습니다."

"그래서 아르카디가 몰려온 것인가?"

"그렇습니다."

칼리드가 지노를 쏘아보았다.

"새 얼굴로 시작하시겠다는 말인가?"

"그렇습니다."

"사담 후세인을 다 지우고?"

"그렇습니다. 다만."

갑자기 가슴 통증이 심했기 때문에 이맛살을 찌푸렸던 지노가 말을 이었다.

"사담 후세인이 닦아놓은 인연, 모아놓은 자산은 활용하겠지요."

"불가능해."

칼리드가 고개를 저었다.

"너무 늦었어."

"그것도 알고 계신 것 같습니다."

지노가 누운 채 칼리드를 보았다. 두 눈이 번들거리고 있다.

"이라크로 돌아오신 이유는 싸우다가 죽겠다는 것입니다."

"반군이 다 모일 수가 없어. 절반은 도둑떼야. 여기 북부지역 부족도 마찬가지야."

칼리드의 얼굴에 쓴웃음이 번졌다.

"우리 부족장도 후세인이 살아있다고 해도 호응하지 않을 거다. 그래서 내가 너를 숨겨둔 것이지."

자리에서 일어선 칼리드가 말을 이었다.

"내가 널 살려둔 이유는 후세인에 대한 내 마지막 호의였다. 후세인은 이라크를 빛낸 마지막 통치자였으니까."

또 옮겼다.

이곳은 지난번의 위치에서 8킬로쯤 북쪽의 산속. 동굴 안에서 후세인이 로간의 보고를 받는다.

"각하, 제가 지노를 찾겠습니다."

오전 8시 반.

동굴 안에는 후세인과 가민이 앉아있다. 로간이 말을 이었다.

"제가 3명만 데리고 가겠습니다."

후세인이 고개를 끄덕였다.

"가라, 로간."

"안내원은 골랐나?"

가민이 물었다.

"예, 장군. 파하드를 데리고 가겠습니다."

로간이 말을 이었다.

"그리고 탈레반 용병 둘입니다."

파하드는 이쪽 지역 지리를 잘 아는 이라크군 출신이다. 후세인이 로간을 보았다.

"로간, 네가 가면 브라운이 남는다."

"각하, 돌아오겠습니다."

로간의 얼굴이 조금 일그러졌다. 지노, 로간, 바질, 브라운이 용병단의 4개 팀장이다. 그중 먼저 바질이 전사하고 지노가 실종된 상황인 것이다. 후세인이 고개를 끄덕였다.

"지노가 살아있기를 바란다, 로간."

"예, 각하."

시선을 내린 로간이 말을 이었다.

"살아 있으면 꼭 데려오지요."

뉴욕타임스가 카밀라 후세인과의 인터뷰 내용을 보도한 것은 사흘 후다. 이라크 특파원 닉 윌링의 특종 보도다. 카밀라의 사진과 함께 1면에 커다랗게 타이틀이 붙었다.

"존 매커비. 카밀라에게 거래 제의."

주먹만 한 글씨다.

내용은 국무부 부국장 존 매커비가 카밀라의 비밀 석방 조건으로 후세인의 통치자금을 건네라고 제의했다는 것이다. 물론 매커비는 강력히 부인했다. 음모라면서 고발하겠다고 펄펄 뛰었지만 카밀라의 진술 내용이 구체적이고 사실적이었다.

당장 미국 전역에서 정부와 국무부 담당자에 대한 비난이 폭발했다.

후세인의 육성 녹음이 이미 미국에도 퍼진 상황이다. 이것도 불난 집에 기름을 부은 효과를 내었다. 뉴욕타임스가 보도하기 전에 매커비는 뉴욕으로 날아가 있었는데 백방으로 손을 썼지만 보도를 막지 못했다.

"이게 무슨 짓이야?"

대통령 부시가 손바닥으로 책상을 쳤다. 백악관의 오벌룸 안. 안쪽에 국무장관 아놀드와 안보보좌관 케이슨이 앉아있다.

"비자금을 빼내서 어쩌려고 그런 거야? 당신이 시켰어?"

부시가 손으로 아놀드를 가리켰다. 아놀드가 펄쩍 뛰었다.

"제가 그럴 리가 있습니까?"

"이놈 해리슨의 일당이지?"

부시가 눈을 치켜뜨고 아놀드를 보았다. 해리슨은 지금 전쟁 음모 혐의로 청문회 중이다. 아놀드가 고개를 저었다.

"연락은 안 하는 것으로 알고 있습니다."

"해리슨은 곧 구속될 거야, 아놀드."

"……."

"큰일 났어. 이젠 슬슬 나한테까지 비난 여론이 몰려온다구."

고개를 든 부시가 케이슨을 보았다.

"케이슨, 이거 빨리 끝내."

"예, 각하."

"카밀라가 더 이상 떠들지 못하게 하란 말야!"

"그러지요."

고개를 든 케이슨이 부시를 보았다.

"바그다드로 옮기면 기자들이 더 몰려올 것입니다. 티크리트 안가에 가둬놓겠습니다."

무스 함버크가 산 중턱의 바위 위에 섰을 때는 오후 3시 반이다.

"여기가 지난번 카밀라를 잡은 곳에서 서쪽으로 5킬로 지점쯤 됩니다."

아크발이 동쪽을 가리키며 말했다. 첩첩산중이어서 무스는 감(感)도 잡을 수 없었지만 아크발이 이제는 북쪽을 가리켰다.

"저쪽이 야합 부족의 영지요."

지난번 카밀라를 잡은 후에 무스는 받은 상금에서 2만 불을 떼어 아크발에게 준 것이다. 10퍼센트 가까운 배분이었기 때문에 아크발은 심복이 되었다.

"아래쪽 골짜기가 동서남북으로 연결된 통로죠."

"좋아. 여기서 잠복하자."

무스가 결정했다.

아르카디 용병팀은 이미 남쪽으로 철수한 상태여서 이쪽 부족 연합의 경계선 북쪽은 빈 것이나 같다. 아크발이 분주하게 초소 준비를 시작했다.

"일어나지 마."

무함마드가 말했지만 지노가 벽을 잡고 한 걸음을 떼었다. 이곳에 온 지 6일째 되는 날이다. 벽을 잡은 채 다섯 걸음을 뗀 지노가 상기된 얼굴로 무함마드를 보았다.

"걸을 만합니다."

"머리 상처도 아직 아물지 않았어."

"문제는 다리지요."

아직도 다리는 깁스한 채로 절름거리고 있는 것이다. 깁스도 부목을 대고 묶은 것이어서 걸을 때마다 다리에 통증이 온다. 무함마드가 다가오더니 다리의 부목을 만져보고는 고개를 들었다.

"앞으로 20일은 더 있어야 돼."

"열흘 후에는 부목 뗄 겁니다."

"자네 마음대로 안 돼."

"총을 한 자루 구해주시죠."

"총이야 얼마든지 있지만, 왜?"

"난 용병이라 총이 없으면 불안해요."

"그렇겠지. 하지만 칼리드 님 허락을 받아야겠네."

지노가 숨을 고르면서 바닥에 앉았다. 머리의 상처도 다 아물지 않았고 가슴의 총상은 숨을 쉴 때마다 통증이 온다.

거처를 옮겼다.

새 안전가옥이다. 7사단 영내의 헌병중대 안에 설치된 컨테이너다. 헌병대장 존슨 중령이 명령불복종으로 업무 정지가 된 후에 헌병대장 대리는 부대장 제퍼슨 소령이 맡고 있다.

카밀라는 안가를 혼자 사용하고 있었는데 응접실과 침실까지 갖춘 40피트 컨테이너 숙소다. 컨테이너 창에는 쇠창살을 설치했고 앞에는 헌병 2명이 경비하고 있다. 더구나 컨테이너 위치는 헌병대 안이다.

"당분간 이곳에서 대기하시죠."

제퍼슨이 컨테이너 하우스로 찾아와 말했다. 흑인인 제퍼슨이 흰자위가 많은 눈으로 카밀라를 보았다.

"지난번에 매커비 씨가 여기 찾아와서 말한 것이 문제가 되었어요."

여기서는 신문도, TV도 볼 수 없었기 때문에 카밀라는 듣기만 했다. 그러나 짐작은 된다. 뉴욕타임스 기자가 폭로했을 것이다. 그때 제퍼슨이 말을 이었다.

"매커비 씨는 미국으로 소환되었습니다. 이젠 인터뷰도, 면담도 안 됩니다."

"잠깐만요."

카밀라가 일어서려는 제퍼슨을 불렀다.

"변호사 면담은 안 되나요?"

"그건 아직 결정되지 않았습니다."

"변호사 면담을 요구합니다."

카밀라가 말을 이었다.

"제 권리니까요. 벌써 일주일이 넘었는데 변호사도 만나지 못하고 있어요."

제퍼슨이 고개를 끄덕였다.

"상부에 보고하지요."

"저쪽."

아크발이 손으로 앞쪽을 가리켰다.

오후 5시 반.

아크발이 가리킨 곳은 앞쪽 산 중턱이다. 두 사내가 서쪽으로 가는 중이다. 직선거리로 350미터. 그러나 그쪽으로 가려면 골짜기를 내려갔다가 올라가야 할 테니 1시간 가깝게 걸릴 것이다. 스코프에 눈을 붙인 무스가 말했다.

"야합 부족이야."

"그렇군요."

바위 사이로 보였다가 사라지는 둘을 보면서 아크발이 대답했다.

"전령 같습니다."

"저쪽에 초소가 있나?"

"저쪽으로 돌아가면 지난번 카밀라를 잡은 위치가 나옵니다."

"그런가?"

AK-47의 스코프에 눈을 붙인 무스가 말을 이었다.

"잡을까?"

"놔두시지요."

아크발이 무스를 보았다.

"우리 위치가 드러날 가능성이 있습니다."

고개를 끄덕인 무스가 스코프에서 눈을 떼었다.

"두 놈입니다."

파하드가 망원경을 눈에 붙이고 말했다.

"조금 전에 지나간 야합 전령들을 그냥 보내는데요."

"아르카디야?"

로간이 묻자 파하드가 대답했다.

"그런 것 같습니다."

"저놈들이 노리는 건 따로 있는 건가?"

파하드는 42세. 정보원이다. 티크리트 출신이어서 이 근처 지리, 상황에 훤하다. 고개를 든 파하드가 로간을 보았다.

"바질 님 조, 공주님을 모시고 오신 지노 님을 기습한 것도 저런 놈들일 것입니다."

"그렇군."

로간이 심호흡을 했다.

이곳은 건너편 산의 정상 부근. 아래쪽으로 지나간 야합의 전령들을 그냥 보낸 무스가 이번에는 걸려들었다. 이곳에서도 먼저 발견한 쪽에게 기회가 온다.

그것은 노련한 첨병에게 기회가 많다는 의미다. 로간의 안내역 파하드가 행로(行路)를 잘 잡았기 때문이기도 했다. 길이 험했지만 시야가 트인 산등성이를 타고 가다가 야합 전령과 그것을 감시하는 무스 일행을 같이 발견한 것이다.

"저놈들을 잡자."

로간이 결정했다. 건너편 산 중턱의 둘과는 직선거리가 575미터. 더 내려가야 한다.

25분쯤 후에 로간 일행 4명은 산 중턱의 바위틈에 제각기 몸을 숨기고 있다. 지노 수색조다. 이제 건너편 두 명과의 거리는 392미터. 비스듬한 앞쪽이어서 둘의 측면에 자리 잡고 있는 셈이다.

"간샤, 네가 날 따라와라."

로간이 탈레반 요원 간샤에게 말하고는 일어섰다.

"나머지는 여기서 대기."

간샤은 우직한 성품으로 사격술이 뛰어나다. 파키스탄 출신으로 24세. 로간의 조가 되어서 신임을 받고 있다.

둘은 우측으로 이동했다. 조금 더 정면으로 이동해서 둘을 저격하려는 것이다. 앞서가던 로간이 혼잣소리로 말했다.

"이건 사냥이지, 전쟁이 아냐."

317미터.

로간이 바위 위에 AK-47을 거치시켜놓고 스코프로 본 거리다.

오후 6시 32분.

이미 주위는 어둠에 덮여 있다. 야간용 스코프에는 붉은색 반점으로 나타난다. 얼굴은 보이지 않는다. 붉은색 박테리아가 꿈틀거린다. 로간이 둘 중 오른쪽을 겨눴다.

"간샴, 넌 왼쪽을 맡아라."

왼쪽과 오른쪽은 약 3미터쯤 떨어져 있다. 개머리판을 어깨에 붙인 로간이 심호흡을 했다.

"자, 겨누고, 간샴. 다섯을 세겠다."

스코프의 붉은색 박테리아는 이제 움직이지 않는다. 오른쪽은 엎드려있는 반면에 왼쪽은 상반신을 조금 들었다. AK-47의 유효 사정거리는 5백 미터지만 실제로는 3백 미터 내외다. 그러나 로간과 간샴은 이 정도 거리에서는 10발 8중은 한다. 드라구노프 저격 총이라면 10발 9중은 되겠지.

로간이 카운트를 했다.

"자, 다섯, 넷, 셋, 둘."

로간이 방아쇠에 힘을 주었다.

"하나."

"탕!"

총성이 거의 동시에 울렸다. 로간이 겨눈 표적이 '들썩' 하는 것 같더니 박테리아가 쪼그라들었다. 바위 밑으로 흘러들어간 것 같다.

"앗."

옆쪽에서 간샴이 낮게 소리쳤다. 로간이 그쪽으로 스코프를 옮겼다. 붉은색 박테리아가 보이지 않는다.

"못 맞혔습니다."

간샴이 떨리는 목소리로 말했다.

"놈이 바위 뒤로 숨었습니다."

"엎드려."

로간이 바위 뒤로 몸을 숨기면서 말했다. 한 명은 맞히지 못했다.

"아크발!"

무스가 불렀지만 아크발은 대답하지 않았다. 고개를 든 무스가 어금니를 물었다.

저격이다. 이번에는 이쪽이 당했다. 웅크린 채 아크발 쪽으로 다가간 무스는 숨을 들이켰다. 아크발의 머리 위쪽이 부서져 있다.

수르토 대령이 후세인에게 찾아왔을 때는 오후 8시가 되어갈 무렵이다. 수르토는 부대원 55명을 이끌고 왔는데 그것이 전력(全力)이다. 지난번 아르카디의 기습을 받고 남은 병력이다.

"잘 왔다."

수르토의 인사를 받은 후세인이 반겼다.

소수 병력으로 분산되어 있는 것이 유리했지만 최소한의 전력은 유지시켜야 한다. 후세인은 바질 조가 당하고 나서 친위 병력을 보강시킬 필요가 있었던 것이다. 그래서 가민의 연락을 받은 수르토가 합세한 것이다. 수르토가 후세인에게 말했다.

"이곳까지 오면서 반군 3개 부대를 만났습니다. 그들과의 연대도 가능합니다."

"1호와 마흘락이 이끌었던 본대가 없어졌으니 앞으로는 이곳에서 지휘를 해야 될 것이다."

후세인의 말을 가민이 받는다.

"1호가 잡히면서 미국 정부는 그것으로 이번 이라크 전쟁을 마무리할 거야.

각하에 대해서는 무시할 작전으로 나올 것 같아."

가민이 말을 이었다.

"하지만 용병단을 동원해서 우리를 말살하려고 하겠지."

수르토가 고개를 끄덕였다.

후세인 생포는 이미 전 세계로 보도되었다. 그리고 후세인을 생포한 아르카디 용병단에게 포상금도 건네진 상황이다. 그러니 비공식으로 은밀하게 처리해야 될 것이다. 그때 후세인이 수르토와 가민을 보았다.

"카밀라는 재판을 받는다고 해도 몇 년 형이야. 나는 그것이 차라리 잘 되었다는 생각이 든다. 이제 홀가분하게 일할 수가 있어."

둘은 입을 다물었다. 잘 되었다고 맞장구를 칠 수는 없기 때문이다.

방으로 들어선 칼리드가 AK-47을 건네주었다.

"자네가 원한다니 갖게."

탄창이 3개나 끼워진 탄띠까지 건네주면서 칼리드가 말을 이었다.

"용병한테는 무기가 숨 쉬는 공기나 같지."

"감사합니다."

두 팔은 성했기 때문에 지노가 총과 탄띠를 받았다.

오후 8시 반.

오늘도 지노는 하루 종일 걷기 운동, 팔굽혀 펴기 운동을 했지만 부목은 떼지 못했다. TV는 물론 라디오도 없고 하루 종일 거의 혼자 지내는 생활이다.

이곳은 칼리드 거처의 뒤쪽 별채여서 오는 사람은 무함마드와 칼리드 둘뿐이다. 앞쪽 벽에 기대앉은 칼리드가 입을 열었다.

"카밀라를 생포하고 자넬 쏜 사내가 아르카디의 무스 함버크라는 용병이라네."

지노는 시선만 주었고 칼리드가 말을 이었다.

"포상금을 받았다는 보도가 났다는 거야. 그린베레 대위 출신이라는데."

"압니다."

지노가 AK-47의 총신을 손바닥으로 문지르며 말을 이었다.

"실력은 있지만 더러운 놈이죠."

"같은 부대였나?"

"서너 달간 같은 부대에 있었죠."

"그놈이 매복했다가 카밀라를 잡았다고 인터뷰를 했다는군."

"카밀라는 지금 어디 있습니까?"

"티크리트."

칼리드가 말을 이었다.

"국무부 부국장 놈이 카밀라에게 비자금 내역을 알려주면 석방시켜주겠다는 제의를 했다가 카밀라가 폭로하는 바람에 소환됐다네."

"……."

"그래서 헌병대에 연금 상태야. 재판을 할 때까지 면담이나 인터뷰도 금지되었다는군."

"……."

"후세인 각하 아니, 1호는 각하 행세를 하고 바그다드에 수감되어 있고."

"각하 소식은 못 들었습니까?"

"못 들었네."

칼리드가 고개를 저었다.

"우리가 알 정도면 미군 측도 알지 않겠나? 이쪽은 산악지역이라 10만 군사도 숨길 수 있는 곳이야."

3장 생과 사(生과 死)

"무스가 제7초소로 돌아왔습니다."

오후 10시 반.

아직도 상황실에 있던 깁슨에게 보좌관 톰슨이 보고했다.

"안내역인 아크발은 전사했다는군요. 시체를 현장에 두고 혼자 돌아왔습니다."

"그놈 옆에 있다가 다 죽어 나가는군."

"조원(組員)을 요청했는데요, 어떻게 하지요?"

"누가 가겠나?"

"신입요원 4명이 왔지 않습니까? 그중에서 보낼까요?"

깁슨의 시선을 외면한 톰슨이 말을 이었다.

"지원자는 나오지 않을 테니까요."

"좋아."

깁슨이 고개를 끄덕였다. 조원은 계속 죽이지만 무스는 능력 면에서 뛰어난 놈이다.

"둘만 보내."

오후 10시 반.

로간이 바위 옆에 엎드린 채 앞쪽을 응시하고 있다. 옆에 쪼그리고 앉은 파하드가 말했다.

“저 앞쪽 능선이 무스가 공주님을 생포했다는 지점입니다.”

로간이 주위를 둘러보았고 파하드가 말을 이었다.

“그 건너편 산등성이에 야합 부족의 초소가 있어요. 여기선 보이지 않지요.”

“…….”

“이 근처에서 총격전이 벌어졌다면 저 초소에서 다 들었겠지요.”

로간이 고개를 들었다. 이곳은 바위와 숲으로 덮인 험산이다.

“지노가 이곳에서 실종되었단 말인가?”

파하드의 시선을 받은 로간이 말을 이었다.

“지노가 이 근처에 누워있을 리는 없어.”

오후 11시 반.

아르카디 용병단의 마빈 조 초소로 민병대원 하나가 찾아왔다. 낯익은 민병대원이다.

“오, 바크라, 이 시간에 무슨 일이냐?”

초병 크린트가 알은체를 했다. 마빈 조는 인구 3천 명가량의 작은 도시 호탄에 주둔하고 있었는데 정보수집이 주목적이다. 이곳은 북부지역과 통하는 교통요지로 유동인구가 많은 지역이다.

“대장한테 할 이야기가 있어.”

바크라는 호탄에 주둔한 민병대의 참모로 전(前) 이라크군 대위 출신이다. 호탄에는 민병대 1개 중대가 주둔하고 있는 것이다.

“지랄. 너, 대장하고만 놀겠다는 거냐? 나는 쫄짜라 말 못하고?”

“그게 아냐, 크린트. 중요한 일이야.”

바크라가 손까지 흔들었지만 크린트는 대문 옆 기둥에 등을 붙인 채 막무가

내다.

"대장은 술 먹고 자."

"바크라, 급해."

"그건 네가 급하지. 난 아냐."

"좋아. 그럼 내가 존슨 조로 가는 수밖에. 다 너 때문이니까 후회하지 마, 크린트."

바크라가 몸을 돌렸을 때 크린트가 버럭 소리쳤다.

"야, 서!"

바크라가 멈춰 섰을 때다. 대문이 열리면서 조장 마빈이 나왔다. 마빈이 집 안에서 들은 것 같다.

"무슨 일이냐?"

잠시 후에 마빈과 바크라가 어둠에 덮인 마당에서 마주 보고 섰다. 재촉하듯이 시선만 준 마빈을 향해 바크라가 입을 열었다.

"내 사촌의 친구가 반군입니다."

"네 사촌도 반군이잖아?"

바로 되받은 마빈한테서 술 냄새가 풍겨왔다. 그때 바크라가 말했다.

"그놈이 저녁때 날 찾아왔습니다."

"그래서?"

"그놈이 친구를 내일 만나기로 했답니다."

"잠깐."

마빈이 와락 이맛살을 찌푸렸다.

"네 사촌의 친구가 누구를 만난다구?"

"친구를 말입니다."

"네 사촌을?"

"아닙니다. 친구의 친구."

"이런 개 같은 자식."

와락 성질이 난 마빈이 한 대 칠 듯이 주먹을 쥐었다가 풀었다.

"다시 말해, 이 자식아."

"예, 사촌의 친구가 그 친구를, 그러니까 친구의 친구를 말입니다."

"이 병신. 그 친구의 친구의 친구의 친구가 어쨌다는 거냐?"

"그 친구가 수르토의 부하로 후세인의 본대와 합류했다는 겁니다."

"……."

"내일 그놈이 친구의 친구한테 자수를 하겠다면서 현상금을 나눠달라고 했다는 것입니다."

"……."

"약속만 하면 기지 안내를 하겠답니다."

마빈이 심호흡을 했다.

기회가 온 것인가?

30분 후.

자고 있던 깁슨이 전화벨 소리에 깨어났다.

"후세인의 근거지를 찾을 수 있을 것 같습니다."

톰슨이 숨찬 목소리로 말했다.

"호탄의 마빈 조에서 정보원을 만났습니다. 수르토가 합세한 후세인 본대의 위치 말입니다."

깁슨이 톰슨의 말을 들으면서 심호흡을 했다.

"후세인 본대라면 성형 수술한 놈 말이냐?"

"그렇습니다. 수르토가 그곳에 합세한 것 같습니다."

"좋아. 10개 조를 비상 소집시켜."

깁슨이 말을 이었다.

"비밀로 하고."

이미 후세인은 잡혀 있는 상황인 것이다.

오전 5시 반.

초소에서 나온 마쿤이 바위틈을 지나 아래쪽으로 내려가기 시작했다. 손에 물병이 든 바구니를 들었고 등에 AK-47을 메었다. 골짜기로 물을 뜨러 가는 것이다. 골짜기까지는 2백여 미터밖에 안 되지만 오가는 데 30분쯤이 걸린다.

이윽고 골짜기로 내려온 마쿤이 개울가에 쪼그리고 앉아 물병에 물을 담기 시작했다. 커다란 바위로 둘러싸인 골짜기는 어둑하다.

마쿤이 3개째 플라스틱 병에 물을 채웠을 때다. 뒤통수에 타격을 받은 마쿤은 앞으로 엎어졌다. 그러나 뒤에서 목덜미를 당기는 바람에 개울에 처박히지는 않았다.

잠시 후.

마쿤이 머리를 흔들면서 눈을 떴을 때 서 있는 사내를 보았다. 백인. 터번에 작업복 차림이었지만 용병이다. 정신을 차리니까 옆쪽과 뒤쪽에 하나씩 서 있다. 이곳은 골짜기 아래쪽. 물 뜨던 장소에서 3백 미터쯤 아래쪽으로 옮겨온 것 같다. 그때 사내가 입을 열었다.

"널 해칠 생각은 없어. 묻는 말에만 대답해주면 돼."

마쿤이 몸을 흔들었다. 팔이 뒤쪽에서 묶여 있다. 이 상황에서 소리를 치면 어떻게 될지는 뻔하다. 마쿤도 노련한 전사인 것이다. 그때 사내가 말을 이었다.

"며칠 전, 여기서 총격전이 일어났지? 그때 카밀라 공주가 잡혀 갔지. 안 그래?"

"……."

"그리고 또 한 사람이 있었는데, 공주를 경호한 용병인데……."

"……."

"총성이 일어났어. 총격전 끝에 공주를 잡았다고 보도되었으니까."

"……."

"그 용병하고 총격전이 일어난 것 같은데, 들었지?"

로간이 바짝 다가섰다.

"네가 있는 초소에서 못 들었을 리가 없어, 전사."

로간이 주머니에서 고무줄로 묶은 돈뭉치를 꺼냈다. 100불짜리다. 3천불은 되는 것 같다. 돈뭉치를 눈앞에 흔든 로간이 말을 이었다.

"말하면 이거 주고 보내줄게. 나는 공주하고 같이 있던 용병의 행방을 알고 싶을 뿐이야. 아는 것 없어?"

"……."

"정보만 줘도 돼. 부탁이야."

그때 마쿤이 입을 열었다.

"내가 알고 있어, 우리가 그자를 구해냈으니까."

'살아있구나.'

로간이 번들거리는 눈으로 마쿤을 보았다. 바짝 다가선 로간이 다시 물었다.

"지금 어디 있지?"

"이건 우리 부족 안에서도 비밀이야."

마쿤이 말을 이었다.

"칼리드 님이 함구령을 내렸기 때문이지. 우리 초소병만 알고 있다구."

"너희들만?"

"부족장도 모르는 일이야."

"무슨 말이야?"

"부족장이 알면 미군에게 넘길지 모른다는 거야."

"칼리드가 누구냐?"

"원로지. 부족장의 참모이고."

"지금 지노는 어디에 있어?"

"중상을 입었어. 우리가 구출해냈을 때 가슴에 총을 맞고 머리가 깨진 데다 다리가 부러져 있었어. 죽은 줄 알았지."

이제 마쿤의 목소리에 열기가 띠어졌다. 아직도 두 손은 뒤로 묶여 있는 상황이다.

"지금도 치료받고 있을 거야."

"어디서?"

"칼리드 님 숙소에 있을 거야, 우리가 거기로 데려갔으니까."

"내가 거기 갈 수 없을까?"

그때 마쿤이 쓴웃음을 지었다.

"이봐, 억지 쓰지 마, 솔저."

"그러면."

심호흡을 한 로간이 마쿤을 보았다.

"내 전갈이라도 전해주게, 친구."

호칸시 외곽의 암산 기슭.

호칸시에 민병대 기지가 있었지만 깁슨은 이곳을 본부로 삼았다. 인적이 드문 이곳을 본부로 삼은 것은 기밀을 지키려는 것이다.

오후 3시 반.

깁슨과 톰슨이 텐트 안으로 들어서는 세 사내를 맞는다. 아르카디 조장(組長) 마빈과 민병대 참모 바크라, 그리고 또 한 사내다.

"다녀왔습니다."

마빈이 생기 띤 얼굴로 보고하고는 바크라와 또 한 사내를 소개했다. 바크라의 사촌 친구인 반군이다.

"아흐람입니다."

30대쯤의 사내가 깁슨을 응시하며 말했다.

"오늘 아침에 유크로를 만났습니다."

"유크로가 누구야?"

톰슨이 묻자 사내가 대답했다.

"수르토의 부하지요. 오늘 오후 8시에 만나기로 했습니다."

"안내를 하겠다는 건가?"

"예, 그런데 상금은……."

"상금은 준다. 그런데 그놈이 수르토의 부하인 건 확실해?"

"예, 대장님."

"수르토가 후세인 주력군과 함께 있는 건 확실하지?"

"예, 확실합니다."

그때 깁슨이 입을 열었다.

"좋아. 상금을 주지. 약속한다."

1호와 함께 탈출하다가 실종 상태였던 파라드 대령이 부하들과 함께 피살된 것은 오후 5시 무렵이다.

파라드는 후세인을 찾아 산악지역을 헤매다가 반군의 저격을 받은 것이다.

떠도는 전사(戰士)들은 사냥꾼인 저격병의 제물이 된다. 반군, 민병대, 부족 경비군, 미군 초소에 이르기까지 모두 집단 사냥꾼이다. 산악지역을 헤매는 병사는 모두에게 표적이 되는 것이다.

사담 후세인에게 충성했던 친위대 대령 무하라비 파라드는 대역인 1호에 충실했다. 기습을 당한 후에 1호를 두고 나온 죄책감으로 산악지대를 헤매다가 '사냥'을 당한 것이다. 파라드를 따랐던 후산과 코비도 함께 당했다.

반군 저격병들은 건너편 산에 있었기 때문에 셋의 시신은 놔두었다. 셋은 험산에 누워 풍화될 것이었다. 인간의 발길이 거의 닿지 않는 곳이었기 때문이다.

"로간이라고 아나?"

방으로 들어선 무함마드가 물었을 때 지노가 숨을 들이켰다. 상반신을 일으킨 지노에게 무함마드가 다가와 섰다.

"그 친구가 초소병에게 자네를 물은 모양이야. 자네를 데려온 초소병 중 하나인 마쿤이라는 놈인데."

"지금 어디 있습니까?"

"자네가 총 맞은 곳 근처에서 기다리고 있어."

지노의 표정을 본 무함마드가 고개를 저었다.

"그자를 여기까지 데려올 수는 없어. 부족장한테 발각되면 사살돼. 그리고 나하고 칼리드 님도 곤란하게 되고."

"내가 걸을 수 있습니다."

"그 다리로 1백 미터나 걸을 수 있나?"

"무함마드, 편지나 전해주십시오."

"그러지. 내가 그 말 하려고 했어."

무함마드가 고개를 끄덕였다.

"걸을 수 있을 때 여기서 사라져, 지노."

동굴 안.

후세인이 주재하는 간부회의. 참석자는 후세인, 가민, 수르토, 브라운이다. 브라운은 지노, 로간, 바질이 빠진 상황에서 경호대를 총괄하고 있다. 후세인이 입을 열었다.

"지금까지 각개격파 식으로 반군 활동을 했지만 앞으로는 조직적인 게릴라전을 펼친다. 수르토, 네가 반군의 야전 사령관을 맡아라."

"예, 각하."

이미 말을 맞췄기 때문에 후세인의 시선이 가민에게 옮겨졌다.

"가민, 전선을 남진시켜야겠다. 이번에 수르토가 주장(主將)이 되어서 북쪽 미군기지, 민병대를 격파한 후에 전선을 남쪽으로 이동한다."

"예, 각하."

"반군의 연대가 필요하다."

후세인이 말을 잇는다.

"지금까지 준비는 갖춰졌어."

후세인이 이라크 땅에 발을 디딘 지 1달이 되어가고 있는 것이다.

회의를 마쳤을 때 후세인이 동굴을 나가는 브라운을 불렀다. 다가온 브라운에게 후세인이 물었다.

"로간은 지금 어디에 있지?"

"아직 모릅니다, 각하."

브라운이 말을 이었다.

"찾고 있는 것 같습니다."

지노를 찾고 있다는 말이다. 전파가 탐지될까 봐 무전기 사용도 금지되어 있기 때문에 연락할 길은 없는 것이다.

고개를 끄덕인 후세인이 소리 죽여 숨을 뱉었다. 지노에 이어서 로간까지 연락이 끊긴 상황이다.

오후 6시 반.

바위 뒤에서 나타난 로간이 마쿤의 앞으로 다가왔다. 이미 어둠이 덮여 있었기 때문에 로간의 눈이 번들거렸다. 다가선 마쿤이 주머니에서 접힌 종이를 꺼내 내밀었다.

"이거, 지노 씨의 편지요."

순간 로간이 종이를 가로채더니 만년필 형 플래시를 꺼내 비췄다. 곧 지노의 글씨가 드러났다.

"로간, 날 찾아와 주었구나. 고맙다. 난 총상을 입고 다리까지 부러져서 지금은 보행이 어렵다. 회복되려면 약 15일쯤 걸려야 될 것 같다. 그러니 돌아가 기다려줬으면 한다. 난 보호받고 있으니까 안심해도 돼. 칼리드 님이 부족장 모르게 보호해주고 있는 거다. 내가 회복되는 대로 돌아갈 테니까 각하 잘 부탁한다. 고맙다. 지노.

추신. 공주를 빼앗겨서 각하를 볼 낯이 없다. 내가 죽음으로써 그 대가를 갚는다고 말씀드려주기 바란다."

이윽고 고개를 든 로간이 마쿤을 보았다. 어둠 속에서 눈이 번들거리고 있다.

"고맙네, 친구."

밤. 10시 반.

수르토가 초소로 들어서서 안을 둘러보았다.

“이상 없나?”

“예, 대령님.”

초소장 만수르가 보고했다.

이곳 초소는 본부 동굴에서 2백 미터쯤 아래쪽의 바위틈에 구축된 진지로 7명이 주둔하고 있다. 모두 수르토의 부하들인 것이다. 무기는 M60 기관포 1정과 대전차포 1정, 그리고 5명은 AK-47로 무장하고 있다.

“마흘락 장군이 주둔했던 본부가 기습을 당한 건 배신자가 나왔기 때문이야.”

7쌍의 시선을 받은 수르토가 바위 위에 엉덩이를 걸치고 앉았다.

“내가 너희들을 의심하는 건 아니지만 정보가 새나가면 안 된다.”

수르토가 요원들을 하나씩 훑어보았다.

“특히 외부 출입에 주의하도록.”

하나씩 훑던 수르토의 시선이 유크로에게 멈췄다.

“유크로, 호칸에서 언제 돌아왔나?”

“1시간쯤 전입니다.”

유크로가 똑바로 수르토를 보았다. 유크로는 호칸의 약국에서 약을 사가지고 왔다. 의무병 출신의 유크로는 부대원 치료를 맡고 있다.

고개를 끄덕인 수르토가 자리에서 일어섰다. 수르토가 인솔해 온 55명은 모두 심복이나 마찬가지다. 같이 생사의 고비를 수십 번 겪어온 동지들인 것이다.

만수르의 초소에서 위쪽으로 1백 미터 거리에 브라운이 지휘하는 경호초소가 3개 설치되어 있다.

바질, 지노에 이어서 로간까지 떠난 상태여서 브라운이 탈레반 요원 전체를 다시 규합, 지휘하고 있는 셈이다.

후세인 본부 경호팀은 모두 42명. 3개 초소가 반월형으로 배치되었고 후세인의 동굴 옆에 측근 경호팀의 동굴이 있다. 브라운이 초소 점검을 끝내고 가민의 동굴로 들어섰을 때는 11시 10분이다.

"장군, 부르셨습니까?"

브라운은 그동안 가민과 친해졌다. 붙임성이 있는 성품이었기 때문이었고 둘 다 축구를 좋아해서 취미가 같았다. 그래서 둘이 있으면 이야기가 끊이지 않았다.

"대령, 각하께서 요즘은 말수도 적어지셨고 식사량도 적어지셔서 걱정이야."

가민이 말하자 브라운이 고개를 끄덕였다.

"당연한 일 아닙니까? 1호에 이어서 공주까지 포로가 된 상황이니까요."

"지노가 실종된 것도 영향이 있어."

"그렇겠지요."

"대령은 어떻게 생각하나?"

불쑥 가민이 묻자 브라운이 고개를 들었다.

"뭘 말입니까?"

"이라크의 미래."

"저는 모릅니다."

쓴웃음을 지은 브라운이 고개를 저었다.

"저는 용병입니다, 장군."

"그래도 생각이 있을 것 아닌가?"

"그런 건 수르토 대령하고 상의하시지요."

"난 자네의 객관적인 생각을 듣고 싶네."

"미래에 대해서 생각해 본 적 없습니다."

브라운이 웃음 띤 얼굴로 가민을 보았다.

"고용된 기간 동안 고용주를 위해 목숨을 내놓고 일할 뿐이지요."

"지노는 그러지 않았어."

"압니다."

브라운이 정색하고 가민을 보았다.

"그놈은 이제 용병이 아닙니다."

"그럼, 뭔가?"

"각하의 심복이 되었지요. 이미 이라크 군인입니다."

"맞아."

마침내 가민도 고개를 끄덕였다.

"그놈이라도 살아있다면 각하가 기운을 내실 텐데."

"나도 그렇습니다."

브라운이 길게 숨을 뱉었을 때다.

"꽈꽝!"

폭음이 울리면서 동굴 천장에서 돌 부스러기가 떨어졌다.

"타타타타타타."

기관포 발사음이 울렸고 이어서 수십 정의 총성이 천지를 메웠다. 후세인의 동굴 안으로 맨 먼저 뛰어든 것이 브라운이다. 그러나 브라운이 침착한 표정으로 말했다.

"기습입니다. 또 정보가 샌 것 같습니다, 각하."

총성과 폭음이 더 격렬해졌다. 대전차 포탄이 터졌고 이쪽에서 발사되는 분사음도 들린다.

"각하, 가시지요."

브라운이 말했을 때 안으로 가민이 뛰어 들어왔다.

"지금 수르토가 잘 막고 있습니다."

가민이 소리쳤다.

"제가 남아서 지휘하겠습니다, 각하. 브라운과 함께 피신하시지요."

밖에서 지휘관의 외침 소리가 들렸다. 잘 훈련된 대원들이어서 지휘관 서너 명의 외침만 들릴 뿐 천지는 폭음과 총성으로 덮여 있다. 그때다.

"꽝!"

폭음이 울리면서 동굴 안쪽이 무너졌다. 바윗덩이가 후세인의 옆으로 떨어졌고 자욱한 먼지가 일어났다. 동굴 안의 촛불이 꺼졌기 때문에 가민이 소리쳤다.

"각하!"

"나, 여기 나간다."

후세인이 말하고는 브라운과 함께 동굴 밖으로 나왔다. 밖은 이제 화염에 휩싸였고 폭음이 더 커졌다. 산 중턱이 불바다가 된 것 같다.

그러나 이곳은 바위산이다. 공터가 없었기 때문에 겨냥한 포탄도 미끄러져 내린다. 바위틈, 바위 밑에 적절하게 배치된 방어군은 아직 결정적인 타격을 받지 않았다.

밖으로 나온 후세인은 브라운과 함께 바위틈에 몸을 숨겼다. 가민이 뒤에서 소리쳤다.

"각하, 먼저 피하십시오!"

그때 브라운이 소리쳤다.

"경호팀은 이쪽으로!"

브라운이 탈출 통로를 준비하고 있는 것이다.

수르토는 첫 총성이 울렸을 때 AK-47을 움켜쥐고 제3초소로 뛰어들었다. 그곳이 가까웠기 때문이다. 그러고는 공격진을 파악한 후에 견딜 만하다고 판단했다.

지금 진지는 3면에서 포위되었다. 북쪽이 비었지만 함정일 가능성이 많다. 그리고 적의 병력은 약 1개 중대, 약 20개 분대가 이쪽을 공격하고 있다.

이쪽은 12개 초소에 각각 중화기를 거치하고 요새를 선점해놓은 상태인 것이다. 적은 대전차포, 휴대용 미사일까지 쏘아대고 있지만 점령하려면 이보다 5배의 화력은 가져야 한다.

그때다. 로우터 소음이 울렸기 때문에 수르토가 숨을 들이켰다.

헬기다. 헬기를 깜빡 잊었다. 특히 밤에 나타나는 헬기. 위에서 내려쏘는 미사일과 게틀링 건은 순식간에 목표를 초토화시키는 것이다.

"알라 아크바르."

잇새로 말한 수르토가 참호 안의 요원을 둘러보며 웃었다.

"꽈꽝!"

옆쪽에서 엄청난 폭음. 헬기에서 발사된 미사일이다.

"각하, 이쪽입니다!"

브라운이 소리쳤다. 헬기는 2대. 본부 위를 선회하면서 1대는 미사일을, 1대는 게틀링을 쏘아대고 있다. 헬기가 나타나면서 아군이 동요했다. 위에서 쏟아붓는 터라 사상자가 속출한 것이다. 바위틈으로 엎드려 가면서 브라운이 소리쳤다.

"내부에서 정보가 나간 겁니다!"

후세인이 잠자코 브라운의 뒤를 따른다. 뒤로 경호병 셋이 호위하고 있다.

"타타타타타타."

헬기가 위로 지나면서 쏘아대는 기관포탄이 위쪽 바위를 부숴 떨어뜨렸다.

"꽈꽈꽝!"

바로 뒤쪽에서 폭발이 일어났다.

"카사트!"

누가 부르는 소리가 들렸다. 뒤쪽 경호병의 목소리다.

"타타타타타타."

다시 발사음이 울렸고 곧 외침도 뚝 끊겼다. 후세인은 브라운을 따라 허리를 숙인 채 바위 사이로 뛰었다. 저절로 이가 악물어졌다.

"전진."

깁슨이 무전기에 대고 말했다.

"거리를 좁혀라!"

지금 3면을 포위한 아르카디 조에 지시를 하는 것이다. 헬기가 등장하면서부터 적의 위력이 뚝 떨어졌다.

"참호 2개를 격파했습니다."

옆쪽에서 톰슨이 무전기를 귀에 붙인 채 소리쳤다.

"서쪽입니다!"

"좋아. 압박해!"

깁슨이 따라서 소리쳤다.

"북쪽은 대기!"

북쪽은 함정이다.

"대령! 빠져나와!"

가민이 무전기에 대고 소리쳤다. 이제는 무전기를 쓴다. 주파수가 다르기 때문에 위치는 추적되더라도 내용은 알 수가 없다. 그때 수르토의 목소리가 울렸다.

"각하는?"

"브라운과 함께 서쪽으로 가셨어!"

"그럼 장군이 먼저 떠나시오!"

폭음 사이로 수르토가 다시 소리쳤다.

"난 마무리를 짓고 뒤를 따르지요!"

"조심해!"

2번 헬기 조종사 마크가 소리쳤다. 2번 헬기는 AH-1S. 공격용 헬기로 기수에 3포신 20미리 게틀링 건의 선회식 포탑을 장착하고 있다. 한번 쏘아대면 엄청난 화력을 내뿜는다.

한바탕 쏘아대고 나서 막 돌아가던 마크가 아래쪽 바위틈에서 솟아오른 발사가스를 본 것이다. 대전차 미사일이다. 마크가 헬기를 솟구쳤기 때문에 뒤에 앉아있던 사수 칼라일이 놀란 외침을 뱉었다.

뭔가에 부딪친 것 같다. 그 순간 대전차 미사일이 AH-1S의 옆을 스치고 지나갔다. 부조종사 핸더슨과 3미터도 떨어지지 않은 거리다.

"아이구야, 죽을 뻔했다!"

핸더슨이 소스라치면서 소리쳤을 때다.

"앗!"

마크가 다시 소리쳤다. 이번에는 미사일이 바로 앞에서 솟아온다. 궤적이 어둠 속에서 희게 뻗쳐 있다. 거리는 바로 50미터, 40미터. 마크가 다시 조종간을 잡아채고 발로 페달을 걷어차듯이 눌렀지만 이제 20미터.

"으악!"

핸더슨이 비명을 질렀다.

"하느님!"

뒤쪽의 칼라일이 소리친 순간이다.

"번쩍!"

마크의 귀에는 그런 소리가 들렸다. 빛발의 소리인지도 모른다. 눈앞이 하얗게 변했기 때문이다. 폭발음은 멀리서나 들리는 법이다.

"빌어먹을."

또 한 대의 헬기, AH-64 아파치의 조종석에서 민튼 대위가 2호기인 AH-1S가 공중에서 폭발하는 것을 보면서 소리쳤다.

불가항력. 반대쪽에서 날아오면서 민튼은 AH-1S가 1발을 피하고 2번째 미사일이 날아오는 것까지 다 본 것이다. 그 순간 아파치에서 날아간 미사일이 지상에서 폭발했다. 2번째 미사일이 발사된 장소다.

"마크가 당했어."

부조종사 찰리가 소리쳤다. AH-1S는 이제 불덩이가 되어서 바위 위로 추락하더니 대폭발을 일으키고 있다.

"꽝, 꽝, 꽝."

아파치에서 날아간 미사일이 계속해서 폭발하고 있다. AH-1S에는 승무원 5명이 탑승하고 있다. 모두 허공에서 폭발했을 때 사망했을 것이다. 민튼이 다시 아파치를 회전시키면서 소리쳤다.

"미사일 조심해!"

헬기가 암산 위 2백 미터 상공에서 회전하고 있다. 소총탄이 맞는 거리다.

암산이 불덩어리가 되어 있었지만 수르토는 기를 쓰고 6번 초소에서 7번 초소로 넘어왔다. 공격을 받은 지 10분쯤이나 되었을까? 수르토는 그것이 1시간이 넘는 것처럼 느껴졌다. 참호 안으로 뛰어든 수르토에게 초소장 만수르가 소리쳤다.

"대령님, 우린 아직 피해가 없습니다!"

과연 그렇다. 이곳에서도 총성과 폭음이 지척에서 울렸지만 초소원 7명은 온전하다. 그때 수르토가 바위틈 총안으로 밖을 내다보며 물었다.

"이쪽으로 오는 놈들은 없나?"

"없습니다."

만수르가 말했을 때다. 몸을 돌린 수르토가 허리에 찬 권총을 빼내었다.

"유크로."

수르토가 부르자 유크로가 권총 총구를 보았다.

"예, 대령님."

"네가 끌고 온 거냐?"

"무슨 말씀입니까?"

폭음과 총성이 더 요란해졌다. 조금 전 건십이 공중에서 대폭발을 하고 나서 미사일이 더 쏟아지고 있다. 그러나 7번 초소 안은 긴장으로 굳어 있다. 그때 수르토가 총구를 유크로에게 겨눴다.

"정직하게 말해주면 티크리트에 있는 네 가족은 살려주마."

모두의 시선이 유크로에게 옮겨졌다. 이제는 폭음, 총성이 들리지 않는 것 같다. 유크로가 눈만 부릅떴고 수르토가 소리쳤다.

"자백해라! 밖에 나간 놈은 너밖에 없어! 자백하면 네 가족은 산다! 자, 5초 주겠다! 말 안 해도 넌 죽어!"

"대령님. 저는……."

"말해! 이곳에 총탄이 쏟아지지 않는 것도 네가 내통했기 때문 아니냐?"

그때 유크로가 입을 열었다.

"대령님, 내 가족은 살려주시죠."

"놈들한테 어디까지 말 한 거냐? 비상탈출로는?"

"2번까지 말했습니다."

"저놈들, 아르카디냐?"

"예, 대령님."

"유크로."

"예, 대령님."

"네 가족까지 몰살시키겠다."

숨만 들이켠 유크로를 향해 수르토가 이를 드러내고 웃었다.

"네 두 살짜리 아들까지 쏴 죽이겠다."

그러고는 수르토가 만수르에게 말했다.

"너희들이 이놈을 쏴 죽여."

그 순간이다. 만수르 옆에 있던 초소원 둘이 AK-47로 유크로를 쏘았다.

"타타탓탓!"

두 정의 AK-47의 총구에서 총탄이 발사되었고 이어서 다른 초소원이, 나중에는 만수르까지 유크로에 대고 쏘았다. 이미 숨이 끊어진 유크로의 시체에 대고 총탄이 쏟아졌다. 그때 수르토가 무전기를 귀에 붙이고 소리쳤다.

"아르카디다! 아르카디가 2번 비상탈출구까지 파악했다! 3번, 4번 출구로 후퇴!"

가민이 수르토의 외침을 듣고는 뒤에 선 경호원에게 소리쳤다.

"후퇴!"

이제 빠져나가야만 한다.

"각하는 빠져나가셨나?"

가민이 물었을 때 옆에서 폭음이 울리면서 바위벽이 무너졌다. 자욱한 먼지가 걷혔을 때 경호원이 보이지 않았기 때문에 가민이 바위틈을 빠져나갔다.

서쪽 탈출구로 빠져나간 브라운이 앞장서 가다가 무전병의 보고를 듣는다.

"아르카디가 2번 비상탈출구까지를 파악하고 있답니다."

앞장서 가던 브라운이 바로 방향을 바꿨다. 지금 막 전장을 벗어난 참이다.

총성은 뒤쪽 50미터 부근에서 울리고 있다. 적 2개 조가 산 위쪽에 있는 것이다. 아직도 하늘에는 아파치가 휘젓고 있기 때문에 스쳐지나갈 때는 흙먼지가 휘날렸다. 총성은 아직도 격렬해서 끊이지 않는다.

"각하, 이쪽으로."

가쁜 숨을 몰아쉬면서 브라운이 후세인의 팔을 끌어 바위틈으로 잡아당겼다.

"가민과 수르토는?"

후세인이 묻자 브라운이 뒤를 돌아보며 소리쳐 물었다.

"연락 없나?"

"후퇴한다고 했습니다."

"현재 인원은?"

그때 뒤에 요원 하나가 대답했다.

"13명입니다."

탈레반 경호대다.

20분 후.

깁슨의 아르카디 용병대 22개 조(組)가 후세인의 거점을 점령했다. 현장의 아르카디 사령관은 1조장(組長) 밋첨 소령이다. 아직도 전장(戰場)은 불길에 덮여 있지만 '후세인 군'은 소탕되었다.

"부상자 포함해서 19명을 포로로 잡았습니다."

밋첨이 깁슨에게 보고했다.

"사살 72명입니다."

깁슨이 어깨를 부풀리면서 주위를 둘러보았다.

아르카디는 22개조 165명이 참전, 42명이 전사, 38명이 중경상자다. 전력 절반이 무너진 것이다. 거기에다 성형 수술을 했다는 후세인, 압둘 가민 소장, 수르토 대령도 보이지 않는다. 탈출한 것이다.

산등성이가 아직도 불길에 싸여있다. 공격용 헬기인 AH-1S의 잔해가 아직도 불타오르고 있다. 이 사고로 헬기 승무원 5명이 몰사했다. 깁슨이 잇새로 말했다.

"우린 반군을 격파한 거야."

옆에 서 있던 톰슨이 고개를 끄덕였다. 후세인은 이미 잡혀있는 상황인 것이다. 성형 수술한 후세인을 잡으려고 이렇게 '대작전'을 펼쳤다고 할 수는 없다.

로간은 밤하늘의 불만 보았지 그것이 어떤 상황인지 알 수 없었다. 거리가 7킬로쯤 떨어져 있는 데다 산맥이 2개나 가로막혀 있었기 때문이다.

"저쪽이 우리 기지요."

놀란 파하드가 말했다.

"헬기 소리도 들리는데 기습을 받은 것 같습니다."

밤 11시가 넘은 시간이다. 산 너머의 검은 하늘만 붉게 물들어 있을 뿐이어서 로간은 조바심이 났다. 지노의 편지를 받은 후에 본대로 돌아가던 중이었다.

"가자."

로간이 서둘러 발을 떼었다.

"타타타탕."

총성이 울린 순간 후세인이 엎드렸지만 어깨에 충격이 왔다.

이곳은 산골짜기다. 전장을 이탈한 지 1시간 반쯤 되었다. 곧 이쪽에서 응사를 했기 때문에 산골짜기는 총성으로 뒤덮였다.

후세인이 몸을 굴려 바위에 등을 붙였다. 바위 주위는 짙은 어둠에 덮여 있다. 왼쪽 어깨를 감싸 쥔 후세인의 손바닥이 금방 끈적거리는 피로 덮였다. 총탄이 어깨를 관통한 것이다. 매복병이다. 그때 브라운이 소리쳤다.

"대여섯 명 정도다! 좌우에서 포위해!"

이쪽은 17명이다. 도망쳐 나오다가 4명이 합류한 것이다.

"마르칸! 네가 넷을 데리고 좌측! 오카! 너는 네 명 데리고 우측!"

브라운의 외침이 골짜기를 울렸다. 탈레반 교관 출신인 브라운이다. 제자들인 탈레반들과는 손발이 맞는다. 지시를 마친 브라운이 이쪽으로 다가왔다가 눈을 치켜떴다. 후세인이 어깨를 움켜쥐고 있다.

"각하!"

브라운이 와락 옆에 붙어 앉았을 때 후세인이 말했다.

"어깨를 관통했다."

그때 브라운이 서둘러 후세인의 어깨 쪽 옷을 젖히더니 손바닥으로 상처를 덮었다. 그러고는 소리쳤다.

"사르치!"

의무병이다.

10분쯤 후.

적을 좌우에서 협공했던 마르칸과 오카가 돌아왔다.

"무스타파의 첨병대였습니다."

마르칸이 보고했다.

"살아있는 놈한테서 들었는데 우리가 반군인 줄 알았다고 합니다."

"개새끼들."

브라운이 잇새로 말했다. 첨병대 7명은 전멸시켰지만 이쪽도 기습을 받아서 4명 전사, 3명 부상이다. 그리고 후세인도 부상을 입은 것이다. 그때 후세인이 자리에서 일어섰다.

"가자."

"각하, 괜찮습니까?"

"걸을 수 있어."

발을 뗀 후세인이 말을 이었다.

"날이 밝기 전에 옮겨야 돼."

이번 목표는 남쪽. 적진의 한복판이다. 가민과 수르토도 그쪽으로 올 것이다. 살아남았다면 그렇다.

고개를 든 가민이 호산에게 물었다.

"넷이냐?"

"예, 장군."

호산의 뺨에서는 아직도 피가 흐르고 있다. 총탄이 스쳤기 때문이다.

"부상당한 둘을 바위틈에 남겨놓았습니다."

이곳은 진지에서 5킬로쯤 서북방 지역으로 능선 위다. 산을 내려와 능선을 가로지르고 있는 것이다. 가민을 따르는 부하는 이제 4명. 6명이 따랐다가 둘은 낙오되었다. 가민이 심호흡을 했다.

"각하는 먼저 떠나셨으니까 무사하시겠지."

이제 다시 무전기는 사용하지 못한다.

수르토도 탈출했다. 진지를 맨 마지막에 탈출했기 때문에 그때까지 살아남았던 20여 명의 부하가 따랐다. 그러나 적이 바짝 다가온 상황이다. 표적이 드러나는 바람에 수르토의 부하 대부분이 저격을 받아 낙오되었다. 진지를 구축할 때 가장 먼저 만드는 것이 탈출로다. 그것은 옮겨 다니는 반군들의 기본자세이기도 하다.

오전 1시 반.

기지를 벗어나 3시간 가깝게 지난 후다.

"내 잘못이야."

숲속에 멈춰 선 수르토가 탄식했다. 인원 파악을 했더니 9명밖에 남지 않았기 때문이다.

"내가 부하 관리를 잘못했어."

유크로를 말하는 것이다. 그때 7초소에서 유일하게 살아남은 초소장 만수르가 수르토를 올려다보았다.

"대령님, 그건 제 잘못입니다. 제가 옆에 있었으면서 눈치를 채지 못했습니다."

"입 다물어라, 만수르."

수르토가 털썩 풀숲에 앉으면서 길게 숨을 뱉었다. 유크로에게 가족을 몰살시킨다고 했지만 그전에 이쪽이 당했다. 자신을 포함해서 9명이 남은 것이다.

오전 4시 반.

동굴 안에 누운 후세인이 눈을 뜨고 브라운을 보았다.

"가민은 아직 연락이 없나?"

"무전기를 쓰지 못해서 아직 알 수가 없습니다, 각하."

후세인의 어깨는 치료한 후에 붕대를 감은 상태지만 아직도 피가 배어나왔다. 응급조치만 했기 때문이다. 수술기구를 갖춘 기지에서 상처 봉합 치료를 해야만 한다.

이곳은 제2 안가(安家)다. 가민과 수르토는 알고 있는 곳이어서 살아있다면 이곳에 모일 것이었다.

"각하, 쉬십시오."

브라운이 위로하듯 말하고는 몸을 일으켰을 때다. 후세인이 브라운을 불렀다.

"브라운."

"예, 각하."

"로간도 이곳을 알고 있느냐?"

"알고 있습니다."

"그럼 이곳으로 오겠지?"

"예, 각하."

"그때 지노 소식도 알 수 있겠구나."

"예, 각하."

"지금 이곳에 몇 명이 온 거냐?"

"저까지 포함해서 8명입니다."

"그렇구나."

"각하께서 계시는 한, 병력은 얼마든지 모을 수 있습니다."

후세인이 눈을 감았기 때문에 브라운이 몸을 돌렸다.

아르카디는 후세인의 본거지를 소탕한 후에 각 조(組)를 재편성했다. 그러고는 사방으로 분산시켜 잔적을 소탕했다. 기민한 행동이다.

아르카디 용병단은 경험, 능력, 무기, 정보 면에서 미군보다도 월등한 전력을 갖춘 조직이다. 1개 조의 전력은 반군이나 민병대의 서너 배 화력을 보유하고 있다.

"저기 12조가 가는데요."

산등성이로 지나가는 대열을 보면서 퍼킨스가 말했다.

오전 8시 반.

무스 함버크는 바위에 등을 붙이고 앉아 산등성이를 바라보고 있다. 직선거리로 200미터쯤 떨어져 있지만 건너편 산이기 때문에 가려면 1시간쯤 걸린다. 지금 무스는 무스타파 부족의 영지 안으로 10킬로 정도나 들어온 상태다.

무스 옆에 서 있던 캔튼이 무전기를 귀에서 떼고 보고했다.

"살라드 부족 쪽으로 간다고 합니다."

무스는 고개만 끄덕였다. 캔튼과 퍼킨스는 이번에 무스에게 배치된 요원이다. 군 경력은 화려했지만 용병은 신참이다.

"저 새끼들이 천방지축 흔들고 다니는 바람에 짐승 다 도망가겠다."

무스가 투덜거렸다. 한 시간 동안 무스 앞으로 2개 아르카디 조(組)가 지나간 것이다. 그때 무전기가 번쩍였기 때문에 캔튼이 서둘러 응답하더니 곧 무스를 보았다.

"톰슨 보좌관입니다."

무스가 팔을 뻗어 무전기를 쥐었다.

"예, 무스요."

"네 위치에서 동북쪽으로 6킬로만 더 북상해. 그곳 좌표가 327.124다."

"그곳이 어떤 곳인데 그럽니까?"

"살라드와 무스타파 부족의 국경이다. 네가 터키 국경 쪽을 막는 위치야."

톰슨이 말을 이었다.

"각 조별 거점 위치를 할당했는데 네 위치가 동북방 끝이야. 그곳에 잠복해서 수색하도록."

아르카디는 후세인 거점을 공격한 후에 각조를 분산 배치시켜 소탕작전을 펼치고 있다.

“막혔습니다.”

파하드가 가쁜 숨을 몰아쉬며 말했다.

“1개 조(組)입니다. 능선 위에 감시 초소가 있어서 이쪽은 안 됩니다.”

오전 10시.

로간은 산 중턱에 은폐하고 있었는데 지금 후세인의 안가로 가는 중이다.

“돌아가야겠다.”

로간이 옆에 엎드린 후바스와 간샤를 보았다. 이번에 지노를 찾으려고 나올 때 선발한 탈레반이다.

“이놈들이 흩어져서 잡으려고 하는 거다. 좌측으로 돌아서 능선을 넘자.”

로간이 AK-47을 쥐고 자리에서 일어섰다.

“후바스, 네가 앞장서.”

그러자 곧 후바스가 앞장을 섰고 뒤를 간샤, 그 뒤에 로간과 파하드가 따른다. 바위투성이의 암산이었지만 드문드문 잔나무가 우거져서 은폐하기에는 적당한 조건이다. 길도 없는 산 중턱을 넷이 종대로 서서 전진한다.

피해서 가는 수밖에 없다.

“타타탕!”

총성과 함께 뒤쪽에서 신음과 외침이 울렸다.

“엎드려!”

앞쪽에서 첨병 하나가 쓰러지고 있다. 수르토가 엎드렸지만 저절로 긴 숨이 뱉어졌다. 기습이다. 매복병을 만난 것이다.

“타타타타타.”

이것은 FN MAG 경기관총이다. 발사속도가 분당 750발에서 1000발, 사정거리가 800미터. 엎드린 수르토가 산등성이에서 번쩍이는 섬광을 보았다. 직선거리는 4백 미터 정도.

"피해라! 뒤쪽으로!"

이곳은 암산이지만 숲이 없어서 은폐할 곳이 부족하다.

"뒤로!"

벌떡 일어선 수르토가 소리쳤다.

"뒤로 물러나!"

이곳에서 후세인의 안가까지는 직선거리로 3킬로.

오후 1시 반.

몸을 돌린 수르토가 한 발짝을 내딛었다.

"타타타타타타."

둔한 경기관총 발사음이 울리면서 수르토가 두 손을 무의식중에 앞으로 내밀었다. 등에 충격을 받았기 때문이다. 충격으로 한 발짝을 내딛었던 수르토가 입으로 피를 내뿜었다. 피가 물줄기처럼 앞으로 뿜어졌다.

"대령님!"

옆쪽에서 부하 하나가 소리쳤다.

"괜찮다."

무의식중에 그렇게 대답했던 수르토가 털썩 한쪽 무릎을 꿇고 바위 사이에 앉았다가 문득 고개를 들고 소리쳤다.

"각하!"

"타타타타타타타."

다시 총성이 울렸고 이번에도 총탄이 등에 두 발 맞았다. 그때 수르토가 고개를 들고 소리쳤다.

"이라크 만세!"

다음 순간 수르토가 고개를 숙이더니 앞으로 고꾸라졌다.

"다섯이야."

망원경으로 앞쪽을 응시한 빅터가 말했다. 이곳은 건너편 산등성이. 아르카디 14조가 포진하고 있다.

"서너 명이 건너편으로 빠졌다."

조장 빅터가 망원경을 눈에서 떼었다.

"확인할 필요 없어. 다섯 명만 전과로 적어놓기로 하자."

그 5명 중에 수르토 대령이 포함되어 있다는 것을 빅터는 모르고 넘어갔다.

"반군 거점이 아르카디의 집중 공격을 받고 궤멸되었어."

칼리드가 지노에게 말했다.

오후 3시.

갑자기 안가 별채로 들어온 칼리드가 말을 이었다.

"70여 명이 사살되었고 10여 명이 포로가 되었다는군."

"……."

"아르카디 수십 개 조가 집결한 거야. 헬기까지 2대 동원되었는데 1대가 미사일을 맞고 격추되었다는군. 잘 싸운 거지."

"반군 지휘자는 어떻게 되었습니까?"

"지휘관 급은 모두 도망친 것 같아."

"……."

"그래서 아르카디 조가 사방으로 분산되어서 수색작업에 돌입했어."

"……."

"아르카디가 북부지역으로 몰려와 있는 것이 부족들을 긴장시키고 있어."

지노는 듣기만 했다.

후세인의 본부가 기습당한 것이 틀림없다. 부상을 당하고 이곳에 실려 온 지 12일째가 되는 날이다.

로간이 후세인의 거처에 도착했을 때는 오후 9시 반이다. 천신만고 끝에 동굴 안으로 안내된 로간이 누워있는 후세인을 보더니 숨을 들이켰다.

"각하, 로간이 왔습니다."

브라운이 소리치듯 말하자 후세인이 눈을 떴다.

"오, 로간."

후세인이 일어나려고 한쪽 손으로 바닥을 짚었기 때문에 브라운이 부축해서 상반신을 일으켰다.

"각하, 괜찮으십니까?"

"됐다. 감염되지는 않았다."

후세인이 아무렇지도 않은 표정으로 말했다. 의무병이 상처를 봉합까지 해놓았다. 다급한 응급처치였다. 앞쪽에 앉은 로간이 바로 말했다.

"지노가 살아있습니다."

로간이 주머니에서 지노한테서 받은 쪽지를 꺼내 후세인에게 내밀었다. 옆쪽 촛불에 비춰 쪽지를 읽은 후세인이 번들거리는 눈으로 로간을 보았다.

"야합의 원로 칼리드라면 믿을 만하지."

후세인의 눈이 흐려졌다.

"그자는 나를 좋아하지는 않았지만 정의로운 인간이다."

고개를 든 후세인이 로간을 보았다.

"카밀라는 차라리 잘 된 거야."

"……."

"이제는 지노까지 부상당하다니."

후세인의 시선이 어깨를 감은 붕대로 옮겨졌다가 로간을 보았다.

"로간, 네가 살아와서 다행이다."

아직 가민, 수르토의 생사는 모르는 상황이다.

"2킬로 정도 남았어. 호산, 수고했다."

가민이 말했을 때 호산이 골짜기를 주의 깊게 둘러보았다.

오후 10시 반.

후세인의 안가까지 2킬로가 남았다. 그러나 산 2개를 넘어가야만 한다. 수색병을 피해 서쪽으로 갔다가 우회해서 돌아오는 바람에 두 배가 넘는 거리에다 장애물을 넘은 것이다.

인원은 가민을 포함한 5명. 소령 출신인 호산이 3명을 이끌고 있다. 주위를 둘러본 호산이 가민에게 말했다.

"제가 정찰을 돌고 올 테니까 장군께선 좀 쉬시지요."

"알았다, 소령."

바위에 상반신을 붙인 가민이 곧 눈을 감았고 1분도 안 되어서 잠이 들었다. 거의 24시간 가깝게 산악지역을 헤매었기 때문이다.

위기일발로 수색대, 초소를 피한 것만 해도 3곳이다. 숫자가 5명이어서 적은 이점도 있지만 호산이 이라크 정예 여단인 '침투 여단' 출신이어서 이쪽 지역에 훤했다. 이곳까지 무사히 온 것도 호산 덕분이다.

"탕, 탕, 탕."

총소리에 가민은 놀라 잠에서 깨어났다. 고개를 든 가민이 주위를 둘러보았을 때 왼쪽에서 인기척이 났다. 가민이 옆에 놓인 AK-47을 움켜쥐었을 때다.

"탕."

총성과 함께 가민이 바위에 등을 부딪치면서 신음했다. 팔에 맞았다. 팔을 움켜쥔 가민이 눈을 부릅떴을 때다. 어둠 속에서 사내 하나가 나타났다. 손에 든 총구가 가민을 겨누고 있다.

"아니."

그 순간 가민이 숨을 들이켰다.

"뭐야?"

앞으로 다가선 사내는 호산이다. 호산의 뒤로 카마드가 따르고 있다. 조금 전에 정찰을 나갔던 호산이다. 그때 호산이 카마드에게 말했다.

"묶어라. 팔을 맞았으니 다리만."

카마드가 잠자코 다가오더니 주머니에서 로프를 꺼내 가민의 다리를 묶었다. 그때 가민이 얼굴을 일그러뜨리며 웃었다.

"호산, 현상금을 받기로 했느냐?"

"지쳤습니다, 장군."

호산이 가민 옆에 놓인 무전기를 집더니 카마드에게 넘겨주었다.

"이것으로 끝내고 싶습니다."

"교활한 놈. 내가 각하의 안가를 알려줄 것 같으냐?"

"나는 이 시점에서 끝낼 겁니다. 나머지는 아르카디 몫이지요."

가민이 어금니를 물었다. 이곳까지 오면서 후세인의 안가 위치를 말해주지 않은 것이다. 안가 위치를 알고 있는 것은 로간, 브라운, 가민, 수르토뿐이었다. 그때 카마드가 다가와 말했다.

"연락이 되었습니다. 이곳까지 오는 데 한 시간 반쯤 걸린답니다."

호산이 고개만 끄덕였다. 호산과 카마드는 나머지 경호원 둘을 처치한 것이다. 팔의 통증이 심했기 때문에 가민이 팔을 움켜쥐었다. 총탄이 관통된 팔에서 피가 뿜어 나오고 있다. 그때 호산이 카마드에게 말했다.

"팔을 치료해드려라."

카마드가 잠깐 어둠 속으로 사라지더니 곧 찢어진 헝겊을 들고 왔다. 조금 전에 사살한 동료한테서 가져온 것 같다.

그때 가민의 눈에서 눈물이 흘러내렸다. 가슴이 메어져서 숨도 막혀왔다. 이제는 팔의 통증도 느껴지지 않는다. 머릿속에 후세인의 얼굴이 떠올랐기 때문이다.

사담 후세인. 1호의 얼굴이다. 그리고 이어서 압둘 자말의 얼굴이.

"각하, 죄송합니다."

가민이 어둠 속을 응시하며 잇새로 말했다.

"호산, 할 이야기가 있다."

가민이 말하자 호산이 한 발짝 다가섰다.

"무슨 말씀입니까?"

"내가 너하고 몇 년 인연이냐?"

"3년 되었습니다. 하지만 장군을 측근에서 모신 건 티크리트에서부터죠."

"1년쯤 되었구나."

"8개월입니다."

"내가 널 심복으로 생각했는데."

"저도 장군을 존경했습니다."

호산이 어둠 속에서 쓴웃음을 지었다.

"하지만 장군, 난 앞으로 살아갈 길이 많이 남았습니다."

"그런가?"

"이라크 패망의 원인은 어쨌든 사담 후세인과 그 측근들입니다. 장군도 포함이 되시죠."

"그렇다."

가민이 고개를 끄덕였다.

"내 책임도 크다."

"이제는 저도 제 갈 길을 가겠습니다."

"언제부터 떠나기로 생각했느냐?"

"대통령 각하가 아니, 1호가 체포되었다는 말을 듣고 나서부터입니다."

호산의 목소리에 열기가 띠어졌다.

"성형 수술한 각하가 옆에 계셨지만 더 이상 견딜 수가 없었습니다."

"그렇구나."

고개를 끄덕인 가민이 호산을 보았다.

"호산, 같이 가자."

그 순간 호산이 가민의 한 손이 주머니에 들어가 있는 것을 보았다. 총에 맞은 팔 하나는 바위 위에 늘어져 있다. 숨을 들이켠 호산이 상반신을 펴려는 순간이다.

"꾸쾅!"

폭음과 섬광이 동시에 일어났다. 가민의 몸이 산산조각이 나면서 동시에 호산의 몸도 두 조각으로 분리되어 허공으로 떠올랐다. 3미터쯤 떨어져 있던 카마드도 폭풍으로 날아가 바위에 머리부터 부딪쳤다.

가민이 주머니에 넣어둔 수류탄으로 자폭한 것이다. 호산을 끌고 함께 떠났다.

사흘이 지나면서 기지의 분위기가 급격히 가라앉기 시작했다. 기다리던 가민, 수르토가 돌아오지 않았기 때문이다. 이것은 둘이 사고가 났다는 의미밖에는 없다.

이제 후세인의 기지에는 용병뿐이다. 용병대장도 둘만 남았다. 로간과 브라운이다. 대원은 12명. 로간이 뒤늦게 합류해서 4명이 늘어났다. 후세인을 포함해서 13명이 '이라크 재건' 본진인 셈이다.

"지노도 우리가 공격당한 것을 알고 있을 거야."

동굴 밖의 바위에 기대서서 로간이 브라운에게 말했다.

밤 9시 반.

주위는 조용하다. 이제 후세인 주위에는 브라운이 데려온 탈레반 용병밖에 남지 않았다. 브라운과 로간도 용병이니까. 그때 브라운이 고개를 들었다.

"로간, 1호는 물론이고 마흘락 장군, 가민, 수르토까지 당한 것 아냐? 이런 상황에서 어떻게 할 거지?"

"……."

"각하까지 부상당한 상황 아냐? 빠져나가는 게 어때?"

"지노가 올 때까지 기다려야 돼."

고개를 든 로간이 브라운을 보았다. 로간도 친구이자 전우 바질을 잃었다. 만신창이가 되어있는 것이다.

"지노가 이곳 위치를 모르니까 내가 파하드를 다시 보내야 될 것 같다."

"부상당했다면서? 괜찮을까?"

"어쨌든 이곳 상황을 알려줘야지. 지금 믿을 건 지노뿐이야."

"맞아."

브라운이 고개를 끄덕였다.

"지노가 있어야 돼. 지노가 각하를 설득해서."

어깨를 늘어뜨린 브라운이 말을 이었다.

"여길 빠져나가는 수밖에 없어."

그날 밤.

파하드가 혼자서 야합 영지로 출발했다. 물론 로간이 후세인에게 보고를 하고 보낸 것이다.

“가민과 수르토도 찾지 못했어.”

깁슨이 화를 내었다.

“성형 수술한 놈까지 다 도망쳤단 말이다!”

성형 수술한 놈은 후세인을 말한다. 이미 후세인이 포로가 되었고 그 현상금까지 받은 상태이니 ‘후세인’을 언급하면 안 된다.

이곳은 티크리트의 7사단 기지. 아르카디의 지휘부는 본대로 돌아왔다. 그때 보좌관 톰슨이 말했다.

“장군, 그놈들이 피할 곳은 부족 영지뿐입니다. 살라드를 제외한 야합, 무스타파 족장을 만나 협조를 구하지요.”

깁슨의 시선을 받은 톰슨이 말을 이었다.

“물론 조건을 내걸지요. 가민과 수르토의 현상금은 모두 부족장에게 주겠다고 약속하는 것입니다.”

깁슨의 얼굴에 쓴웃음이 떠올랐다.

“그래. 밑져야 본전이다.”

티크리트.

헌병대 안 컨테이너 면회실에서 카밀라가 변호인 윈스턴을 만나고 있다. 윈스턴은 군 법무관으로 대위, 33세의 백인이다.

오전 10시 반.

윈스턴이 말한다.

“카밀라 씨, 바그다드의 후세인 각하한테 편지 전달은 가능할 것 같습니다.”

윈스턴이 고개를 들고 카밀라를 보았다. 파란 눈동자가 반짝이고 있는 것이 카밀라의 기쁜 반응을 기다리고 있는 것 같다.

"편지를 써 주시면 전달해드리지요. 물론 답장도 받아오겠습니다."

"……."

"전화 면회는 힘들 것 같습니다. 그건 이해하시고."

"……."

"재판 시에 잠깐 만나볼 수는 있겠지요."

카밀라가 외면했다.

윈스턴은 카밀라에게 호의적이다. 시키지 않았는데도 편지 교환 건을 성사시킨 것이다. 그러나 카밀라가 변호인을 주장한 이유는 다르다. 카밀라가 고개를 들고 윈스턴을 보았다.

"반군은 다 소탕되었나요?"

"거의."

윈스턴이 바로 대답했다.

"이번에도 북부지역에서 대규모 소탕 작전이 있었지요. 물론 정규군이 아니고 용병단이 투입된 작전인데……."

"……."

"반군 본부가 완전히 해체 수준으로 궤멸되어서 전상자가 1백 명 가깝게 났다는군요. 포로가 10여 명이 된답니다."

"……."

"저항도 격렬해서 공격용 헬기 1대가 격추되었다고 합니다."

"……."

"그런데 편지는 언제 주시겠습니까?"

"제가 쓸게요."

카밀라가 흐린 시선으로 윈스턴을 보았다.

"근데 별로 할 말이 없을 것 같아요."

1호에 대한 편지인 것이다. 변호인을 통해 바깥 상황을 들으려는 의도였지 1호에게 연락하기는 멋쩍다.

칼리드가 방에 들어섰을 때 지노는 방에서 걷는 중이었다. 다리의 부목을 떼었지만 아직 근육이 풀리지 않았다. 그래서 절름거리고 있다. 부상을 당한 지 18일. 지금 좁은 방 안을 30분째 돌고 있는 중이다.

"지노, 전령이 왔다."

칼리드의 시선이 지노의 다리로 옮겨졌다.

"걸을 만하냐?"

"예, 견딜 수 있습니다."

"네 주변이 다급한 것 같다."

다가선 칼리드가 지노를 보았다. 지노의 얼굴은 땀으로 덮였고 아직도 가쁜 숨을 뱉고 있다. 벽을 짚고 기대선 지노의 눈이 흐려졌다.

"누가 왔습니까?"

"파하드. 로간이 보냈다고 한다."

"압니다."

"지금 초소 밖에서 기다리고 있다는데 네가 만나겠느냐?"

그러자 지노가 고개를 들었다.

"칼리드."

"그래, 떠나라."

"고맙습니다, 칼리드."

"날이 어두워지면 떠나라, 여기에도 눈이 많으니까."

칼리드가 말을 이었다.

"무함마드가 초소까지 안내해줄 거다."

오후 7시 반.

초소에 들어간 무함마드가 마쿤과 함께 나왔다. 초소 아래쪽 바위에 기대선 지노 앞으로 다가온 마쿤이 쓴웃음을 지었다.

"용병, 살아서 나왔군."

지노는 시선만 주었고 마쿤이 말을 이었다.

"내가 당신을 업고 여기 있는 무함마드에게 데려간 사람이야. 물론 두 명이 더 있었지만."

"고맙네, 전사."

"천만에."

그때 무함마드가 지노에게 손을 내밀었다.

"지노, 그럼 여기서 작별하자."

지노가 무함마드의 손을 쥐었다.

"감사합니다, 무함마드."

그러고는 둘이 포옹했을 때 무함마드가 지노의 귀에 대고 속삭였다.

"지노, 살아남게."

마쿤의 뒤를 따라 골짜기를 내려간 지노가 걸음을 멈췄다. 어둠에 덮인 바위 뒤에서 사내 하나가 나오고 있다.

"저기 있군."

마쿤이 손으로 그쪽을 가리키더니 멈춰 서서 지노를 보았다.

"잘 가게, 용병."

지노가 잠자코 마쿤의 어깨를 껴안았다. 마쿤이 지노의 등을 두드리더니 몸을 돌렸다.

지노가 다가가자 어둠 속에서 사내의 윤곽이 드러났다. 파하드다.

"파하드."

지노가 두 팔을 벌리자 파하드가 와락 어깨를 껴안았다.

"대장님."

"파하드, 가슴이 아프다. 세게 안지 마라."

지노가 웃음 띤 얼굴로 말하고는 벙거지를 쓴 머리를 손으로 가리켰다.

"웃으면 머리도 아프다."

"죄송합니다."

몸을 뗀 파하드가 사과했다.

"자, 걸으면서 이야기하자."

지노가 발을 떼면서 말했다. 조금 다리를 절었지만 골짜기의 바위를 딛는 발은 익숙하다. 이제 파하드가 앞장을 섰고 지노가 뒤를 따른다.

"본부가 기습을 받았습니다."

파하드가 앞쪽을 향한 채 말했다.

"지금 새 안가에는 각하 혼자뿐이십니다. 가민, 수르토도 사흘이 지났는데 돌아오지 않았습니다."

"……."

"각하도 어깨에 관통상을 입으셨는데, 치료 중이십니다."

"……."

"현재 안가에는 로간, 브라운 둘뿐이고 탈레반 용병 9명이 남아있습니다. 총원이 각하 포함해서 12명입니다."

지노가 소리 죽여 숨을 뱉었다. 로간이 서둘러 파하드를 보낸 이유를 예상할 수 있었던 것이다.

"각하, 어떠십니까?"

로간이 묻자 후세인의 얼굴에 쓴웃음이 번졌다.

"통증이 좀 있다."

로간과 브라운의 시선이 마주쳤다.

밤사이에 후세인은 고열로 시달렸다. 탈레반 의무병으로부터 연락을 받은 로간과 브라운이 들락거렸지만 진통제도 없는 상황이다. 상처가 썩어가고 있는 것이다. 서툰 솜씨로 소독하고 봉합은 했지만 나흘째가 되고 나서 상처가 덧나기 시작했다. 오늘이 닷새째가 되는 날 아침이다. 그때 로간이 후세인을 보았다.

"각하, 의무병 말로는 이대로 두면 위험하다고 합니다. 의사를 부르든지 아니면 병원을 찾아가든지 해야 될 것 같습니다."

"참을 만해."

후세인이 누운 채로 말했다. 얼굴은 열기에 떠있고 눈도 충혈되었다.

"지노가 올 때까지 기다려보자."

눈을 감은 후세인이 말을 이었다.

"그때까지는 죽지 않을 테니까."

동굴 밖으로 나간 로간과 브라운에게 부하 하나가 서둘러 다가왔다.

오전 10시 15분.

"대장, 토로난과 샤이크가 도망쳤습니다."

둘 앞에 선 부하가 가쁜 숨을 고르고 나서 말을 잇는다.

"3번 초소에서 근무하다가 도망쳤습니다. 교대조가 내려갔더니 초소가 비었습니다."

"……."

"대장, 어떻게 할까요?"

"언제 도망친 거냐?"

"그걸 모르겠습니다. 근무시간이 오전 2시부터 10까지니까요."

"……."

"토로난과 샤이크는 불평이 많은 편이었습니다."

"……."

"그놈들이 투항해서 정보를 주었을지도 모릅니다."

그때 로간과 브라운이 얼굴을 마주 보았다.

"저기, 두 놈."

엎드린 캔튼이 망원경을 눈에 붙이고 말했다.

"이쪽으로 다가오고 있습니다."

오전 10시 25분.

무스 조 셋은 지시된 위치에 매복한 채 대기 중이었다. 무스가 망원경으로 그쪽을 보았다. 허름한 작업복 차림의 두 사내가 서둘러 걸어오고 있다. 둘 다 앞에 총 자세였는데 등에 배낭을 메었다. 거리는 550미터.

"대기."

무스가 주위를 둘러보며 말했다. 둘은 산등성이를 내려오는 중이었기 때문에 이쪽 산까지 닿으려면 1시간은 걸릴 것이다. 골짜기로 내려갔다가 다시 올라와야 하기 때문이다.

"잡을까요?"

퍼킨스가 묻자 무스가 망원경을 눈에서 떼었다.

"저놈들이 이쪽으로 올라오면 잡자."

"무스타파 부족 같은데요."

캔튼이 말을 이었다.

"등에 멘 배낭도 가볍습니다. 가까운 곳에 가는 것 같습니다."

"나도 보았어."

"이쪽으로 내려옵니다."

"기다려."

"쏠까요?"

그때 고개를 든 무스가 말했다.

"잡는다."

탈레반 토로난과 샤이크는 각각 25세, 24세. 둘은 아프간에서 미국과 전쟁을 하다가 파키스탄으로 도망쳐 온 경우다. 파키스탄 페샤와르 근처에서 둘은 다시 테러 훈련을 받았다.

그 교관이 브라운이다. 브라운은 탈레반 지도부와 친분이 있었기 때문에 교관 직장을 얻은 것이다.

"샤이크, 이쪽이 국경이야."

토로난이 왼쪽 산등성이를 가리키면서 말했다. 손에 나침반을 쥐고 있다.

"골짜기를 더 내려가야 돼."

토로난은 좌표를 잘 읽는다. 앞장을 선 토로난이 다시 발을 떼었다. 골짜기는 좁고 길다. 바위투성이의 골짜기로 내려가면서 샤이크가 물었다.

"몇 킬로 남은 거야?"

"6킬로 정도."

"산을 넘어가야 하나?"

그때 토로난이 고개를 들고 왼쪽 산을 보았다. 그 순간이다. 고개를 돌린 토로난이 앞쪽에 대고 말했다.

"샤이크, 못 본 척하고 앞으로 가."

"무슨 말야?"

놀란 샤이크가 물었을 때 토로난이 낮게 말을 이었다.

"네 왼쪽 산 위쪽에 이쪽을 보는 놈이 있다. 고개 돌리지 마."

"몇 놈이야?"

"한 놈 보았는데 거리는 300미터."

"그럼 내려다보고 있는 거야?"

"그래. 다 노출되고 있어."

토로난이 앞에 대고 말을 잇는다.

"모른 척 가다가 바위 뒤로 숨어서 달아나는 수밖에 없다."

"놈들이 옆길로 가는데요."

골짜기를 내려온 두 사내가 아래쪽으로 방향을 틀었기 때문에 퍼킨스가 말했다. 이제 거리는 440미터. 이곳에서 골짜기까지의 거리다. 바위에 가려서 두 사내가 보였다가 사라졌다가 한다. 그때 무스가 말했다.

"내려갈 것 없어. 여기서 사격 연습이나 해."

사내들과의 거리는 이제 420미터로 좁혀졌다. 그러나 400미터쯤 되었을 때부터는 멀어질 것이었다. 사내들이 골짜기를 따라 내려가기 때문이다. 무스가 스코프에 눈을 붙이고 말했다.

"퍼킨스, 네가 앞의 놈. 캔튼, 너는 뒤의 놈을 맡아라. 자, 5초를 준다."

캔튼과 퍼킨스가 AK-47을 겨눴고 스코프에 눈을 붙인 무스가 카운트를 했다.

"다섯, 넷, 셋……."

앞장서 가던 토로난이 갑자기 낮게 소리쳤다.

"샤이크! 엎드려!"

그 순간 둘이 바위 옆으로 몸을 숨겼다. 산등성이하고는 반대쪽이다. 그때다.

"탕, 탕!"

총성이 울리면서 바위 위에 총탄이 맞아 파편을 튕겨내었다. 바위 뒤에 몸을 붙인 토로난이 소리쳤다.

"아래쪽으로!"

둘은 허리를 굽힌 채 골짜기 아래쪽으로 달려 내려가기 시작했다.

"이런."

무스가 잇새로 욕설을 뱉었다. 카운트를 다섯까지 다 세기도 전에 아래쪽 표적들이 바위 뒤로 몸을 숨긴 것이다. 마치 이쪽의 카운트를 들은 것 같다. 당황한 퍼킨스와 캔튼이 방아쇠를 당겼지만 빗나갔다. 놈들이 이쪽을 눈치챈 것이다. 바위틈에 엎드려 있다고 방심하고 있었다.

"탕, 탕, 탕, 탕, 탕."

캔튼과 퍼킨스가 연거푸 쏘아댔지만 골짜기의 바위를 방패로 삼은 두 놈은 점점 멀어져 갔다. 이제 거리는 450미터. 그때 무스가 몸을 일으켰다.

"놔둬라, 총탄 낭비하지 말고."

"괜찮습니까?"

파하드가 묻자 지노는 고개만 끄덕였다. 산 중턱. 지름길로 가는 중이어서 계속 산을 넘는 중이다.

오후 2시.

16시간째 강행군 중. 1시간마다 15분쯤 쉬는 데다 지노의 속도에 맞추려고 파하드는 평소의 절반 거리밖에 가지 못했다. 그러나 이제 안가와는 3킬로가 남았다. 바위 하나를 넘고 나서 파하드가 먼저 걸음을 멈췄다.

"대장, 쉬시지요."

지노가 가쁜 숨을 뱉으며 다가와 옆에 앉는다. 아직도 다리를 절름거리고 있다.

"3시간이면 도착하겠지?"

"앞쪽 산이 가팔라서 4시간은 걸릴 것 같습니다."

파하드가 앞쪽 산을 바라보면서 말을 이었다.

골짜기를 돌아서 가면 거리가 2배로 늘어나는 것이다. 다리를 절지만 한 걸음씩 올라가는 것이나 내딛는 것은 마찬가지로 힘이 든다는 것을 알게 되었다. 그러니 올라가는 것이 약간 빠르다. 지노가 길게 숨을 뱉었다.

"측근 간부들이 다 사라졌어."

파하드가 시선만 주었고 지노는 혼잣소리처럼 말을 이었다.

"내가 공주를 빼앗긴 것이 각하께 면목이 없다."

"……."

"각하를 뵙고 나서 공주를 찾으러 나설 거다."

"각하께서 부상을 당하신 상황입니다. 먼저 각하 치료부터 끝내야 될 것 같은데요."

"어깨 관통상이라고 했지?"

"예, 일차로 봉합치료는 했습니다."

지노가 고개를 끄덕였다. 파하드의 말이 맞는 것이다.

"그리고……."

파하드의 시선이 지노의 머리와 가슴으로 옮겨졌다. 머리에 챙이 넓은 모자를 눌러썼지만 붕대를 감은 상태였고 젖혀진 작업복 사이로 붕대가 드러났다. 더구나 다리도 아직 부실한 상태인 것이다. 그때 파하드의 시선을 받은 지노가 쓴웃음을 지었다.

"그래. 내 상처도 다 치료해야겠지."

순간 지노의 가슴이 먹먹해졌고 눈이 흐려졌다.

카밀라.

너를 찾는 것이 내 목표다. 이렇게 악착같이 산을 타는 이유도 너를 찾기 위한 것이다. 그것만이 내 목표다. 처음부터 나는 이라크의 재건 따위는 관심 밖이었다. 사담 후세인을 존경하게 되었지만 고용주에 대한 용병의 충성심에서 크게 벗어나지 않았다.

그러나 카밀라, 빼앗기고 나서야 나는 네 존재 가치를, 내 입장을 알았다. 네가 중심이었던 것이다. 네가 있었기 때문에 기꺼이 합류할 수 있었다.

지노가 눈을 치켜뜨고 파하드를 보았다.

"가자, 파하드."

쉰 지 아직 10분도 되지 않았다.

산마루에 올랐을 때는 2시간 후.

오후 4시가 조금 넘었다. 보기보다 산이 더 가팔랐기 때문이다.

"이제 산 하나만 더 넘어가면 되겠습니다."

가쁜 숨을 뱉으면서 파하드가 손으로 왼쪽을 가리켰다.

"저쪽 골짜기를 돌아서 앞쪽 산을 넘어야 됩니다."

골짜기가 기지로 가는 입구인 셈이다. 파하드가 가리킨 골짜기와 그 건너편 산을 보던 지노가 눈썹을 모으더니 주머니에서 스코프를 꺼내 눈에 붙였다.

"파하드, 골짜기 건너편의 산 중턱을 보아라."

바위틈에 엎드린 파하드가 망원경을 눈에 붙였다. 그곳이 기지로 통하는 길목인 것이다. 망원경에 표시된 거리는 640미터. 그 순간 파하드가 낮게 신음했다.

"한 놈이 매복하고 있습니다."

그러나 얼굴은 싱냥알만 하다.

"저놈이 안가로 가는 입구를 막고 있는데요."

고개를 돌린 파하드가 지노를 보았다. 땀에 젖은 얼굴에서 두 눈이 번들거리고 있다. 지노가 잠자코 그쪽으로 발을 떼었고 둘은 산등성이의 바위틈 사이로 접근했다.

산줄기의 끝부분, 건너편 산 중턱에 엎드린 사내와의 거리가 255미터 지점.

"앗, 마우디다."

망원경으로 그쪽을 보던 파하드가 소리쳤다.

"대장, 마우디입니다!"

파하드가 지노에게 말했다. 들뜬 목소리다. 지노도 놀라 눈을 크게 떴다. 마우디는 탈레반 전사다. 브라운이 데려온 탈레반 중 하나인 것이다. 스코프로 그쪽을 본 지노가 AK-47을 땅바닥에 내려놓았다. AK-47용 스코프를 주머니에 넣고 다니다가 총에 부착했던 것이다.

"마우디가 왜 여기까지 나왔지?"

몸을 일으킨 파하드의 이맛살이 찌푸려졌다. 이곳이 통로이긴 하지만 안가에서 2킬로나 떨어져 있었기 때문이다. 안가는 산을 넘어가야 한다.

"마우디!"

1백 미터 지점까지 은밀하게 접근한 파하드가 소리쳐 불렀다. 그 순간 놀란 마우디가 총을 고쳐 쥐고 바짝 엎드렸다.

“이 병신아! 나야! 파하드다!”

파하드가 고래고래 소리쳤다.

“파하드란 말이다!”

“누구?”

마우디의 목소리가 울렸다.

“누구라고?”

“파하드!”

“아, 파하드, 너 혼자냐?”

“대장을 모시고 왔어!”

“어, 정말?”

“나, 일어날 테니까, 쏘지 마!”

“일어나 봐!”

그때 파하드가 바위틈에서 몸을 일으켰다. 그러고는 두 손을 들고 다가갔다. 이쪽은 골짜기여서 마우디한테는 좋은 표적이 된다. 파하드를 본 마우디가 소리쳤다. 아직도 총을 겨누고 있다.

“지노 대장은?”

“총을 내려놔! 이 병신아!”

그제야 마우디가 몸을 일으키면서 들고 있던 총을 내려놓았다. 그때 파하드 뒤쪽 바위틈에서 지노의 모습이 드러났다.

잠시 후에 셋이 모였을 때 먼저 지노가 마우디에게 물었다.

“왜 여기까지 나와 있는 거냐?”

“각하 상태가 좋지 않으셔서 오전에 안가를 떠났습니다.”

"어디로? 얼마나 안 좋으신 거야?"

놀란 지노가 묻자 마우디가 숨부터 고르고 나서 대답했다.

"터키 국경 쪽으로. 터키에서 치료를 받으시기로 했습니다. 의식이 흐려지고 있답니다."

"누가 따라갔는가?"

"로간, 브라운 두 분이 다."

"가민, 수르토는 돌아오지 않았나?"

"당하신 것 같습니다."

"그토록 위중하신 거냐?"

"예, 거기에다……."

"뭐냐?"

"두 놈이 탈영을 했습니다. 토로난, 샤이크가 어젯밤 탈주를 했기 때문에 어쩔 수 없이 서둘러 떠나야만 했습니다."

"……."

"두 놈이 위치를 불 수도 있으니까요."

"……."

"그래서 로간 대장이 저를 이곳에 보낸 것입니다. 혹시 지노 대장이 오면 안내를 하라구요."

마우디가 얼굴을 일그러뜨리며 웃었다.

"그래서 이렇게 수류탄 고리를 손목에 묶어놓고 있었습니다."

자폭용이다. 만일 적에게 잡혔을 때 항복하는 것처럼 손을 위로 쳐들면 주머니에 넣은 수류탄 고리가 빠지는 방법이다. 그것을 본 파하드가 주머니에서 칼을 꺼내더니 팔에 묶인 나일론 줄을 끊었다. 그때 지노가 말했다.

"뒤따라가자."

"투항자를 잡았어."

오후 5시.

무스가 톰슨의 무전을 받는다.

"두 놈인데 6번 조의 카슨한테 투항했다. 그런데 그놈들이 '성형 수술한' 놈한테서 탈영한 놈들이야."

'성형 수술한' 놈은 '실물' 후세인을 말한다. 아르카디에서는 후세인을 그렇게 부르는 것이다. 후세인은 이미 체포되어 바그다드에 갇혀 있는 상태이기 때문이다. 그때 톰슨이 물었다.

"이봐, 무스, 듣고 있나?"

"예, 듣고 있습니다."

"그 두 놈 진술을 들으니까 그놈들이 네가 매복한 지점을 지났는데, 못 봤나?"

"못 봤습니다."

"총격을 받았다는데, 너희들이 쏜 것이 아냐?"

"아닙니다."

"어쨌든."

톰슨이 말을 이었다.

"그 탈영병 놈들이 성형 수술한 놈의 안가를 불었다. 그래서 10개 조가 동원됐는데, 그렇게 알고 있도록."

"제 조(組)는 움직이지 않습니까?"

"너는 현 위치를 지키도록. 상황을 알려주는 거다."

"작전은 언제지요?"

"오후 7시. 헬기 12대가 동원된다."

그러고는 통신이 끊겼기 때문에 무스가 어깨를 부풀렸다가 내렸다. 손바닥에 담겼던 금가루가 손가락 사이로 빠져나간 느낌이 들었다. 옆에서 듣고 있던 퍼킨스와 캔튼은 숨을 죽이고 있다. 그들은 머릿속이 빈 상태일 것이다.

4장 후세인의 유언

느린 행군이다.

담가(擔架)에 후세인을 눕힌 후에 앞뒤에서 넷이 들고 바위투성이의 산악지역을 전진하는 것이다. 길도 없는 바위산을 오르내리면서 주위도 경계해야 된다. 앞쪽에 로간이 둘을 데리고 첨병을 섰고 뒤를 브라운이 맡았지만 1시간에 1킬로가 고작이다.

오후 6시 반.

오전 11시에 기지를 출발하고 나서 7시간이 넘었지만 6킬로도 가지 못했다. 그러나 국경은 이제 5킬로 정도가 남았다.

이곳은 무스타파의 구역. 국경으로 다가갈수록 초소 간 간격은 넓어지기는 한다. 부족들은 모두 국토 안의 미군과 반군 세력들과 대치하고 있기 때문이다. 그때 담가에 누워있던 후세인이 눈을 뜨고 말했다.

"정지. 로간과 브라운을 불러라."

지금까지 후세인은 눈을 감은 채 혼수상태였던 것이다. 가끔 신음과 함께 헛소리처럼 웅얼거렸는데 지금은 목소리가 또렷하다. 놀란 하나가 앞쪽의 로간을 소리쳐 불렀다.

지금은 바위산 중턱을 오르는 중이다.

"부르셨습니까?"

먼저 다가온 로간이 묻자 후세인이 흐려진 눈으로 쳐다보았다.

"로간이냐?"

"예, 각하."

로간이 후세인 위로 몸을 숙였다. 어두워진 산속. 이제는 브라운도 몸을 굽혀 후세인을 보았다. 그때 후세인이 말했다.

"지노는?"

"곧 올 겁니다."

로간이 바로 대답했다.

"마우디를 맞으러 보냈으니까요."

"지금 오고 있다는 거냐?"

"예, 각하."

이번에는 브라운이 대답했다.

"여기서 좀 쉬자."

후세인이 어둠 속에서 번들거리는 눈으로 둘을 보았다. 이제 눈동자의 초점이 잡혀 있다.

"여기서 지노를 기다리자."

"각하, 상처가 번지고 있습니다."

브라운이 말했다. 로간은 주춤했지만 브라운이 말을 잇는다.

"우리가 방심했습니다. 진즉 치료를 했어야 했는데……."

"이젠 아프지 않아."

후세인이 고개까지 저었다.

"몸에 열이 좀 날 뿐이야."

"각하, 지노가 우리들이 가는 방향을 압니다."

이번에는 로간이 거들었다.

"곧 따라올 테니까 가시지요."

“여기서 만날 테다.”

후세인이 고집을 부렸다.

“쉬자.”

“예, 각하.”

대답을 한 로간이 브라운의 옆구리를 찌르고는 자리에서 물러났다. 후세인이 고집을 부리는 바람에 일행은 바위산 중턱에서 멈췄다. 일행은 모두 9명. 그때 바위 뒤쪽으로 간 로간이 브라운에게 목소리를 낮춰 말했다.

“위험해. 조금 쉬었다가 다시 가기로 하자.”

“허망하구만.”

브라운이 한숨을 쉬었다.

“각하가 이렇게 다시 돌아가다니.”

고개를 든 로간이 입을 열었다가 닫았다. 로간의 눈도 흐려져 있다.

“직선코스로 간다고 했으니까 저 산을 넘을 겁니다.”

마우디가 앞쪽 산을 가리키며 말했다.

오후 7시.

마우디를 앞세운 지노는 지금 골짜기를 오르고 있다.

“곧장 산을 넘어서 국경을 넘는다고 했습니다. 거기서 터키의 마르딘으로 간다고 했습니다.”

지노는 잠자코 발을 떼었다. 다리에 감각이 없었지만 마우디를 따라갈 만했다. 주위는 어둠에 덮여 있는 데다 조용하다. 개울물 소리만 울리고 있다.

“대장님, 그럼 우리는 이제 이라크를 떠나는 것입니까?”

앞장선 마우디가 고개를 돌려 지노에게 물었다. 그때 지노 뒤를 따르던 파하드가 수식었다.

"입 닥치고 주위를 살펴, 이 자식아."

이곳은 소수 부족인 야잔 족의 영지다. 수백 명의 병력을 보유했을 뿐이지만 10여 명 단위로 움직이는 산적 부족이다. 가능하면 빨리 벗어나는 것이 낫다.

"저기, 앞쪽 2백 미터 지점."

앞쪽을 손으로 가리킨 무가르가 로간을 보았다.

"경계초소요."

밤이었지만 첨병으로 나간 무가르가 먼저 발견한 것이다.

"3명이 있습니다. 바위틈에 초소를 만들어 놓았는데 한 명이 경계를 서고 두 놈은 잡니다."

그때 뒤쪽에 있던 브라운이 다가왔다. 대열은 정지된 상태다. 후세인은 다시 혼수상태로 빠져들었고 대열은 바위산을 내려가는 중이다.

"뭐야?"

"앞쪽의 초소입니다."

무가르의 보고를 들은 브라운이 로간을 보았다.

"여기서 머뭇거릴 수 없어. 해치우고 지나가지."

로간이 고개를 끄덕였다. 후세인이 헛소리를 뱉기 시작해서 입에 재갈을 물린 후에 사지를 담가에 묶어놓은 상태다.

"좋아. 내가 가지."

고개를 든 로간이 무가르에게 말했다.

"무가르, 너하고 둘이 가자."

헬기는 9대가 동원되었다.

UH-60 블랙호크 6대에 아르카디 10개 조(組)가 탑승했고 AH-1S 코브라 2

대, AH-64H 아파치 1대다. AH-1S는 토우 대전차 미사일 8발과 20밀리 기관포탄 750발을 탑재하고 있다. 막강한 공격력이다. 그리고 AH-64H 아파치는 공격용 헬기의 주축이다. 16발의 대전차유도탄, 2.75인치 로켓트탄 76발, 1200발의 30밀리 기관포탄을 탑재하고 있다.

먼저 AH-64H와 AH-1S 2대가 기지에 폭우 같은 포탄을 쏟아붓고 나서 UH-60의 6대가 기지 부근에 착륙했다. 아르카디 용병단이 쏟아져 나왔을 때는 기지가 불바다가 되어있을 때다.

오후 9시 반이다.

"비었습니다."

현장 지휘관인 1조장 윌슨의 목소리가 무전기에서 울렸다.

"모두 도망친 상황입니다."

"쥐새끼 같은 놈들."

깁슨이 낮게 투덜거렸지만 곧 쓴웃음을 지었다. 예상하고 있었기 때문이다.

"수색해라. 다시 헬기에 타고 담당 지역으로 이동해."

투항자의 자백을 받고 나서 기지가 비었을 경우까지 대비해놓고 있었던 것이다.

통신이 끝났을 때 깁슨이 벽에 걸린 지도를 보았다. 기지에서 국경까지는 20킬로 정도. '성형 수술'한 놈이 10시간 전에 출발했더라도 아직 국경까지 닿지는 못했을 것이다. 더구나 '성형 수술'한 놈이 중상을 입었다고 하지 않는가?

환자를 데리고 1시간에 1킬로 전진하기도 어려울 것이다. 그때 옆에 있던 보좌관 톰슨이 말했다.

"두 놈이 탈영한 시간이 오전 2시 정도였으니까, 그것을 발견하자마자 도주했다면 벌써 국경을 넘었을 겁니다."

"그렇겠지."

깁슨이 지도를 흘겨보면서 말을 이었다.

"교대시간 때 발견되었다면 지금도 이라크 영내에 있을 거고."

그리고 실물 후세인이 국경 쪽으로 움직이지 않았을지도 모르는 것이다.

"어쨌든."

팔짱을 낀 깁슨이 말을 이었다.

"진짜 후세인도 이제는 꺼져가는 촛불이다."

이제 실물 후세인이 중상을 입고 누워있다는 것이 밝혀진 것이다. 그리고 주위에는 용병 몇 명뿐이다. 그야말로 꺼져가는 촛불이다.

"퍽, 퍽."

두 발의 발사음에 상반신을 내놓고 있던 초병이 앞으로 엎어졌다. 하반신을 바위 밑으로 남겨놓고 밖으로 상반신이 엎어진 것이다. 거리는 1백 미터. 로간이 다시 스코프에 눈을 붙였다. 그때 사내 하나가 불쑥 안에서 몸을 일으켰다. 뒤쪽에서 자고 있던 동료.

"퍽, 퍽, 퍽."

기다리고 있던 무가르가 쏘았지만 빗나갔다. 세 발 모두 왼쪽으로 흘렀다.

"퍽, 퍽."

이번에는 로간이 다시 쏘았다. 사내가 가슴에 두 발을 맞고는 뒤로 벌떡 넘어졌다. 그 순간이다. 바위틈에서 불쑥 사내의 모습이 드러나더니 요란한 총성이 울렸다.

"타타타타타타타."

밤하늘로 요란한 총성이 울리더니 곧 골짜기에 부딪친 메아리까지 일어났다.

"퍽, 퍽, 퍽."

그쪽을 겨냥한 로간이 다시 발사. 소음기를 통과한 총탄이 둔탁한 발사음을 내었고 곧 사내가 어둠 속으로 묻혔다. 바위 뒤로 넘어진 것이다.

"젠장."

로간이 고개를 돌려 무가르를 보았다.

"빨리 가서 데려와."

브라운을 부른 것이다.

총성은 왼쪽 산 너머에서 울렸다. 잠깐 발을 멈췄던 지노 일행이 다시 발을 떼었다. 앞장은 마우디가 섰고 뒤를 지노, 후미는 파하드가 맡았다. 오후 10시가 되어가고 있다.

"앞쪽 통로입니다."

마우디가 그쪽을 가리키며 말했다.

"가자."

고개를 끄덕인 지노가 다시 발을 떼었다. 총성이 울린 쪽이다.

다시 발을 떼었을 때 후세인이 눈을 떴다. 그러나 입에 재갈이 물려있었기 때문에 낮은 신음만 울릴 뿐이다.

"각하, 조금만 참으시지요."

담가 옆으로 다가온 브라운이 낮게 말했다. 담가는 앞뒤에서 두 명씩 넷이 들고 있었는데 산이 비탈져서 기울어졌고 흔들렸다.

"으으으으!"

후세인이 신음했다. 두 팔과 다리, 몸통까지 묶여서 꼼짝할 수가 없는 것이다. 후세인도 총성을 들은 것이다. 총성을 듣고 의식이 돌아온 것 같다. 그때 후세인이 머리를 저었기 때문에 걱정이 된 브라운이 입에 물린 재갈을 밑으로 당겨 풀었다.

"각하, 죄송합니다."

"지노 왔느냐?"

"아직, 지금 오고 있습니다."

"지금 왔다구?"

"아닙니다."

"카밀라는?"

"예?"

"카밀라를 데리고 오는 거냐?"

"예, 각하."

"으으으으!"

후세인이 다시 신음했기 때문에 브라운이 걸으면서 입에 다시 재갈을 물렸다. 그때다.

"타타타타타타타."

총성이 울렸다.

"타타타타타."

담가 앞부분을 쥐고 있던 용병 둘이 쓰러졌기 때문에 담가가 떨어졌다. 브라운이 엎드리면서 담가의 한쪽을 잡았지만 기울어졌다. 비탈길이어서 거의 직각으로 섰기 때문에 브라운이 필사적으로 담가를 쥐었다.

"타타타타타타타."

총성이 요란하게 울리고 있다. 4, 5정. 왼쪽이다. 골짜기 왼쪽의 산비탈에서 쏘아대고 있다.

"타타타탕."

곧 이쪽에서도 응사했다. 앞쪽 로간이 응사하고 있다. 브라운이 겨우 담가를 눕히고는 후세인을 내려다보았다.

"각하, 잠깐만 기다리시죠."

브라운이 소리쳐 말하고는 건너편 비탈을 향해 응사했다. 산골짜기에 요란한 총성이 울렸다.

로간은 무조건 발사하지 않는다. 납작 엎드린 로간은 스코프에 눈을 붙이고는 건너편 산비탈을 보았다. 거리는 78미터. 가깝다. 스코프에 드러난 목표는 넷. 우선 이쪽이 기습을 받았다.

"탕!"

로간이 겨눈 AK-47이 발사되었다. 맨 왼쪽에서 AK-47을 발사하던 사내의 머리가 수박덩어리처럼 부서졌다. 그때 옆쪽에 엎드린 무가르 쪽에서 갑자기 총성이 그쳤다. 로간이 고개를 돌렸더니 무가르가 탄창을 교환하고 있다.

"이 자식! 탄창 바꾼다고 해야지!"

로간이 버럭 소리쳤을 때다. 그 순간 무가르가 털썩 옆으로 쓰러졌다. 로간이 다시 스코프에 눈을 붙였다. 어느새 상대는 둘로 줄어들어 있다. 거리는 82미터.

"탕!"

다시 한 발. 사내 하나가 바위 뒤로 사라졌다. 그러나 남은 사내가 벌떡 일어섰고 이쪽에서 총탄이 날아갔다. 위쪽의 브라운 측에서 쏜 것 같다. 빗발 같은 총탄을 맞은 사내가 춤을 추는 것처럼 사지를 흔들다가 바위 밑으로 떨어졌다.

로간이 다가갔을 때 브라운이 고개를 들었다. 이곳은 바위 밑. 후세인이 누운 담가 주위로 넷이 모였다.

"각하는 주무시나?"

숨을 고르면서 로간이 묻자 브라운이 대답했다.

"또 맞았어."

"뭐가?"

"각하가."

숨을 들이켠 로간이 펄썩 주저앉더니 후세인을 살폈다. 후세인은 눈을 감은 채였고 어두워서 보이지 않는다.

"각하!"

로간이 후세인을 불렀다가 브라운을 보았다.

"어디야?"

맞은 곳을 묻는 것이다. 그때 브라운이 후세인의 배를 가리켰다.

"여기."

그때 로간은 후세인의 재킷 아랫배가 검게 물들어 있는 것을 보았다. 총에 맞았다.

"각하!"

로간이 소리쳐 불렀을 때다. 후세인이 눈을 떴다.

"어, 로간."

목소리가 또렷했기 때문에 모두 숨을 들이켰다.

"각하, 어떠십니까?"

"난 괜찮다, 로간."

그때 의무병 사르치가 후세인의 재킷을 들치고는 흰색 거즈를 붙였다. 후세인이 번들거리는 눈으로 로간과 브라운을 보았다.

"어, 브라운도 있구나."

"각하, 조금만 기다리시지요."

로간이 말했을 때 후세인이 웃었다. 어둠 속에서 이가 드러났다.

"고맙다, 로간, 브라운."

"각하, 가십시다."

브라운이 담가 위쪽을 잡았을 때다.

"그래. 내가 먼저 떠난다."

"각하."

"지노가 오면 고맙다고 전해라."

후세인의 목소리가 어둠 속에서 울렸다.

"내 부탁이 있어. 지노한테 전해."

"예, 각하."

"카밀라를 찾아달라고."

그러고는 후세인이 눈을 감았다. 다음 순간 길게 숨을 뱉었다가 그쳤다.

두 시간 후에 만났다.

깊은 밤. 길도 없는 바위산. 그 넓은 땅에서 개미가 더듬이만으로 흔적을 찾아가는 것처럼 더듬거리며 전진하던 세 인간.

"누구냐?"

어둠 속에서 낮은 외침. 미리 보고 나서 확인하는 물음이지, 적이라면 이미 쏘았을 테니까.

"나야! 마우디!"

마우디가 대답하자 반가운 외침이 울렸다.

"지노를 데리고 온 거냐?"

로간의 목소리.

지노가 다가갔을 때 로간과 브라운이 나란히 서 있다. 다가오지 않는다. 어둠 속에서 흰자위 속의 눈동자만 굴리면서 그냥 서 있다. 둘을 확인한 지노가 인사도 없이 두리번거렸다.

"각하는?"

둘러선 사내들도 입을 다물고 있다.

"각하는?"

지노의 목소리가 떨렸다. 그때 로간이 한 걸음 다가섰다.

"지노."

"각하는 어디 계시냐?"

다가선 지노가 로간의 멱살을 움켜쥐었다.

"어디 계셔?"

"여기."

옆쪽의 브라운이 말했기 때문에 지노가 시선을 돌렸다. 브라운이 손으로 아래쪽 땅을 가리켰다. 그때 지노는 땅바닥에 있는 물체를 보았다.

저것이?

사담 후세인.

새 얼굴은 압둘 자말. 그러나 압둘 자말로 불린 적이 거의 없었기 때문에 얼굴을 고친 사담 후세인이 누워있다. 눈을 감고 자는 것 같다. 바짝 가깝게 들여다보았어도 평온한 얼굴. 꾹 다문 입술 끝에 웃음기가 있는 것 같다.

깊은 밤.

지노는 후세인의 머리 옆에 앉아있고 로간과 브라운은 아래쪽 좌우에 붙어있다. 후세인을 둘러싸고 앉아있는 셈이다. 후세인의 주위에는 앉거나 선 용병 7명이 남았다.

산속이 다시 조용해졌다. 후세인을 내려다보는 지노에게 로간이 말했다.

"우리한테 고맙다고 했어."

"……."

"특히 대장한테. 대장을 많이 찾으셨어."

"……."

"마지막에 의식이 맑아져서 목소리도 또렷했어."

"……."

"대장을 많이 기다렸어."

"……."

"그리고."

로간이 헛기침을 했다.

"들은 대로 다 말할게, 모두 들었으니까."

"……."

"그래야 각하께 예의를 다하는 거고."

"……."

"대장한테 부탁이 있다고 하셨어. 마지막 말씀이야."

"……."

"대장한테 전하라고 하셨는데."

이제는 지노가 시선만 들었고 로간의 말이 이어졌다.

"카밀라를 찾아달라고 하셨어."

그때 브라운이 말을 받았다.

"의식이 돌아오기 얼마 전에는 네가 카밀라를 데리고 오느냐고 물으시더군."

"……."

"그래서 내가 그렇다고 말씀드렸지."

다시 고개를 숙인 지노가 후세인의 얼굴에 손을 덮었다. 눈까지 다 덮어 버렸기 때문에 얼굴이 보이지 않았다. 그렇게 하고 지노가 한참 동안이나 앉아있었다.

이름도 없는 산 중턱에 후세인을 매장했다. 깊은 밤. 사내들은 말없이 대검으로 땅을 팠고 바위를 들어 덮었다.

"표시라도 해놓아야 되지 않을까?"

이마의 땀을 닦으면서 브라운이 말했지만 아무도 대답하지 않았다.

매장이 끝났을 때 의식 같은 것도 없다. 모두 돌무더기 같기도 하고 바위덩이 같기도 한 후세인의 무덤 주위에 흩어져 섰다. 산 위쪽에서 바람이 불어오면서 비린 냄새가 맡아졌다. 조금 위쪽이 조금 전의 격전지였기 때문이다. 그때 지노가 주위를 둘러보며 말했다.

"자, 모두 돌아가자."

모두 숨을 죽였고 지노의 목소리가 낮게 울렸다.

"이제 용병 계약이 해지된 것이나 같다. 모두 돌아가도록."

"……."

"내가 고용인을 대신해서 여러분께 감사의 인사를 드린다. 고맙다. 여러분과 함께 있어서 영광이었다."

"……."

"내가 죽은 사담 후세인의 마음을 읽을 수가 있다. 여러분이 영웅이었다."

"……."

"고맙다."

고개를 든 지노의 두 눈이 번들거렸다.

"돌아가라."

그러고는 지노가 몸을 돌렸다.

"지노."

지노의 뒤를 따라온 로간이 지노를 불렀다.

이곳은 골짜기. 매장지에서 50미터쯤 떨어진 골짜기의 개울가. 걸음을 멈춘 지노 앞으로 로간과 브라운이 다가왔다. 로간이 물었다.

"대장, 어떻게 하려는 거야?"

지노가 둘을 번갈아 보았다.

"로간, 브라운, 면목 없다. 너희들은 이제 국경을 넘어 돌아가."

"이 개아들 놈이 날 뭘로 보고."

브라운이 어깨를 부풀렸다.

"내가 네 속을 모를 것 같으냐? 나하고 같이 가자."

그때 로간이 지그시 지노를 보았다.

"그래, 지노. 나도 같이 간다. 대장 네가 오기 전에 우리도 말을 맞췄어."

"……."

"대장이 틀림없이 카밀라를 찾으러 나설 것이고 그때는 우리도 같이 간다고."

"너희들까지 당하게 하기는 싫다. 이젠 이건 내 일이다."

"우리도 너하고 똑같은 용병이다."

브라운이 말을 받았다.

"우리는 각하에게 고용된 용병이고 카밀라 씨를 구하는 것도 우리 일이야."

그 말을 로간이 받았다.

"대장, 대장만 영웅 노릇 하지 마. 자존심 상해."

지노가 눈을 치켜떴다가 이윽고 어깨를 늘어뜨렸다. 그때 브라운이 말했다.

"기다려, 영웅, 내가 애들한테 물어보고 올 테니까."

두 명이 돌아가고 둘이 남았다. 파하드와 마우디가 남았고 탈레반 용병 둘이 돌아간 것이다. 지노를 데리러 갔던 파하드, 길목에서 기다렸던 마우디가 동참을 했다.

이젠 총원은 다섯. 지노, 로간, 브라운, 파하드, 마우디다.

"가자."

지노가 부상을 당해 20일 가깝게 박혀있는 동안 로간은 이쪽 지리에 익숙해졌다. 앞장선 로간이 발을 떼면서 말했다.

"티크리트로."

이곳에서 티크리트까지는 3백 킬로 가깝게 된다. 걸어갈 수는 없다.

깊은 밤, 5명의 용병이 종대로 서서 천천히 남진하기 시작했다. 세 번째 선 지노가 다리를 절었기 때문에 속도가 늦다.

"보이지 않습니다."

오전 8시.

다후크 근처의 아르카디 용병단 본부. 상황실에서 톰슨이 깁슨에게 보고했다.

"탈주자 진술에 의하면 10명 정도밖에 남지 않았다고 합니다. 그놈들이 더 이상 뭘 하겠습니까?"

깁슨은 팔짱만 끼고 앉았고 톰슨이 말을 이었다.

"마른 땅에 부은 물처럼 곧 증발될 것 같습니다. 그리고……."

톰슨이 힐끗 깁슨의 눈치를 살폈다.

"우리가 자꾸 대규모 병력을 북쪽에다 투입시킨다면 관심이 집중될 것 같습니다. 그렇게 되면 '성형 수술'한 놈이 부각될 가능성이 큽니다."

"……."

"이번에 7사단 헬기를 9대나 동원했는데도 실적이 전무해서 기자들이 취재를 시작했습니다."

"……."

"이런 상황이니까 대원들을 철수시켜야 될 것 같은데요. 두어 개 조만 남겨두고 말입니다."

그때 깁슨이 팔짱을 풀었다.

"다 철수시켜."

"예, 장군."

"그리고 조원들과 기자들의 접촉을 금지시키고."

"알겠습니다."

"그렇지. 한 조만 남겨두고."

깁슨의 눈이 흐려졌다.

"그놈, 무스 함버크."

"무스는 조에 포함되지도 않습니다."

톰슨이 고개를 끄덕이며 말했다.

뉴욕타임스의 닉 윌링은 국무부 부국장 존 매커비가 카밀라에게 제의한 내막을 폭로함으로써 특종을 했다. 그런데 특종을 한 후부터 매커비는 미군은 물론 용병단한테도 미운털이 박혔다. 그래서 그 후부터는 카밀라에 대한 면회는 금지되었고 미군 사령부의 출입도 제한된 상태다.

오후 3시 반.

닉이 티크리트 시내의 '던컨 바'에서 윈스턴 대위를 맞는다.

윈스턴은 계급장 없는 후줄근한 군복 차림에 수염까지 길렀다. 허리에 권총을 차고 있어서 용병 행색이다. 앞쪽 자리에 앉은 윈스턴이 주위부터 둘러보면서 말했다.

"나는 카밀라에게 신문 역할이야. 매일 정치면을 내 입으로 읽어주고 있지."

"앵커 역할이라고 해, 윈스턴."

낮부터 맥주와 위스키를 섞어 마시던 닉이 웃었다.

"뭐, 선정적인 내용도 섞어서 방송하지 그래. 그래야 시청률도 높아져."

둘은 자주 어울리는 사이다. 닉이 카밀라를 만나지 못하게 되면서 윈스턴을 자주 불러 술을 사주는 기회가 많아졌다. 그때 윈스턴이 고개를 끄덕였다.

"카밀라가 북부지역 반군에 대해 관심이 많아."

"그렇겠지. 가민이나 수르토 등이 후세인의 측근이었으니까."

"지노를 가끔 찾는데, 지금도 살아있는 것으로 믿는 것 같아."

"그놈, 카밀라를 잡은 용병이 누구라고 했지?"

"무스 함버크."

"그놈이 지노를 쏘았다면서?"

"정통으로 맞혀서 절벽으로 떨어뜨렸다는 거야. 다른 용병한테 자랑해서 다 알아."

"지노 그놈이 전설인데."

"카밀라를 탈출시키고 나서 다시 후세인까지 탈출시켰으니까."

"그리고 다시 데려왔단 말야."

둘은 잠자코 술잔을 들었다. 그때 닉이 정색하고 윈스턴을 보았다.

"지금 잡혀있는 후세인이 대역이라는 말이 있어."

"루머야."

한마디로 말을 자른 윈스턴이 한 모금에 위스키를 삼켰다.

"그런 말 떠들고 다니지 마. 그랬단 이라크에서도 쫓겨날 테니까."

"해보라고 해. 내가 원하던 바다."

주위를 둘러본 닉이 상반신을 굽혀 윈스턴을 보았다.

"카밀라는 요즘 뭘 하고 지내는 거야?"

"책 읽고, 마당을 걷고, 그리고 참, 며칠 전부터 TV를 갖다 놓았어."

"TV를?"

"하지만 하루에 4시간씩, 오전 오후에 2시간씩 시청이 허용되지."

"뉴스를 보나?"

"채널이 미군 방송으로 고정되었어."

"그렇군. 그런데 재판은 언제야?"

"내년쯤이나 되겠지, 급할 것 없으니까."

윈스턴이 말을 이었다.

"카밀라는 10년에서 15년이야. 후세인은 사형이고."

닉이 고개만 끄덕였다. 세상 사람들이 다 예상하고 있는 형량이다.

"쉬자."

앞장을 선 로간이 산비탈에 멈춰 서서 말했다.

오후 4시 반. 행군 이틀째.

서쪽으로 30킬로를 이동했다. 이곳은 다후크 동쪽 지역으로 이란 국경과 가깝다. 바위 밑에 주저앉은 지노 앞으로 로간이 다가와 물었다.

"지노, 괜찮나?"

"걸을수록 다리가 나아지는 것 같다."

"헛소리 말고."

옆에 앉은 로간이 길게 숨을 뱉었다.

"그리고 서둘 것 없어, 지노."

"안다, 로간."

그때 브라운이 다가와 옆에 섰다.

"팀의 호흡이 맞는다, 지노."

브라운이 말을 이었다.

"특공팀으로는 다섯이 적당하거든."

"맞아."

로간이 고개를 끄덕였다.

"파하드와 마우디가 정예야."

"그래. 내가 가르친 놈들 중에서 최상급이지."

브라운이 맞장구를 쳤다. 파하드와 마우디는 아래쪽 개울가에서 경계 중이다. 그때 지노가 고개를 들었다.

"입 닥치고 있어."

둘이 입을 다물었을 때 지노가 외면했다. 자신을 위로해주려는 둘의 행동이 너무 단순해서 듣기 거북했기 때문이다. 더 부담이 되고 가슴이 무겁다. 지노가 말을 이었다.

"그래. 서둘 것 없지."

"……."

"내가 완전히 회복할 때까지 티크리트 근처의 안가에서 지내는 것이 낫겠다."

"옳지."

로간이 바로 동의했다.

"정보 수집도 해야지. 그리고 계획도 철저히 세우고."

"미군 영창에 잡혀있는 카밀라를 빼내는 건 백악관에서 부시를 빼내는 것만큼 어렵다고 봐야 돼."

브라운이 거들었다.

"이 작전이 성공하면 나도 전설이 될 거다. 기네스북에 오르기도 하겠지."

기가 막힌 로간이 한숨만 쉬었고 지노의 얼굴에 처음으로 쓴웃음이 번졌다.

"TV는 보시지요?"

원스턴이 묻자 카밀라가 고개만 끄덕였다.

헌병대의 면회실 안이다.

오후 4시.

카밀라는 군복 차림으로 운동화를 신었다. 죄수복이 없었기 때문에 군복을 입힌 것이다.

원스턴이 말을 이었다.

"이제 반군 활동이 위축되었기 때문에 이라크 재건 사업이 활발하게 시작되고 있어요. 구(舊) 이라크 정부에서 일하던 경제팀들이 미국 재건단에 고용되고 있습니다. 왈리드라고 아시지요?"

"……."

"경제부 차관이었던 사람인데요."

"……."

"그 사람이 재건 사업 단장이 되어서 추진하고 있습니다."

그때 카밀라가 입을 열었다.

"재판은 언제 받죠?"

"서너 달 있어야 될 겁니다. 지금 각국에서 재판인단을 모으고 있으니까요."

"그럼 그때까지 여기 있어야 됩니까?"

"미국 정부에서 아직 결정하지 않았습니다."

"신문을 보내주세요. 터키데일리 뉴스, 터키타임스."

"사령부에 건의하지요."

"TV도 하루 4시간인데 더 늘리고 채널도 아랍권 방송으로 돌려주세요."

"알겠습니다. 해보지요."

원스턴이 메모장에 꼼꼼히 기록하고는 고개를 들었다.

오랜만에 카밀라하고 긴 대화를 나눈 셈이다.

"술 있으면 가져와."

무스가 말하자 주인이 눈썹을 모으고 쳐다보았다. 떠보는 것 같은 표정이 되었다.

오후 6시 반. 이곳은 국경 근처의 터키 마을.

무스 조 3명은 이곳에 도착한 지 한 시간쯤 된다.

주민의 표정을 본 무스가 주머니에서 20불짜리 지폐를 꺼내더니 내밀었다.

구겨졌지만 귀퉁이에 찍힌 '20' 숫자가 선명했다.

"밀주가 있는데."

주인이 손을 뻗어 지폐를 빼가면서 말했다.

"한 병 드리지요."

"좋아. 양고기 삶은 것 있으면 가져오고."

"데워서 가져오겠습니다."

주인이 돌아가자 무스가 옆에 선 퍼킨스에게 말했다.

"캔튼한테 들어오라고 해."

퍼킨스가 집 밖으로 나가자 무스는 주위를 둘러보았다.

낡은 흙집이었지만 양 우리에는 10여 마리의 양과 나귀 한 마리가 갇혀 있다. 민가가 10여 채 모인 국경마을이다.

무스는 국경을 넘어 이곳까지 온 것이다.

국경에서 3킬로쯤 떨어진 마을이다. 이쪽은 산기슭으로 앞쪽이 올리브 과수원이다.

곧 퍼킨스와 캔튼이 마당으로 들어섰다.

셋은 모두 작업복에 완전 무장 차림. 영락없는 반군 행색인데 주인은 놀라지도 않는다.

반군과 부족의 병사들이 수시로 오가기 때문이다.

사흘 동안 국경 근처를 떠돌다가 마침내 터키로 넘어온 것이다.

북부지역에 파견되었던 아르카디 용병단은 모두 철수한 상태다.

반군의 준동이 없을 뿐만 아니라 북부 지역 부족들이 반발했기 때문이다.

그래서 무스 조 셋은 북쪽 지역을 수색 정찰하다가 이곳까지 오게 되었다.

주인이 술과 삶은 양고기를 가져왔기 때문에 셋은 마당에 둘러앉아 술과 고기를 먹는다.

오후 7시가 넘어서 마당에 모닥불을 피워 놓았다.

"이봐, 이 마을로 이라크 놈들이 자주 오나?"

술잔을 든 무스가 묻자 모닥불에 장작을 넣던 주인이 대답했다.

"가끔 식량을 사러 오지요."

무스는 주인에게 50불을 더 주고 오늘 밤 잠자리와 내일 아침 식사까지 계약한 것이다.

주인으로서는 남는 장사였기 때문에 태도가 사근사근하다. 주인은 이제 무스가 용병단인 줄을 아는 것이다. 말하지 않아도 용모나 서툰 아랍어를 쓰는 걸 보면 대번에 안다.

그때 주인이 말을 이었다.

"며칠 전에 둘이 나한테 와서 고기를 얻어먹고 갔지요. 이라크를 떠난다고 하더구만."

"이라크를 떠나?"

"다 잃고 떠난다고 했소."

"다 잃고?"

씹던 고기를 삼킨 무스가 주인을 보았다.

"그렇게 말했어?"

"도망쳐 나오는 것 같았소."

"이라크인이야?"

"아닌 것 같던데."

고개를 기울였던 주인이 말을 이었다.

"고향으로 돌아간다고 했으니까."

"어디?"

"그건 듣지 못했소."

어깨를 늘어뜨린 무스가 퍼킨스와 캔튼을 보았다.

"다 소멸된 것인가?"

무스는 성형 수술한 후세인을 찾고 있었던 것이다.

모래사장에 떨어진 바늘을 찾는 것이나 같다.

오히려 환경이 더 나쁘다, 모래사장은 평지였지만 이곳은 험한 산지여서 한 발짝 떼기도 힘드니까.

다음 날, 오전 11시.

아르카디 본부장 깁슨이 무스의 보고를 받는다.

무스는 다시 이라크 영내로 들어와 있다.

"저는 지금 민병대에 와 있습니다."

무스가 말을 이었다.

"어젯밤, 국경 밖까지 나갔다가 왔는데 이라크 영내에서 탈출해간 놈들 이야기를 들었습니다."

깁슨이 듣기만 했다.

"'그놈' 부하들 같습니다."

"……"

"해체된 것 같습니다."

"알았다."

깁슨의 목소리가 수화구를 울렸다.

"귀대하도록."

티크리트 시내는 민병대, 미군, 용병단에다 연합군, 각국의 기자들까지 모여 있었기 때문에 혼란하다. 티크리트는 사담 후세인의 고향으로 반군 세력의 근거지인 것이다.

오후 8시 반.

시장 입구의 양고기 식당으로 사내 하나가 들어섰다.

후줄근한 작업복 차림의 주민이다.

식당은 손님이 절반쯤 차 있었는데 구석 쪽 자리에 앉은 사내에게 종업원이 다가갔다.

"뭘 드릴까요?"

"하질을 찾는데."

사내가 낮게 말했을 때 종업원이 바짝 다가섰다.

"누구라고 하셨지요?"

"압둘 하질."

15평쯤 규모의 식당에는 손님이 절반쯤 차 있다. 10여 명이다.

그때 종업원이 물었다.

"누구라고 전해 드릴까요?"

"마흐달."

그러자 종업원이 몸을 돌렸다.

잠시 후에 주방에 들어갔다가 나온 종업원이 사내에게 말했다.

"주방 뒤쪽 문으로 나가시지요. 밖에서 기다리고 계십니다."

고개를 끄덕인 사내가 자리에서 일어서더니 주방으로 들어섰다.

주방에는 사내 둘이 요리를 하고 있었지만 이쪽에 시선도 주지 않았다.

사내는 곧장 주방 뒷문을 열고 밖으로 나왔다.

뒤쪽은 좁은 골목길이다.

폭이 2미터 정도밖에 안 되는 골목은 악취가 진동했다.

사내가 밖으로 나왔을 때 옆쪽 어둠 속에서 사내 하나가 다가섰다.

"누구시오?"

"가민의 연락병이오."

사내가 말했다.

그때 어둠 속에서 나타난 사내가 바짝 다가섰다.

"연락병, 누구요?"

"지노의 친구."

그 순간, 사내가 숨을 들이켰다.

"이름은?"

"로간."

로간이다.

로간이 사내를 쏘아보았다.

"지금 반군 누구하고 연락이 닿습니까?"

"사하드 소장."

"사하드가 누구요?"

"제3기갑 부대장이었던 사람이오."

사내가 로간을 똑바로 보았다.

"그런데 가민 장군은 어떻게 되었소?"

"우리도 모릅니다."

고개를 저은 로간이 어깨를 늘어뜨렸다.

"그래도 연락원인 당신이 남아 있어서 다행이오."

사내가 쓴웃음을 지었다.

이곳은 가민이 알려준 티크리트의 연락처인 것이다.

가민이 암호인 압둘 하질, 마흐달을 알려주었던 것이다.

그때 로간이 말을 이었다.

"사하드를 만나게 해주시오."

숙소 계단을 오르던 닉 윌링이 숨을 들이켰다.

앞쪽 벽에 사내 하나가 기대서 있었기 때문이다.

오후 9시 10분.

이곳은 티크리트 시내의 2층 연립주택 내부 계단이다.

사내와의 거리는 3미터 정도.

계단에 전등이 없기 때문에 밖에서 비친 불빛에 사내의 윤곽만 보인다.

"누구야?"

닉이 물었을 때 사내가 한 걸음에 한 계단을 내려왔다.

그 순간, 밖의 불빛에 사내의 얼굴 한쪽이 드러났다.

"엇!"

그 순간, 닉이 낮게 외쳤다.

낯이 익다. 코 밑과 턱에 수염이 무성했지만 지노 장이다.

잊어버릴까 봐 수배자 사진을 머릿속에 넣어놓은 닉이다.

지노와 지난번에 통화까지 했던 것이다.

닉이 입을 열었다.

"아니, 당신……."

"그래. 내가 지노요."

"여, 여기까지……."

"당신 만나러 왔어, 닉 윌링 씨."

"이, 이런."

"한 시간이나 기다렸어."

"지노, 집으로 들어갈까요?"

"그럽시다."

고개를 끄덕인 지노가 물러섰다.

닉이 앞장을 서라는 시늉이다.

닉 윌링은 30평쯤의 연립 주택에 혼자 살고 있다.

지저분한 집 안. 응접실에 옷가지와 서류, 맥주 캔까지 흩어져 있다.

닉이 서둘러 소파 위를 치우고 문을 열어 환기까지 시켰다. 그리고 지노를 소파로 안내하고는 냉장고에서 맥주를 꺼내 권했다. 그러고 나서 재킷을 벗어 내동댕이치더니 녹음기를 꺼내 탁자 위에 놓았다.

어수선한 동작이었지만 '취재 본능'이 작동하고 있다.

그때 지노가 손을 뻗어 녹음기를 집어 전원을 껐다. 그러고는 똑바로 닉을 보았다.

"닉, 여러 가지로 도와줘서 고맙습니다."

"내가 무슨."

당황한 닉이 쓴웃음을 지었다.

"그렇게 말하면 내가 곤란해지는데."

"제대로 보도해줘서 고마운 거요."

"그거야……."

"특종도 하셨고……."

"카밀라 후세인을 말하는 거요?"

"후세인 각하의 증언 테이프 발표에도 도와주셨지."

"그건 특종도 아냐. 프랑스 언론이 신바람을 냈지."

"……."

"카밀라 후세인은 만나 보셨소?"

"아니."

닉이 지그시 지노를 보았다.

"지노, 카밀라를 경호하고 후세인한테 가다가 당했다고 들었는데……."

"맞아."

"당신은 저격당해 사망하고 카밀라는 잡혔지 않아?"

"맞아. 내가 살아있는 것만 빼고."

지노가 지그시 닉을 보았다.

"닉, 부탁이 있어."

"옳지."

닉이 쓴웃음을 지었다.

"당신이 내 얼굴 보려고 찾아왔을 리는 없지."

지노가 고개를 끄덕였다.

"밖에 내 부하들이 있어."

"혼자 왔을 리는 없지."

"카밀라하고 면담도 금지되었다면서?"

"지난번 특종을 한 후부터."

닉이 눈을 가늘게 뜨고 지노를 보았다.

"무슨 흉계를 꾸미려는 거야?"

"카밀라하고 접촉하는 건 변호사뿐인가?"

"내가 그 친구한테서 카밀라 동향을 듣고 있어. 물론 그놈이 나만 만나는 것은 아니지만."

"내가 카밀라를 탈옥시키는 데 도와줄 수 있어?"

"역시."

닉이 얼굴을 일그러뜨리며 웃었다.

"다시 티크리트까지 돌아온 지노다운 발상이군."

어깨를 부풀린 닉이 천천히 고개를 저었다.

"스스로 대특종을 만들어서 자폭할 만큼 무모한 놈이 아냐, 나는."

"내가 1천만 불을 내지. 내가 후세인 각하한테 받은 용병 대금을 내놓는 거야, 닉."

"돈을 엄청나게 받은 것 같군."

"죽으면 필요 없는 돈이야, 닉."

"1천만 불이라."

"넌 드러나지도 않을 테니까."

"……."

"거기에다 대특종을 하는 거야. 일거양득이지."

"……."

"거기에다 카밀라 후세인은 무슨 죄야? 아버지가 후세인이었다는 게 죄냐? 넌 좋은 일을 하는 거지. 그럼 일거삼득이다."

지노의 두 눈이 번들거렸고 이제는 목소리도 떨린다.

"나 같은 용병도 정의로운 일이라는 생각이 드는데. 넌 기자야. 도와줘, 닉."

지노가 안가에 들어섰을 때는 오후 11시 45분이다.

응접실에 앉아 있던 로간이 지노에게 말했다.

"지노, 사하드 소장을 만나기로 했어."

로간이 식당에서 연락원을 만난 이야기를 했을 때 지노가 고개를 끄덕였다.

"그래도 반군 지휘관하고 연락이 되고 있구나."

"믿을 수 있는지 확인해봐야지."

브라운이 거들었다.

"일단 연락은 했으니까 내일 다시 가봐야 돼."

대답한 로간이 지노를 보았다.

"닉 만나러 간 것은 어떻게 되었어?"

"그것도 두고 봐야 돼."

지노가 벽에 등을 붙이고 앉더니 길게 숨을 뱉었다.

이제 머리와 가슴, 다리의 상처는 다 아물었다.

헌병 중사 조이 맥클라우드가 눈을 떴을 때는 오전 7시 반이다. 어젯밤 술을 마시고 카샤와 뒹굴다가 늦게 잤지만 일찍 일어난 셈이다. 10년 가까운 군 생활의 습성 때문이다.

침실과 주방 겸 응접실이 붙어있는 5평짜리 흙집이다. 침대에 누운 채로 조이가 반쯤 열린 응접실에 대고 소리쳤다.

"카샤! 냉수 한 잔 가져와!"

카샤는 이집트 여자로 시내 미군용 클럽 아마존에 고용된 콜걸이다. 하룻밤 화대가 150불. 조이는 일주일에 한 번씩 카샤와 함께 외박하는 것이다.

"카샤!"

갈증이 난 조이가 다시 소리쳤을 때다. 문이 열리면서 두 사내가 들어섰다. 앞장선 사내는 손에 소음기가 끼워진 권총을 쥐고 있다. 놀란 조이가 벌떡 상반신을 일으켰을 때다.

"퍽!"

발사음과 함께 침대 윗부분의 나무 받침이 부서졌다.

"입 다물고 있어."

다가선 사내가 총구를 조이의 가슴에 겨눴다. 2미터 거리. 그때 다른 사내가 다가와 조이의 팔을 잡아 침대 위에 엎어 놓았다. 그러고는 팔을 뒤로 묶더니 곧 다리까지 테이프로 감았다.

잠시 후에 조이가 의자에 앉아 앞쪽에 앉은 사내를 본다.

허름한 작업복 차림, 덥수룩한 머리와 짙은 수염, 장신에 육중한 체격. 아랍인 같기도 하고 동양인 같기도 한 용모.

사내 하나는 응접실에 있는 것 같다. 카샤도 그곳에 있겠지.

이곳은 주택가 안이다. 찻길은 한참 밖이고 골목이 이어진 흙집들이 늘어섰고 카샤의 셋집도 그중 하나다. 창문도 없는 굴 같은 집 안이라 밖의 소음은 들리지 않는다. 그때 사내가 물었다.

"중사, 오늘은 휴가지?"

"오전에 소집이 있어."

조이가 바로 대답했다.

"내가 안 가면 찾아올 거야."

"그래?"

사내가 쓴웃음을 지었다.

"네가 오늘 휴가 나오기를 기다렸어, 조이 맥클라우드."

숨을 들이켠 조이에게 사내가 말을 이었다.

"난 지노 장이다. 용병 지노지."

지노가 조이에게 물었다.

"중사, 내 이야기 들었나?"

"들었습니다."

"어디까지 들었나 말해봐."

"무스 함버크가 쏘았다고 떠드는 것도 직접 들었습니다."

"내가 이렇게 살아있어, 중사."

"정말 지노 장입니까?"

"거짓말할 이유가 없지."

"그런데 날 왜 잡은 겁니까?"

"재미로 잡은 것 같나?"

순간 고개를 든 조이가 지노를 보았다. 눈동자가 흐려져 있다.

"그럼, 카밀라를……."

"네가 카밀라 경비를 맡고 있지?"

"내가 맡는 게 아니죠. 내 소대가 담당하는 겁니다."

"네가 그 소대의 선임하사 아닌가?"

그때 조이가 이마에 배어나온 땀을 머리를 흔들어서 털어내었다. 팔이 뒤로 묶여 있었기 때문이다. 그때 지노가 고개를 돌려 응접실 쪽에다 대고 불렀다.

"파하드."

그러자 곧 사내 하나가 방으로 들어섰다. 그때 지노가 말했다.

"중사 얼굴의 땀을 닦아줘라."

다가간 사내가 침대 시트를 집더니 조이의 얼굴을 거칠게 비벼주고 돌아갔다. 얼굴이 뭉개진 느낌이 든 조이가 의자에 다시 제대로 앉았을 때 지노가 지그시 시선을 주었다.

"조이, 너 군대 생활 9년 2개월째더구나. 상사 진급이 두 번째 누락되었고."

"……."

“2년 전 아프간에서 민간인 둘을 사살해서 군법회의에 나갔더군. 정상 참작은 되었지만 상사 진급은 어렵게 되었지?”

“잘 아시는군요.”

“내년쯤 제대할 예정이냐? 중사로 계급 정년이 되는 거 아닌가? 헌병대는 다른가?”

“용건이 뭡니까?”

마침내 조이가 눈의 초점을 잡고 지노를 보았다. 그때 지노가 말했다.

“조이, 내가 1백만 불을 내지.”

“…….”

“파리의 인터내셔널 은행에 네 차명계좌를 개설해놓고 1백만 불을 입금시켜주마. 내일이라도 가능해. 넌 계좌번호, 코드번호, 비밀번호만 갖고 있으면 아무도 모른다. 네가 개설하기 때문에 나는 돈만 넣어줄 뿐이지.”

“…….”

“카밀라를 탈출시켜야겠다, 조이.”

지노가 번들거리는 눈으로 조이를 보았다.

“카샤는 걱정 마, 집에 들어오자마자 기절시켜서 강도가 다녀간 줄로만 알 테니까.”

오후 8시 반.

식당 안으로 들어선 로간이 구석 쪽 자리에 앉았을 때 어젯밤의 종업원이 다가왔다.

“주방 뒷문으로 나가서 골목 왼쪽으로 20미터만 가면 왼쪽에 쪽문이 열려있을 겁니다. 거기로 들어가세요.”

종업원이 빠르게 말했다.

"거기에 사하드 님이 보낸 사람이 기다리고 있을 겁니다."

고개를 끄덕인 로간이 식당 안을 둘러보았다. 10개 테이블 중에 6개가 차 있었는데 그중 하나에 브라운과 마우디가 앉아있다. 지노와 파하드는 뒤쪽 골목에서 기다리고 있다. 오늘도 골목으로 나갈 줄로 예상한 것이다. 로간이 자리에서 일어서면서 물었다.

"당신이 같이 갈 건가?"

"아니. 난 여기 남아있어야 합니다."

종업원이 고개를 저었다.

"나는 주인이라 떠날 수 없어요."

"내가 함정에 빠질지도 모르지 않아?"

"그럴 리가 있습니까?"

"당신이 여기서 연락을 할 수도 있지. 민병대나 미군 정보원한테 말야."

로간이 식당을 둘러보았다.

"안에 민병대원이 손님으로 가장하고 있을지도 모르지."

"당신 동료들도 둘 와 있지 않습니까?"

종업원이 눈으로 브라운의 식탁을 가리켰기 때문에 로간이 풀썩 웃었다.

"알고 있었구만."

"나는 후세인 각하 시절부터 10년이 넘도록 이라크 정보국 소속 정보원이었소."

로간의 시선을 받은 종업원이 정색했다.

"동료하고 같이 가셔도 될 겁니다."

주방 뒷문으로 둘이 나왔다. 식당에 감시역으로 마우디가 남고 로간은 브라운과 함께 나온 것이다. 골목 안에서 기다리던 지노와 파하드를 부른 로간이 인쪽으로 다가갔다.

"집 안에서 기다린다는 거야."

로간이 종업원의 말을 설명해주었을 때 지노가 고개를 끄덕였다.

"좋아, 가자."

왼쪽 주택의 쪽문을 밀었을 때 문이 열렸다. 안은 어둡다. 지노가 손에 쥐고 있던 베레타를 앞으로 겨누고는 저택 안으로 들어섰다. 그때 어둠에 덮인 주택 안에서 목소리가 울렸다.

"로간 씨요?"

"그렇소."

지노 뒤를 따라 들어온 로간이 대답했다. 그때 마당 건너편 주택에서 사내 하나가 나타났다.

"이쪽으로."

작업복 차림의 사내는 비무장이다.

집 안.

바닥에 낡은 양탄자만 깔린 응접실. 흙벽은 거친 대로 놔두었지만 방 안은 깨끗하다. 촛불을 두 개 켜놓아서 방 안에 모인 사내들의 윤곽이 드러났다.

안쪽에 선 세 사내가 지노와 로간, 브라운을 맞는 것이다. 그때 가운데 선 사내가 셋을 둘러보았다. 40대쯤의 건장한 체격, 작업복 차림에 턱과 콧수염이 무성했고 눈매가 날카롭다.

"내가 사하드 장군의 참모장 압둘라 대령이오. 가민 장군의 참모를 지낸 적도 있소."

사내가 똑바로 로간을 보았다. 로간만 이름을 밝혔기 때문이다. 그때 압둘라가 로간에게 물었다.

"가민 장군은 어디 계시오?"

"우리도 모릅니다, 작전 중에 헤어졌으니까요."

로간이 말을 이었다.

"우리도 물읍시다. 사하드 장군은 어디 계십니까?"

"티크리트 부근에 계십니다."

"병력은 얼마나 됩니까?"

"그건 말하기 곤란한데."

"왜 그렇습니까?"

"기밀이 새어나갈 수도 있으니까."

"부탁이 있어서 만나자고 온 겁니다."

로간이 똑바로 압둘라를 보았다.

"그래서 장군을 만나려는 건데."

"로간 씨, 우리는 로간 씨에 대해서는 잘 몰라서 말요."

압둘라의 얼굴에 쓴웃음이 번졌다.

"당신이 한때 가민 장군의 용병이었다는 것만으로는……."

그때 지노가 입을 열었다.

"내가 지노요. 이름은 들어보셨겠지?"

그 순간 압둘라가 숨을 들이켜면서 지노를 보았다. 좌우에 앉은 사내들도 몸을 굳혔다. 지금까지 지노는 로간의 옆에서 시선도 들지 않고 있었던 것이다. 인사도 하지 않았다. 로간의 경호원 시늉을 했다. 그때 압둘라가 지노를 향해 돌아앉았다.

"당신이 지노란 말이오?"

지노는 콧수염과 턱수염이 무성한 데다 후줄근한 작업복 차림이다. 그때 지노가 말을 이었다.

"그렇소. 각하를 모셨고 카밀라까지 이라크에서 빼냈다가 다시 모시고 왔던 지노가 바로 납니다."

"그렇습니까?"

자리를 고쳐 앉은 압둘라가 지노를 보았다.

"여기까지 오셨군요."

"그렇습니다. 카밀라를 빼앗기고 다시 돌아온 셈이지요."

"여기 오신 목적이 뭡니까?"

그때 지노가 고개를 저었다.

"사하드 장군을 만나서 이야기합시다."

지노가 자르듯 말했을 때다. 압둘라 옆에 앉은 사내가 입을 열었다.

"내가 사하드요."

그 순간 지노와 사내의 시선이 마주쳤다. 지노의 얼굴에 쓴웃음이 번졌다. 사내도 지노처럼 외면하고 있었던 것이다. 사하드도 평범한 외모에 작업복 차림이다. 그때 지노가 입을 열었다.

"병력이 얼마나 됩니까?"

"2백 명이 조금 못 됩니다."

사하드가 순순히 대답했다.

"하지만 지금은 반군 활동도 거의 못하고 있는 실정이오. 제각기 시내에 흩어져서 가끔 연락이나 할 뿐이지요."

"……"

"그래서 민병대나 용병들의 추적이 무디어졌고 미군도 요즘은 단속을 심하게 하지 않습니다."

반군 활동이 거의 와해 수준이라는 말이나 같다. 사하드가 시내 민가에 자리 잡고 있는 것이 그 증거일 것이다.

지노가 고개를 끄덕였다. 티크리트에 잠입한 지 오늘로 8일째가 된다. 그래서 시내의 검문검색이 허술한 상황도 안다. 주변에서 반군과 교전이 일어났다는 말도 들리지 않았다. 그때 지노가 물었다.

"시내 미군 기지를 공격할 수 있습니까?"

"시내의 미군 기지를 말이오?"

되물은 사하드가 곧 쓴웃음을 지었다.

"그러면 엄청난 후폭풍이 올 텐데."

"당연하지요."

"목적은 뭐죠?"

"이라크 재건."

"그것이 가능합니까?"

"꼭 가능해야 반군이 싸웁니까?"

지노가 웃음 띤 얼굴로 사하드를 보았다.

"이미 이라크는 멸망했다고 믿고 계시는군요."

"그렇소."

사하드가 지노의 시선을 받은 채 고개를 끄덕였다.

"내가 현상금 2백만 불짜리였소."

"……."

"그런데 지금은 얼마인지 아시오?"

"더 올랐습니까?"

"이젠 현상금이 없어졌소."

사하드가 흐린 눈으로 지노를 보았다.

"공식 발표는 안 했지만 현상금이 없어졌다는 건 민병대, 반군까지 다 압니다."

"……"

"지난달에 이라크 제14사단장 오마르가 민병대원에게 사살되었는데 미군 당국은 1달러도 주지 않았소. 이젠 가치가 없어졌기 때문이오."

"……"

"후세인, 카밀라까지 다 잡히고 주위의 장군들, 마흘락, 가민, 파라드, 수르토 등까지 모두 소멸된 상태요. 이젠 다 끝났습니다."

사하드가 얼굴을 일그러뜨리며 웃었다.

"그래서 내가 이렇게 시내 복판의 민가에서 당신을 만나고 있는 거요. 이젠 민병대의 정보원도 돌아다니지 않소."

"반군 동원은 포기하는 것이 낫겠어."

돌아오면서 로간이 말했지만 지노는 입을 열지 않았다.

거리는 통행인이 많았는데 전쟁 전의 분위기로 돌아가 있다. 다만 경찰 대신 민병대가 드문드문 보이고 상점이 절반쯤 문을 닫은 것이 다를 뿐이다. 브라운이 혼잣소리로 말했다.

"지노, 네가 살아 돌아왔다는 소문이 금방 퍼질 것 같다."

지노는 대답하지 않았고 브라운이 말을 이었다.

"현상금이 바닥났다고 해도 네 몫은 좀 줄 것 같은데, 지노."

그때 로간이 뒤를 따르는 파하드에게 말했다.

"미행이 있는가 봐라."

그러자 파하드가 걸음 속도를 늦추더니 마우디와 함께 그들로부터 멀찍이 떨어졌다.

"당연한 일이야."

지노가 앞쪽을 향한 채 말했다.

"각하가 사라진 지금 누가 그 역할을 대신할 수 있겠어? 이제 마흘락도, 가민도, 그리고 새로운 각하까지 다 사라진 세상이다."

말을 그쳤던 지노가 심호흡을 했다.

"카밀라만 구해서 여기를 떠나자."

문이 열렸기 때문에 카밀라가 고개를 들었다.

헌병 조장이 들어서고 있다. 낯이 익은 사내다. 카밀라를 감시하는 헌병들의 조장이다. 응접실로 들어선 헌병이 주위를 두리번거리더니 화장실로 다가갔다. 조장의 가슴에 조이(Joy)라는 명찰이 붙어 있었기 때문에 카밀라는 외우고 있다. 화장실을 둘러보던 조이가 카밀라에게 물었다.

"이거 뚜껑이 안 열립니까?"

이맛살을 찌푸린 카밀라가 자리에서 일어나 화장실로 다가갔다. 안으로 들어선 카밀라에게 조이가 말했다.

"카밀라 씨, 지노의 편지 가져왔습니다."

말을 잘못 알아들은 카밀라가 숨만 들이켰을 때 조이가 주머니에서 접힌 종이를 꺼내 내밀었다. 그리고 낮게 말한다.

"감시 카메라와 도청 장치가 있으니까 여기서 읽고 숨겨요."

그러고는 조이가 먼저 화장실을 나갔다.

조이가 나갔을 때 한동안 멍한 얼굴로 서 있던 카밀라가 이윽고 화장실의 문을 닫았다. 그러고는 종이를 펴고 읽었다. 펜으로 쓴 편지다.

'카밀라, 나 지노요. 당분간 조이를 통해 연락할 겁니다. 당신을 빼내려고 티크리트에 와 있습니다. 할 이야기가 있으면 조이를 통해 전달해주면 됩니다. 당신

의 용병 지노가.'

다 읽은 편지를 물끄러미 들여다보던 카밀라의 눈에서 눈물이 흘러내렸다. 그러나 카밀라는 눈물을 그대로 둔 채 그 자리에 서 있었다.

'당신의 용병'이라고 했다.

오전 11시 반.

이곳은 티크리트 주둔 7사단 사령부 안. 정보참모 빌리 모튼 중령이 부관 젠슨 대위와 함께 사내 하나를 면담 중이다. 그때 젠슨이 물었다.

"지노가 분명해?"

"예, 본인이 직접 제 입으로 말했으니까요. 제가 함께 만났다니까요."

사내가 테이블 위에 놓인 지노의 사진을 손으로 짚었다.

"이놈입니다. 확실합니다."

젠슨이 힐끗 빌리를 보았다. 그때 사내가 말을 이었다.

"미군을 공격할 수 있느냐고 물었는데 사하드 장군이 거부했습니다."

"미군을 공격할 수 있느냐고 물었어?"

"예, 미군 기지를 공격할 수 있느냐고……."

"목적은 뭔데?"

"그건 말하지 않았습니다."

"그래서?"

"사하드 장군이 그것은 이제 불가능한 일이라고 말했더니 그냥 돌아갔습니다."

"미행은 했나?"

"뒤를 둘이 따라갔지만 조심하고 있어서 놓쳤습니다."

그때 듣기만 하던 빌리가 젠슨에게 말했다.

"사하드 옆에 요원을 배치시켜."

"예, 참모님."

빌리의 시선이 사내에게로 옮겨졌다. 사내는 어젯밤 사하드와 함께 지노를 만났던 셋 중 하나다.

"사하드한테 전해."

"예, 참모님."

"다시 그놈이 오면 적극적으로 협조한다면서 끌어들이라고 해. 무슨 말인지 알지?"

"예, 참모님."

"지노 그놈한테는 현상금 적용하겠다고도 전해."

"알겠습니다."

자리에서 일어선 사내가 방을 나갔을 때 젠슨이 물었다.

"작전참모부에 알릴까요?"

"놔둬."

빌리가 고개를 저었다.

"그러면 금방 아르카디 놈들한테도 정보가 샌다. 재주는 우리가 부리고 돈은 아르카디 놈들이 가로채게 돼."

"알겠습니다."

"당분간 기밀을 지켜."

"예, 참모님."

그러나 3시간도 못 되어서 젠슨이 앞에 앉은 톰슨에게 말했다.

"지노가 사하드를 만났어요."

"무엇이?"

놀란 톰슨이 자리를 고쳐 앉았다. 이곳은 시내의 미군 클럽 안. 젠슨이 톰슨을 불러낸 것이다.

"어젯밤 사하드를 만났다는 겁니다."

젠슨의 말을 듣는 동안 톰슨이 숨도 쉬는 것 같지 않더니 입맛을 다셨다.

"아깝다. 우리가 잡는 건데."

"이틀 전 밤에 로간이란 놈이 찾아왔는데 사하드 쪽은 대비는 하고 있었답니다."

"……."

"그래서 식당 안과 골목에 여섯 명을 배치시켰다가 지노가 부하들을 데려오는 바람에 미행도 제대로 못한 것 같습니다."

"병신들."

톰슨이 쓴웃음을 지었다.

"그놈들이 우리 아르카디도 골탕을 먹인 놈들인데 오합지졸 주제에 기습을 하겠다고?"

"지노가 대여섯 명을 데리고 왔다는군요."

"그놈이 티크리트에서 복수전을 하겠다는 건가?"

"어쨌든 지노가 살아있는 것이 확실해졌습니다. 사하드 참모가 지노의 사진을 보고 확인했으니까요."

"고마워, 젠슨."

"내가 적금을 들고 있는 겁니다."

"넌 아르카디에 오면 기획관으로 일하게 될 거야, 젠슨. 군에서보다 5배는 더 받게 될 거라고."

자리에서 일어선 톰슨이 말을 이었다.

"내가 먼저 나갈게."

비밀 회동인 것이다.

뉴욕타임스가 카밀라 후세인에 대한 후속 보도를 한 것이 이틀 후다. 티크리트 주재 특파원 닉 월링의 기사가 나온 것이다.

"카밀라 후세인, 짐승보다 못한 연금 상태에서 생활하고 있다."

제목이다.

보도 내용은 카밀라가 변호사만 면담 허용이 되고 10평 면적의 축사 밖으로는 출입이 불허되며 짐승처럼 갇혀있다는 것이다. 더구나 평소에 백혈병, 저혈압, 우울증, 위장염 등 지병을 갖고 있는 카밀라가 그동안 한 번도 병원 검진을 받지 않았다고 폭로했다.

뉴욕타임스는 정치면 페이지의 절반 정도나 차지하는 폭로 기사를 쓴 것이다. 이것은 명백한 '인권 침해'이며 여성에 대한 '학대'이며 부시 정부의 '악랄한 보복'이라고 했다. 카밀라 후세인은 그 피해자라는 것이다.

"이 빌어먹을 놈."

두 달 전에 7사단장으로 부임한 쟈크 루만스키 소장이 손에 쥔 뉴욕타임스를 내던지며 말했다. 앞에 앉은 참모장 호간 대령이 잠자코 신문을 집어 바로 놓았다.

오후 2시 반.

사단장실 안이다. 쟈크가 고개를 들고 호간을 보았다.

"카밀라가 지금 두 달째 잡혀 있다고?"

"52일째입니다."

호간이 바로 대답했다.

"닉 월링은 지난번 보도사건 후로 출입을 금지시켰는데 변호사 윈스턴을 통해 정보를 받는 것 같습니다."

"개아들 놈."

쟈크는 53세. 내년에 중장으로 진급할 예정이다. 그래서 자신의 신상에 신경을 곤두세우고 있는 상황이다. 그때 호간이 말했다.

"장군, 아무래도 카밀라를 정기검진을 받게 하는 것이 낫겠습니다."

"……."

"하긴 그동안 병원 검진을 받은 적이 없습니다. 별일이 없었거든요."

"병원이 어디야?"

"예, 사단 직속의 제14의무대대가 낫겠습니다."

"거기 경비 상황은 어때?"

"바로 옆에 3연대 1대대가 있습니다."

"좋아. 병동을 하나 빌려서 그쪽에 보내도록 해."

"헌병대와 의무대대에 연락을 하겠습니다. 준비를 시키고 나서 보내야죠."

호간도 대령 5년 차인 것이다. 장군 진급에 신경을 써야만 한다.

"뭐? 지노가 나타났어?"

무스가 묻자 사이론이 고개를 끄덕였다.

"당신은 친구가 적은 모양이네. 그걸 모르는 사람들이 없는데 말야."

"개소리."

아르카디 사령부 안. 구내식당에서 무스가 사이론과 마주 앉아 있다. 사이론은 본부장 소속의 정보팀원이다.

오후 4시 반.

무스는 본부에 보고하러 왔다가 사이론을 만난 것이다. 무스가 물었다.

"누가 본 거야? 그놈이 살았어?"

"확인했어. 사단 정보원이."

사이론이 눈을 가늘게 뜨고 웃었다.

"네가 죽였다는 건 빈말이 되었지, 무스."

"너, 날 거짓말쟁이로 모는 거냐?"

"그건 아냐, 무스."

사이론이 쓴웃음을 지었다.

"넌 카밀라를 생포해 온 영웅이야. 하지만 지노는 죽이지 못한 거지."

"그놈이 뭐 하러 온 거야?"

"그건 네가 만나서 물어보든지."

사이론이 말을 이었다.

"지금 사단 정보팀이 총출동했어."

"우리도 움직이나?"

"사단이 지노를 우리한테 넘기지 않고 직접 처리할 모양이야. 아직 연락이 없어."

무스의 시선을 받은 사이론이 자리에서 일어섰다.

"아르카디가 동원되면 또 언론의 주목을 받거든. 지노가 다시 언론에 나오면 사단장 심기가 불편해질 테니까. 그냥 저희들끼리 처리하는 거지."

오후 6시 반.

응접실 겸 주방에 앉아있던 조이는 문이 열리는 기척에 고개를 들었다. 안으로 지노가 들어서고 있다. 자리에서 일어선 조이를 보더니 지노가 쓴웃음을 지었다.

"중사, 이제 기둥서방 티가 나는구나."

셔츠에 바지 차림의 조이는 웃지도 않았다. 앞쪽 플라스틱 의자에 앉은 지노에게 조이가 바지 주머니에서 접힌 쪽지를 내밀었다.

"카밀라 씨 답장입니다."

"고맙네."

받아든 지노가 쪽지를 폈다. 카밀라가 펜으로 쓴 편지다.

'지노, 아버지는 지금 어디 계시죠? 여기 함께 오신 건 아니죠? 나한테 신경 쓰느라고 아버지까지 위험해지면 안 되죠. 당신 편지 받고 기뻤어요. 내 걱정은 말고 아버지를 도와주세요. 그리고 아버지께 안부 전해주세요. 사랑하고 존경한다는 말도 전해주시구요. 고마워요, 지노. 당신의 카밀라가.'

숨도 쉬지 않고 편지를 읽던 지노가 '당신의 카밀라'라고 쓴 곳에 시선을 박고는 한동안 떼지 않았다. 이윽고 지노가 고개를 들었을 때 조이가 말했다.

"대장님, 카밀라 씨가 곧 제14의무대대로 옮길 것 같습니다. 그래서 의무대대의 병동 경비 체제를 강화하고 있습니다."

"너도 같이 가나?"

"예, 지원했더니 경비책임자로 임명되었지요. 가려는 놈들도 없어서요."

"잘됐다."

"돈 받은 값을 해야죠."

이제 조이의 얼굴에 슬며시 웃음이 떠올랐다. 조이는 파리에 개설한 은행 계좌로 1백만 불을 송금 받은 것이다. 집주인 카샤는 지금 클럽에서 일하는 중이다. 그때 조이가 말을 이었다.

"뉴욕타임스 기사가 나온 후에 사단장이 지시를 한 겁니다. 지금 의무대대 제2병동 경비 시설 작업을 하고 있습니다."

"언제 옮기나?"

"계획은 다음 주 초입니다. 그곳에서 당분간 머물 것 같습니다."

고개를 든 조이가 지노를 보았다.

"그리고 카밀라 씨 변호사 윈스턴 씨가 교체되었습니다. 새 변호사는 레이몬드 대위입니다."

"윈스턴이 닉 윌링하고 자주 만난다는 것을 알았기 때문이겠지."

쓴웃음을 지은 지노가 고개를 끄덕였다.

"레이몬드는 어떤 놈이야?"

"흑인인데 오늘 아침에 카밀라 씨한테 인사하고 돌아갔습니다."

"잠깐 기다려라. 내가 카밀라 씨한테 편지를 써줄 테니까."

"예, 커피 한 잔 드릴까요?"

자리에서 일어선 조이가 묻자 지노가 고개를 끄덕였다.

"밖에 있는 친구한테도 한 잔 가져다줘."

오늘은 파하드하고 같이 온 것이다.

오후 10시가 되었지만 식당은 손님이 많았기 때문에 브라운과 마우디는 구석 자리를 잡고 앉았다. 둘은 작업복 차림에 AK-47을 들었고 허리에는 30발들이 탄창 3개가 끼워진 탄띠를 찼다. 용병 행색이다.

식당에는 민병대원 7, 8명이 식사를 하고 있었는데 떠들썩했다. 다가온 종업원에게 브라운이 양고기와 빵을 시켰을 때다. 옆쪽 자리에 앉아있던 농부 차림의 사내가 브라운에게 물었다. 영어다.

"어디 소속이오?"

"당신은 누군데?"

브라운이 눈썹을 모으고 되물었다. 방심했기 때문에 화가 난 것이다.

옆쪽 식탁의 사내 셋은 완벽한 농민, 주민 행색이었다. 더러운 양복저고리 밑으로 기워 입은 바지, 타이어를 잘라 만든 샌들에 더러운 발, 때에 찌든 얼굴과 지저분한 수염을 기른 정보요원이라니.

그때 사내가 이를 드러내고 웃었다. 그 순간 고르고 흰 치아가 드러났다. 미군 정보부대 요원이다. 철렁 가슴이 내려앉은 브라운이 그러나 따라 웃었다.

"변장이 감쪽같군, 솔저."

"놀랐소?"

사내가 웃음을 띠고 물었지만 눈빛이 강해졌다.

"난 사단 직할 정보중대 소속 커트 중사야. 당신은?"

"난 아르카디 베이글 조 소속 우든."

그때 사내가 손을 내밀었다.

"신분증."

"젠장. 밥이나 먹고 이 지랄을 하면 안 될까?"

"아르카디에 베이글 조가 있다는 소리 못 들었는데."

브라운은 나머지 둘의 손이 제각기 탁자 밑에 들어가 있는 것을 보았다. 빈틈없는 자세다. 그 순간 브라운의 눈앞에 바질의 얼굴이 떠올랐다.

지저스. 바질, 왜 하필 이때에.

그때 브라운의 시선이 앞에 앉은 마우디에게로 옮겨졌다.

마우디와 시선이 마주쳤다. 마우디는 탈레반이다. 26세. 파키스탄의 페샤와르에서 브라운으로부터 특공대 교육을 받은 제자다. 1초밖에 안 되는 짧은 순간이다. 브라운이 고개를 돌려 다시 사내를 보았다.

사내는 아직도 손을 내밀고 있다. 식당 안은 아직도 떠들썩하다. 민병대들은 이쪽 분위기를 눈치채지 못했다.

"좋아."

브라운이 고개를 끄덕이며 웃었다. 그러고는 덧붙였다.

"알라 아크바르."

브라운이 끄덕이면서 재킷 안주머니에 손을 넣었을 때다.

"천천히."

사내가 정색하고 말했다. 브라운의 손이 가슴주머니에 들어간 채 주춤했다. 세 사내의 시선이 모두 브라운의 가슴에 들어간 손으로 모여 있다. 짧은 순간. 그 순간이 1초 정도밖에 안 되었다. 그 순간이다.

"탕탕탕탕."

네 발의 총성이 울렸다.

마우디다. 마우디가 주머니에 넣어둔 리볼버를 꺼내 난사한 것이다. 먼저 브라운을 상대했던 사내가 얼굴에 총탄을 맞고 뒤로 벌떡 넘어졌다. 두 발 맞았다. 또 한 발은 그 옆쪽 사내의 어깨에, 다른 한 발은 빗나갔다.

네 발이 발사된 순간은 1초 정도. 그다음 순간. 브라운이 의자와 함께 뒤로 넘어졌다. 동시에 다른 사내가 테이블 밑에서 겨누고 있던 총이 발사되었다.

"타타타탕."

AK-47이다. 브라운을 겨누고 있었지만 총구를 돌려 마우디를 쏜 것이다. 그 다음 순간이다.

"탕탕탕."

뒤로 넘어졌던 브라운이 가슴에서 권총을 꺼내 쏜 것이다. 브라운도 방아쇠를 당기면서 마우디가 뒤로 넘어지는 것을 보았다.

"탕탕탕."

다시 브라운의 베레타에서 총성이 울렸다. 마우디를 쏜 사내가 테이블과 함께 넘어졌다. 요란한 소리가 나면서 민병대원들이 소스라치며 일어섰다. 그때 브라운이 몸을 뒹굴어 옆에 놓인 AK 47을 집어 들었다.

"타타타타타타."

브라운이 쥔 AK-47이 이제는 민병대를 향해 난사되었다.

"타타타타타타."

총탄이 옆쪽 테이블의 사내들에게로도 쏟아졌다. 아직 살아있던 사내 하나의 머리통이 부서졌다.

"타타타타타타."

사방으로 흩어지던 민병대원들이 이제는 다 바닥에 쓰러졌다.

"마우디!"

브라운이 소리쳤다. 그러나 마우디는 테이블 다리에 비스듬히 상반신을 기댄 채 대답하지 않았다. 두 눈을 치켜뜨고 있었지만 눈빛은 흐리다.

브라운은 AK-47을 쥔 채 식당 밖으로 뛰쳐나갔다. 마우디는 우수한 탈레반 학생이었다. 브라운의 눈짓 한 번에 자신이 미끼가 되기로 결심한 것이다. 거리를 내달리던 브라운의 눈에서 눈물이 흘러내렸다.

탈레반 하나가 티크리트에서 전사했다.

대 사건이다.

티크리트 주둔 7사단 사령부에 비상이 걸렸다. 시내로 1개 연대 병력이 투입되었고 아르카디 용병대도 10개 조를 동원했다. 시내 식당에서 사단직할 정보대원 3명이 사살된 것이다. 그뿐 아니다. 민병대원 5명도 사살되었고 3명 중상, 주민 4명도 중상이다.

반군 1명도 현장에서 사망했는데 신원 미상이다. 도주한 반군의 인상착의가 금방 배포되었고 시내는 검문검색으로 뒤덮였다.

5장 카밀라의 탈출

“마우디가 내 대신 죽었어.”

브라운이 일그러진 얼굴로 앞에 앉은 지노와 로간을 보았다. 안가 안이다.

“내가 대신 죽으라고 한 거야.”

“그만.”

상황 설명을 들은 로간이 브라운의 말을 막았다.

“전사답게 죽은 거다, 브라운.”

오전 9시다.

그때 밖에 나가있던 파하드가 안으로 들어서면서 말했다.

“거리에 미군과 민병대가 싹 깔렸습니다. 이쪽으로도 민병대가 가택 수색을 하고 있습니다.”

파하드가 셋을 둘러보았다.

“아브라함이 집 밖으로 나가지 말라고 합니다.”

아브라함이 집주인이다. 그들은 아브라함 저택의 별채에 머물고 있었는데 지노가 집세로 1만 불을 주었다. 아브라함은 가민과 후세인이 티크리트 근처에서 활동하던 시절부터 협력자였던 것이다. 아브라함의 아들 만푸즈가 민병대 중대장이어서 가택 수색은 받지 않는다. 그때 브라운이 지노에게 말했다.

“지노, 미안해. 집에 들어와서 밥을 먹는 건데 방심했어.”

“아냐, 브라운.”

지노가 쓴웃음을 지었다.

"운(運)이야. 나도 저녁에 식당에서 밥 먹었거든."

방 안으로 들어선 조이가 주위를 둘러보는 시늉을 했다.

오전 9시 반.

헌병 조장이 방 안을 점검하고 수감자의 상황을 체크하는 시간이다. 소파에 앉은 카밀라가 꺼진 TV에 시선을 준 채 움직이지 않았다. 조이가 방 안을 서성대면서 카밀라의 주위를 맴돌았다.

CCTV 카메라는 응접실의 천장 전등 옆과 침실의 왼쪽 벽 구석에 박혀 있다. 도청장치는 TV 뒤쪽 벽에 부착되어서 TV 소리에 방해가 된다. 그래서 도청장치를 옮기려다가 이번에 카밀라가 병동에 가는 동안에 공사를 하기로 했다.

침실과 화장실까지 둘러본 조이가 카밀라 앞쪽으로 다가가더니 물었다.

"뭐, 불편한 것 없습니까?"

"없어요."

"그럼 내일 오전에 다시 봅시다."

그러더니 조이가 자리에 앉지도 않고 몸을 돌렸다. 방에 들어온 지 5분도 걸리지 않았다. 조이가 방을 나갔을 때 카밀라가 한동안 꺼진 TV를 응시하다가 자리에서 일어섰다.

화장실로 들어선 카밀라가 변기 위에 놓인 편지봉투를 보았다. 변기 앞에 선 카밀라가 봉투에서 편지를 꺼내고는 숨을 골랐다. 지노의 편지다.

'카밀라, 곧 의무대대 병동으로 옮겨질 거요. 그곳에서 당신을 탈출시킬 계획입니다. 그러니까 지병이 있는 것처럼 행동하는 것이 이롭습니다. 각하께서도 기다리고 계십니다. 당신의 용병 지노가.'

선 채로 편지를 세 번이나 읽어 본 카밀라가 곧 종이를 잘게 찢었다. 그러고는 조금씩 변기에 나눠서 흘려보냈다.

오전 11시 반이 되었을 때 변호사 레이몬드가 찾아왔다. 레이몬드는 윈스턴과 다르게 성실하다. 일이 없어도 찾아오는 성격이다. 윈스턴은 뭘 시켜야 했는데 레이몬드는 제가 할 일을 찾아낸다.

"카밀라 씨, 오후에 의사가 올 겁니다. 검진을 하러 오는 것이니까 신경 쓰실 건 없습니다."

레이몬드가 말했다. 지노의 쪽지로 병동에 간다는 사실을 알고 있었기 때문에 카밀라는 시선만 주었다.

"그 검진과 상관없이 곧 병동으로 옮겨서 한동안 지내게 될 겁니다."

"……."

"바그다드 병원에서 후세인 일가의 검진 기록을 찾아냈습니다. 거기에 카밀라 씨 기록도 있더군요. 그것이 참고가 되었습니다."

"……."

"병동으로 가면 여기보다는 환경이 더 나아질 겁니다. 산책도 할 수 있고 병실 조건도 더 쾌적하지요. 물론 식사도 훨씬 낫고요."

레이몬드의 시선이 TV로 옮겨졌다.

"TV도 채널이 많아요. 시간도 거의 제한이 없을 겁니다."

"고맙습니다."

마침내 카밀라가 사례했다.

"그럼 변호사님도 그곳에 같이 가시는 거죠?"

"그럼요."

레이몬드가 어깨를 폈다.

"당연한 일이지요."

무스 함버크에게 지노가 티크리트에 출현했다는 사실은 모욕이었다.

무스에게 지노의 이름이 회자될 때마다 총을 맞는 느낌이 들 정도였다. 지노는 적이지만 용병계의 전설이었던 것이다. 그 지노를 저격해서 '죽여' 절벽으로 떨어뜨렸다고 무스가 떠들어대었기 때문이다. 그것이 허위로 판명된 셈이니까 떠든 만큼 '욕'이 되어서 돌아오고 있다.

"죽은 놈은 탈레반이야. 이곳에 탈레반 전사가 나타날 이유는 하나뿐이지."

깁슨이 앞에 둘러앉은 조장들을 보았다.

"지노가 데려온 용병이란 말야."

모두 숨을 들이켜거나 웅성대는 바람에 상황실 분위기가 어수선해졌다.

"조용히."

톰슨이 소리쳤을 때 팔짱만 끼고 서 있던 깁슨이 말을 이었다.

"그놈이 반군 지휘관을 만나 부대를 공격하자고 했어. 복수를 하려는 것 같다. 그러다가 식당에서 일을 저지른 건데."

깁슨의 시선이 조장들을 훑고 지나갔다.

"식당에서 살아 도망간 놈은 지노가 아닌 것 같지만 일행이 분명해."

그때 깁슨의 시선이 무스에게 닿았다가 떼어졌다.

"지노가 다시 나타나기를 기다리는 자들이 많아. 그렇게 되면 그놈은 두 번 죽는 셈이지."

그러자 조장들 사이에서 웃음이 터졌다. 첫 번째 죽인 사람이 바로 무스였기 때문이다.

오후 8시 반.

지노가 앞에 앉은 브라운, 로간을 보았다. 안가의 방 안. 촛불을 켜놓은 방 안에 셋의 그림자가 흔들리고 있다. 지노가 둘을 번갈아 보았다.

"사하드가 배신한 건 틀림없어. 그놈한테서 정보가 나간 거야."

지노가 쓴웃음을 지었다.

"이젠 식당 사건으로 내가 공개 수배된 상태가 되었어."

"이 사건만 없었다면 그놈 사하드를 먼저 없애는 건데."

로간이 말을 받았다.

"그놈이 배신자야. 지금까지 그런 식으로 반군들을 미군에 넘긴 거야."

그때 브라운이 지노를 보았다.

"지노, 주의를 돌리는 게 어때?"

지노의 시선을 받은 브라운이 말을 이었다.

"우리가 티크리트에서 빠져나간 것으로 만드는 거야."

"……."

"내가 나가서 민병대 초소나 미군 기지를 폭파하는 거야. 아나 쪽이나 아래쪽에서 터뜨리는 것이지."

브라운이 번들거리는 눈으로 지노를 보았다.

"눈앞에 마우디의 얼굴이 어른거려서 견딜 수 없어. 이렇게 집 안에 박혀있다가는 폭발할 것 같다고."

"닥쳐, 브라운."

로간이 나무랬다.

"부하 죽인 것이 하나둘이냐? 어차피 나도 너도 떠난다. 차분하게 기다려."

"이러다간 작전에 차질이 있을 것이라는 말이지."

그때 지노가 고개를 들고 브라운을 보았다.

"브라운, 네 말이 맞다."

지노가 말을 이었다.

"이렇게 박혀있을 수만은 없어."

방 안에는 셋이 둘러 앉아있다. 밖에는 파하드가 나가있다. 넷이 남은 것이다. 넷이 이 작전을 수행하고 있다. 카밀라 구출 작전이다.

그날 밤 오전 1시가 되었을 때 브라운이 떠났다.

등에 배낭을 메었고 어깨에는 AK-47을 걸친 민병대 차림. 민병대는 미군 군복을 입었기 때문에 브라운은 집주인 아브라함한테서 아들 만푸즈가 두고 간 옷을 얻어 입었다. 어둠 속으로 브라운이 사라졌을 때 문 안에서 배웅한 로간이 지노에게 말했다.

"저 자식 인사도 제대로 않고 가는군."

지노는 반쯤 열린 문 밖만 보았고 로간이 말을 이었다.

"살아서 만나야 할 텐데."

"……."

"그러려고 인사말도 안 한 건가?"

"……."

"언제 용병이 인사말 하고 죽었나? 길 가다가 유탄을 맞고 가는 수도 있는데."

"난 카밀라한테 각하가 가셨다는 말도 전하지 않았어."

불쑥 지노가 말하자 이번에는 로간이 입을 다물었다. 어둠에 덮인 문 앞에서 둘은 말없이 서 있다. 집 앞은 골목이다. 깊은 밤이어서 텅 비었고 멀리서 아이의 울음소리가 들렸다. 그때 지노가 말을 이었다.

"도저히 그 말은 못 쓰겠더라."

로간도 지노가 카밀라에게 연락을 하고 있는 것을 알고 있는 것이다. 로간이 고개를 끄덕였다.

"잘했어, 지노."

카밀라를 구해내는 것이 우선이다. 카밀라가 후세인의 죽음을 안다면 생의 의욕을 잃어버릴지도 모르는 것이다.

무스가 사하드를 만났을 때는 오전 8시 반이다.

무스는 양고기식당 주인 무슬람을 통해 바로 골목 옆집인 사하드의 안가로 들어온 것이다. 사하드가 질색을 했지만 무스는 막무가내로 진입했다. 무스는 퍼킨스와 캔튼을 수행시켰다.

"아르카디도 이번 비상작전에 동원되었으니까 부담 느끼지 마시오."

무스가 사하드를 똑바로 응시하면서 말했다.

"부탁 하나만 하고 갑시다."

사하드가 눈썹만 찌푸렸다. 사단 정보대와 통하고 있었지만 아르카디가 쳐들어왔다고 해도 이상한 일이 아니다. 사단 측에서 펄펄 뛸 이유도 없다. 그때 무스가 말을 이었다.

"장군, 지노가 다시 이곳에 찾아올 가능성이 있어요. 그때 내 전갈을 전해주시오."

무스가 사하드의 안가를 나왔을 때다. 주민 차림의 사내 셋이 다가왔다.

"잠깐 봅시다."

사내들은 주민 차림을 했지만 서양인이다. 미군인 것이다. 무스와 퍼킨스, 캔튼도 대번에 파악이 되었기 때문에 주춤 멈춰 섰지만 다른 동작은 하지 않았다. 앞장선 사내가 무스를 보았다.

"아르카디 소속이오?"

"그렇소. 거긴 정보부 소속이시군."

무스가 쓴웃음을 지었다.

"매복하고 있었던 것 같은데 미안합니다."

"사하드를 왜 만난 거요?"

"지노가 찾아왔을 경우에 메시지를 전해달라고 한 겁니다."

"무슨 메시지요?"

"그건 사하드한테 물어보시든지."

"이것 봐요, 무스라고 하셨던가?"

"그렇소."

"당신, 우리가 이라크에서 추방시킬 수도 있어."

"실례지만 성함이 누구라고 하셨던가?"

"난 정보참모 소속의 보그 상사야."

"내가 카밀라를 잡은 사람이야. 지노는 내 총에 맞았는데 살아나 온 것 같은데."

순간 사내가 숨을 들이켰고 무스의 말이 이어졌다.

"내가 이곳에 찾아온 것이 불법이라면 쫓아내봐, 상사."

몸을 돌린 무스가 발을 떼었다.

"힘들 거야."

아마라 시청 청사가 폭발한 것은 오후 5시경이다.

시청의 본관 건물이 대폭발을 일으켜 40여 명이 사망한 것이다. 사망자 중 미군이 8명이나 포함되어 있었기 때문에 7사단 사령부에 비상이 걸렸다. 아마라는 티크리트 남쪽 1백 킬로 지점에 위치한 도시로 7사단이 관할하고 있다.

테러다. 그것도 백주에 일어난 반미(反美) 테러인 것이다.

오후 9시 반.

이란 국경과 가까운 도시 잘룰라는 7사단 2연대 2대대 소속의 1개 중대가 주둔하고 있다. 이쪽은 반군 활동지역도 아닌 데다 지금은 평정 단계여서 시내 분위기는 느슨했다. 그러다 아마라 폭발 테러로 주둔한 미군과 시내 경비를 맡은 민병대는 긴장 상태로 돌입했다.

이곳은 현지 사령관 격인 미국 3중대 중대장실 안. 중대장 하트 대위가 부관 존슨 중위에게 말했다.

"아마라 테러는 반군이 아니라는 정보가 있어. 사단 정보참모실 동기한테서 들었어."

"저도 들었습니다. 지노 일당이라는 겁니다."

존슨도 웨스트포인트 출신으로 하트의 3년 후배인 것이다. 사단에 정보원이 있다. 존슨이 말을 이었다.

"지노가 카밀라를 빼앗긴 복수를 하고 있다는 겁니다."

"지노 그놈하고 인연이 있는 장교가 많아. 특히 특공대, 그린베레 출신들 중에서 함께 작전을 한 동료가 많아."

"중대장님은 인연이 없으십니까?"

"난 없어. 반년쯤 같은 부대에 근무한 적은 있지만 얼굴만 보았지 말 섞은 적도 없어."

"부대가 컸군요."

"여단이었으니까."

"하지만 대단한 인연입니다. 같은 부대에서 얼굴도 보았다니, 시선을 부딪쳤겠군요."

"지랄."

그때 중대장실로 당번병이 들어섰다. 노크도 하지 않았기 때문에 하트가 이맛살을 찌푸렸다.

"뭐야, 상병."

"버스터미널이 폭파되었습니다."

눈을 크게 뜬 당번병이 하트를 보았다.

"버스 4대가 폭파되고 건물이 붕괴되었습니다."

하트와 존슨이 동시에 벌떡 일어섰다. 존슨은 서둘러 일어나는 바람에 의자가 넘어졌다. 그때 당번병의 목소리가 이어졌다.

"건물이 비어 있었기 때문에 인명 피해는 없는 것 같습니다."

7사단장 쟈크 루만스키는 숙소에서 보고를 받았다.

오후 9시 45분.

잘룰라 폭발이 일어난 지 5분쯤 후다. 보고자는 참모장 호간 대령.

"잘룰라 버스터미널이 폭파되었습니다. 3층 건물이 붕괴되고 버스 5대가 파괴되었습니다."

쟈크가 심호흡을 했고 호간이 말을 이었다.

"장군, 지노가 이쪽저쪽에서 테러를 일으키는 것 같습니다."

"반군 동향은?"

"반군이 움직인 건 아닙니다."

"언론이 과장 보도를 하지 않도록 해."

쟈크가 잇새로 말했다.

"언론사 놈들한테 감시를 붙여."

"알겠습니다."

"특히 요주의 인물들을 놓치지 마."

"예, 장군."

요주의 인물 중 가장 핵심이 뉴욕타임스의 닉 윌링이다. 지금 쟈크가 우려하는 것은 테러 폭발보다 언론사의 보도다. 언론 보도는 테러 폭발보다 위력적이다.

카샤의 집 안.

오후 10시 반.

카샤가 클럽에 간 사이에 집을 지키고 있던 조이가 집 안으로 들어서는 지노를 맞는다. 이제는 서로 익숙해져서 조이도 가볍게 눈인사를 한다.

"내일 병동으로 옮깁니다."

지노가 자리에 앉자마자 조이가 말했다.

"오후 3시에 옮기기로 했습니다."

"경비는 어떻게 하나?"

"3연대 1대대 본부에서 2백 미터쯤 떨어져 있어서요. 1대대에서 1개 소대 병력을 경비부대로 파견했습니다."

"거기에다 헌병대 병력이 추가되나?"

"예, 헌병대는 제가 조장으로 1개 분대 8명이 갑니다."

"경비 책임자는?"

"병원 내부 경비 책임자는 접니다."

조이가 말을 이었다.

"외곽 경비를 1대대 병력이 맡지요."

"그렇군."

"어떻게 빼내실 겁니까?"

불쑥 조이가 묻자 지노가 쓴웃음을 지었다.

"계획을 세우고 있어."

"제가 직접 참여할 수는 없습니다."

"걱정 마, 네가 연루되지는 않도록 할 테니까."

정색한 지노가 조이를 보았다.

"난 신의를 지키는 사람이야, 중사."

"알고 있습니다."

조이도 정색하고 지노의 시선을 맞받는다.

"나도 이번 사건이 끝나면 당연히 징계를 받을 테니까요. 그러면 예편하는 핑계가 되는 거죠."

이틀 전에 조이는 제14의무대대 2병동의 평면도와 경비초소, 경비 시간까지를 기록한 도표를 적어준 것이다. 조이가 말을 이었다.

"헌병대도 비상입니다. 아마라, 잘룰라의 폭탄 테러로 병력이 그쪽으로 파견되는 바람에 저도 간신히 빠져나왔습니다."

"티크리트 지역의 비상은 아직 풀리지 않았지?"

"예, 하지만 관심은 테러 지역으로 옮겨간 상황이지요."

지노가 고개를 끄덕였다.

내일 카밀라가 병동으로 옮겨진다. 경비 병력이 틀을 잡기 전에 빼내야 한다.

브라운이 눈을 떴을 때는 오전 7시 반이다. 이곳은 다쿠바에서 5킬로쯤 떨어진 산악지역. 산 중턱의 바위틈이다.

모포를 걷고 상반신을 일으킨 브라운이 주위를 둘러보았다. 이곳은 숲이 짙은 산속이어서 시야는 10미터 정도다. 저쪽에서도 보이지 않겠지만 이쪽도 마찬가지다.

옆에 놓인 배낭을 끌어당긴 브라운이 안에서 라디오를 꺼내 전원을 켰다. 손바닥만 한 트랜지스터라디오다. 이어폰을 낀 브라운이 채널을 맞췄다. 테러 사건에 대한 보도를 듣는 것이다.

다쿠바는 잘룰라에서 서남쪽으로 70킬로쯤 떨어진 도시다. 어젯밤에 잘룰라의 버스터미널을 폭파하고 나서 곧장 다쿠바로 온 것이다. 타고 온 한국산 승용차는 산 아래쪽의 길가 숲속에 숨겨놓고 이곳으로 올라와 밤을 새웠다.

도주와 피신, 테러는 브라운의 전문이다. 페샤와르에서 탈레반에게 교육을 시키다가 지금은 현장 실습을 하는 중이다. 라디오에서는 잘룰라의 테러를 보도하고 있다.

"잠깐."

무함비가 샤가를 말렸다.

"가져갈 것 없어."

고개를 든 샤가에게 무함비가 말했다.

"차는 여기다 두고 주변에 매복병을 배치시켜."

"몇 명이나 배치시킬까요?"

"1개 소대 병력으로 해."

"그럼 3소대를 시키지요."

샤가가 말했다.

시내로 들어가던 제3소대 병사가 용변을 보려고 길가 숲속으로 들어갔다가 차를 발견한 것이다. '현대차'다. 차 안은 비어있었는데 문이 닫힌 상태였지만 멀쩡했다. 누가 숨겨둔 것이 분명했다.

무함비는 다쿠바 주둔 민병대 중대장이다. 보고를 받고 달려와 차를 확인하고 나서 매복을 지시한 것이다. 발을 뗀 무함비가 말을 이었다.

"차를 여기다 박아놓고 산에 올라가 밤을 새웠을 수도 있어."

새로 옮긴 제14의무대대 제2병동은 지금까지 카밀라가 억류된 숙소와는 전혀 다른 환경이다.

"어서 오십시오."

의무대대장 해리슨 중령이 병동 앞에서 카밀라를 영접했다. 단정한 가운 차림으로 옆에는 간호장교가 서 있다. 포로가 아니라 VIP 손님을 맞는 자세다. 카밀라가 웃음만 띠었을 때 해리슨이 웃음 띤 얼굴로 말을 이었다.

"병동에 오신 이상 똑같은 환자이십니다. 저희들은 전혀 차별 없이 대우해드릴 것입니다."

"감사합니다."

카밀라가 마침내 고개를 숙여 인사를 했다.

간호장교의 안내를 받고 들어선 카밀라의 병실은 1인실이다. 넓고 깨끗한 데다 앞쪽에 TV가 놓여 있고 안쪽에는 대형 욕조가 놓인 화장실이 있다. 그리고 안쪽 문을 열면 잔디밭이다. 3백 평도 넘는 넓은 잔디밭 가에는 벤치가 놓였고 환자들이 산책을 하는 중이다. 그때 간호장교가 환자복을 가져와 침상 위에 놓았다.

"갈아입으시지요. 서랍에는 내복이 들어 있습니다."

카밀라는 저도 모르게 긴 숨을 뱉었다. 긴장이 풀렸기 때문이다. 그리고 이곳에서 탈출한다는 것이 현실처럼 느껴지지 않았다. 갑자기 머리가 혼란스러워진 것이다.

3소대장 하쉬드는 이라크군 대위 출신으로 민병대에 지원한 후에 소대장이 되었다. '현대차' 주위에 매복한 지 1시간쯤이 지난 오전 9시 무렵. 하쉬드가 무전을 받는다. 2분대장 자말이다.

"소대장님, 개가 차 트렁크 앞에서 냄새를 맡고 있는데요."

쟈말의 목소리가 낮게 울렸다.

"트렁크에 뭐가 들어있는 것 같습니다."

"음식물이겠지."

하쉬드가 말을 이었다.

"차 건드리지 말어."

"압니다."

"개는 놔둬라."

"어, 개 한 마리가 또 왔는데요."

"이런 젠장."

전쟁이 난 후로 떠돌이 개가 많아져서 귀찮을 때가 많다. 그래서 부대 주위는 음식물 쓰레기를 먹으려는 개들을 가끔 청소해야만 했다. 쏴 죽이는 것이다. 그때 쟈말이 말했다.

"돌멩이라도 던져서 쫓아내겠습니다."

"알았다."

귀찮아진 하쉬드가 무전기의 스위치를 껐다. 쟈말은 차에서 가장 가까운 건너편 산기슭에 매복하고 있다. 돌멩이를 던지면 닿는 거리다.

"무스람, 네가 던져라."

쟈말이 지시했다. 무스람은 완력이 세었고 수류탄 투척도 50미터가 넘는다. 개새끼들하고의 거리는 50미터 정도. 개는 이제 3마리로 늘어났다. 트렁크 주위를 배회하면서 두 놈이 뒹굴면서 싸우기도 한다. 이러다가는 지나는 개를 다 모을 수도 있다. 그때는 차 주인이 당장 경계할 것이 아닌가?

트렁크에 뭐가 들었는지 열어보고 싶지만 주인 놈이 무슨 장치를 해놓았을지도 모른다. 그때 무스람이 주먹만 한 돌멩이를 쥐더니 팔을 뒤로 힘껏 젖혔다.

"개만 맞혀. 차는 조심하고."

쟈말이 주의를 준 순간 무스람이 던진 돌멩이가 날아갔다. 돌멩이가 궤적을 그리면서 개들에게로 날아가는 시간은 3초쯤 되었다. 바위틈에 엎드린 분대원 8명의 시선이 돌멩이를 따라갔다. 그때다.

"앗!"

서너 명의 입에서 놀란 외침이 터졌다. 돌멩이가 개들을 지나 차의 트렁크 위로 떨어진 것이다. 그 순간이다.

"꽈꽝!"

차 트렁크가 폭발했다. 동시에 차가 허공으로 '들썩' 떠올랐다. 차체가 수십 개 큰 조각으로 나눠지면서 불길이 치솟았다. 엄청난 폭음과 함께 차가 폭발한 것이다.

폭음이 울린 순간 브라운이 상반신을 일으켰다. 몸이 긴장으로 굳어졌다가 곧 옆에 놓인 AK-47을 쥐었고 이가 악물어졌다.

차다. 차가 폭발한 것이다. 차 트렁크에 음식물이 있었는데 그곳에 폭발 장치를 해놓았다. 트렁크를 열거나 또는 문을 열어도 폭발하도록 되어있는 것이다. 물론 충격을 받아도 폭발되도록 장치를 해놓았다.

아마라나 잘룰라에서 쓰고 남은 폭약이 5킬로나 남아있었던 것이다. 건물 1동을 날려버릴 만한 양이다.

오늘은 오후 6시가 되었을 때 조이가 병실로 들어섰다.

병실에도 도청장치, CCTV가 설치되어 있다. 병실 준비를 할 때 헌병대가 설치한 것이다. 조이가 감독했기 때문에 카밀라는 병실에 오기 전부터 알고 있다. 그래서 오늘도 장치가 없는 화장실 변기 위에 편지를 놓은 조이가 돌아갔다.

카밀라가 화장실로 들어가 편지를 읽는다.

'카밀라, 병실의 경비 체제가 잡히기 전에 탈출해야 돼요. 운동을 하면서 다리 힘을 길러주기 바랍니다. 3, 4일 내에 결행할 예정이오. 지노가.'

편지를 읽고 난 카밀라가 잘게 찢어서 변기에 흘려보냈다.

탈출이다. 이곳에서 나가 아버지를 만나야 한다.

병동은 건물 4동이 일자형으로 늘어섰는데 각각 50미터 길이다. 시멘트로 급조한 건물이었지만 시설은 현대적이고 의사와 간호사도 세계 최고 수준이다.

카밀라는 맨 뒤쪽의 제2병동에 배정되었다. 오른쪽 끝 방이다. 뒤쪽이 잔디밭이고 끝 쪽에 경비초소가 세워져 있다. 이번에 새로 설치된 것이다.

그리고 내부에 설치된 경비초소가 또 있다. 제2병동 오른쪽 창고를 개조해서 헌병대 파견소가 세워진 것이다. 카밀라의 방과는 50미터밖에 떨어지지 않은 곳이다. 그곳에 헌병 1개 조, 8명이 숙식하고 있다. 그 조장이 조이 맥클라우드 중사다. 따라서 카밀라 경비는 뒤쪽 초소 병력 1개 소대와 헌병 1개 분대가 된다.

병동 근무를 시작한 이틀째 되는 날 아침. 조이가 교대를 나가는 조원 둘에게 말했다.

"의무대장이 우리가 무장한 채 병원 안을 돌아다니는 것을 금지시켰어. 그러니까 지금부터 건물 안으로는 가급적 들어가지 마라."

"알겠습니다."

병원 근무가 예상보다 편했기 때문에 부하 하나가 느슨해진 표정으로 말했다. 하루 만에 '군기가 빠진' 태도다. 조이가 말을 이었다.

"순찰 반경은 2동이야. 2동 앞쪽으로는 나가지 말도록."

그렇게 행동을 제한시켰다.

닉 월링은 기피 인물이 되었다. 어지간한 부대의 지휘관은 닉을 다 안다. 제7사단 소속 22수송대의 부대장 케이든 소령도 마찬가지다. 해리 케이든은 뉴욕대 출신의 학사장교로 닉과 안면이 있다.

오후 2시 반.

해리가 부대 안 부대장실에서 닉과 만나고 있다.

"무슨 일이야? 여긴 기사거리가 없어."

해리가 눈을 가늘게 뜨고 닉을 보았다. 닉이 카밀라 특종을 연거푸 2번이나 한 후로 각 부대장은 닉을 '경계 대상자'로 취급하고 있다. 사단 사령부에서 '주의' 지시가 내려왔기 때문이다.

"젠장. 날 병균 취급을 하는군."

닉이 투덜거렸다.

"해리, 내년에 진급 케이스지?"

"놔둬, 놔둬."

질색한 해리가 손을 저었다.

"네가 나서서 될 일이 아냐. 그리고 너한테 엮이기 싫어."

"내가 중부수송사령관 제이슨 중장의 기사를 쓴 것 아나?"

"알고 싶지도 않아, 닉. 입 닥쳐."

"제이슨이 대령 때 내가 미담 기사를 썼지. 8년쯤 전이야. 그것으로 제이슨이 대통령 표창을 받았어. 알지? 애리조나 홍수 사건."

"……."

"대통령 표창을 받고 나서 반년 만에 준장 진급을 했지. 그것으로 일취월장한 거야."

"……"

"너 중령 진급은 제이슨의 말 한마디면 돼, 해리."

"빨리 용건이나 말하고 꺼져, 닉."

마침내 해리가 어깨를 부풀리며 말했다.

지노가 탁자 위에 펼쳐놓은 평면도에서 고개를 들었다.

"내일 밤 10시야, 로간. 이제 준비는 다한 셈이다."

"알라 아크바르."

로간이 평면도를 응시한 채 중얼거렸다. 진지한 표정이다.

"이러면 우리 용병 임무도 끝나는 셈인가?"

"지금이라도 끝낼 수 있다는 걸 알고 있잖아? 넌 계약 기간이 지났어."

"그건 바질도 마찬가지였지."

고개를 든 로간이 초점이 흐려진 눈으로 지노를 보았다.

"난 이곳을 떠나면 프랑스로 돌아가 바질의 어머니부터 찾아볼 거야."

"……"

"그럼 그놈의 숨겨진 가족을 만날 수도 있겠지."

그것은 로간이 살아남았을 때의 일이다. 고개를 돌린 지노가 다시 평면도를 보았다. 여러 번 보았기 때문에 눈앞에 병동 모형이 다 펼쳐졌다. 조이한테서도 구조 설명을 들은 것이다.

오전 9시 반.

조이가 앞에 선 사내를 보았다. 이곳은 제14의무대대 정문 앞 면회실. 사내는 조이를 찾아온 것이다.

"무슨 일이오?"

둘은 경비실 옆 면회실에서 마주 보고 서 있다. 조이가 묻자 계급장 없는 미군복 차림의 사내가 빙그레 웃었다. 검은 콧수염을 기른 백인, 용병이다.

"내가 용병 업무로 헌병 중사한테 좀 부탁할 것이 있어서."

"그거, 공적인 일이오? 말하자면 헌병대장이나 주둔군의 승인을 받은 거냐고."

"역시 헌병답군."

"역시 용병이야. 명함도 내놓지 못하는 주제에 무슨 헛소리를 하려는 거야?"

조이가 짜증을 냈다. 헌병 생활 9년째라 어지간한 장교도 눈 아래로 보는 버릇이 들었기도 했다. 그때 사내가 말했다.

"중사, 카밀라한테 내 안부부터 전해줘. 난 무스 함버크라고 카밀라를 생포한 용병이야."

"……."

"그래서 포상금도 받았지. 그렇지만 얼마 안 돼. 개아들놈들. 다 떼어먹고 나한테는 푼돈을 주더구만. 10만 불이 뭐야?"

"……."

"그거, 전처한테 밀린 위자료로 다 나갔어. 난 다시 거지가 되었지."

"자, 용건을 들읍시다, 용병."

쓴웃음을 지은 조이가 무스를 보았다.

"그런 넋두리는 전할 것 없고, 내가 바빠서 말야."

"카밀라를 잡은 후부터 내 운세가 풀리는 것 같아."

"당신 이야기를 듣고 반길까?"

"안부 전하라는 말은 농담이고."

"지금 나하고 말장난 하려고 온 거야?"

"지노가 요즘 이쪽저쪽에서 테러를 일으키고 있는데……."

목소리를 낮춘 무스가 지그시 조이를 보았다.

"중사, 내가 제의를 하려는 거야."

"뭐야?"

"지노가 주의를 딴 데로 돌리려는 거야."

"무슨 말이야?"

"지노가 카밀라를 탈출시킬지도 몰라."

"웃기는군."

"그래서 내가 온 거야. 나하고 동업하자고. 그놈을 잡으면 1백만 불이야."

"……."

"내 팀원하고 앞뒤에서 함정을 파고 기다리면 그놈을 잡을 가능성이 있어."

"……."

"안 와도 손해 볼 일이 없잖아? 안 그래?"

"지저스."

어깨를 치켰다가 내린 조이가 눈을 좁혀 뜨고 무스를 보았다.

"용병이란."

차에서 내린 닉에게 피터가 다가와 물었다. 피터는 LA타임스 기자다.

"렌트한 거야?"

"응. 겨우 빌렸어."

"나도 한 대 빌려야겠는데."

입맛을 다신 피터가 차를 둘러보았다.

7사단 마크가 붙은 사륜구동 SUV다. 업무용 차량인 것이다. 주둔군, 외교부, 정부 용역업체, 용병단까지 사단 수송대에서 렌트해 준 차량을 이용하고 있다. 그것을 닉도 빌린 것이다.

사단 브리핑실로 들어선 닉이 자리에 앉았을 때 곧 사단 정보참모 빌리 모튼 중령이 단상에 섰다. 둘러앉은 기자들은 모두 30여 명. 브리핑 시간이다.

"반군의 집단적인 테러는 아닙니다. 한두 명의 우발적 테러로 추정됩니다."

빌리가 기자들을 둘러보며 말했다.

"최근의 두 차례 폭발사건은 과장되었습니다. 계획적이며 반군의 조직적 테러는 아닙니다. 따라서 군(軍)은 그 흔적을 추적 중입니다."

오후 3시 반이다. 매일 이 시간에 사단 브리핑실에서 브리핑이 있는 것이다. 빌리가 말을 이었다.

"군은 티크리트 지역의 통금을 오늘부터 해제하고 정상으로 환원시키겠습니다. 이상입니다."

그러고는 고개를 들고 기자들을 보았다. 그때 LA타임스 기자 피터가 물었다.

"중령, 이 테러는 지노 일당의 보복이라는 소문이 있는데 어떻게 생각합니까?"

"소문입니다."

빌리가 딱 잘라서 말하고는 피터를 쏘아보았다.

"소문으로는 후세인이 밖에서 돌아다닌다고도 합니다. 그런 소문에 군의 방침이 좌우되지 않습니다."

서류를 덮은 빌리가 더 질문할 것이 있느냐는 표정으로 주위를 둘러보았지만 더 이상 질문이 없었기 때문에 기자 회견은 끝났다.

브리핑실을 나오던 닉이 아르카디 본부장 보좌관 톰슨을 보았다. 톰슨도 회견을 보러온 모양이었다.

"톰슨 씨."

닉이 부르자 톰슨이 멈춰 섰다.

"아, 닉, 난 할 말이 없는데."

"지노가 테러를 일으키고 다니는 거 아닌가?"

"그거 기사 냈다가 출입금지 당할 텐데."

쓴웃음을 지은 톰슨이 말을 이었다.

"지노를 너무 영웅 만들었다가 뒤탈이 날 거야, 닉."

"누가 확인을 할 것도 아니잖아?"

둘은 상황실 밖의 마당에 마주 보고 섰다. 그때 톰슨이 담배를 꺼내 입에 물었다.

"다 끝났어, 닉. 여기서 기사거리 더 나올 것 없으니까 아프간으로나 가."

"결국 이렇게 전쟁이 끝나는 건가?"

톰슨에게 손을 내밀어 담배를 건네받은 닉이 입에 물었다. 톰슨이 닉이 입에 문 담배 끝에 불을 붙여주었다.

"있지도 않은 핵, 생화학 무기를 핑계로 전쟁을 일으켜서 이라크라는 국가를 멸망시키다니."

담배 연기를 길게 뿜은 닉이 톰슨을 보았다.

"이것으로 9.11 테러에 대한 국민들의 분노를 진정시키고 미국의 권위가 세워진 셈인가?"

"난 대답 안 하겠어, 입만 벌리면 당신이 살을 붙여서 기사로 낼 테니까."

"이렇게 해도 되는 거야?"

"혼자 이야기해."

"이렇게 1개 국가를 멸망시키고 수천만 국민을 파탄 상태가 되도록 만든 거야. 이제 이라크는 갈가리 찢겨서 주변 국가의 제물이 되겠지."

"잘 아는구만."

"아르카디도 이젠 철수하겠지?"

"그건 군사 기밀이야."

그때 어깨를 부풀렸다가 내린 닉이 몸을 돌리면서 말했다.

"개아들놈들. 대가를 받아야 돼."

오후 4시.

환기 장치를 수리하려고 사단 정비대 병사 3명이 병실에 들어왔다. 정비병과 함께 들어온 조이가 1시간 동안 수리 현장을 감독했다.

"어, 왔군."

손을 든 무스가 조이를 맞았다.

이곳은 티크리트 시내의 아마존 클럽. 미국 하사관이나 민병대 장교들의 단골 클럽이다. 다가간 조이가 앞쪽 자리에 앉았다.

오후 7시 반.

주위를 둘러본 조이가 쓴웃음을 지었다. 이곳은 조이도 자주 오는 클럽 중의 하나인 것이다. 조이의 표정을 본 무스가 따라 웃었다.

"여기가 단골인 모양이지?"

"한 달에 한두 번은 오는 곳이야."

"물이 좋은 곳 중 하나지."

다가온 종업원에게 10불짜리 지폐를 준 무스가 맥주를 시켰다. 무스가 이곳에서 만나자고 한 것이다.

"어때? 내일부터 우리 공동 작업을 시작하도록 하지."

무스가 조이 쪽으로 상반신을 기울이며 말했다.

"우리가 변장을 하고 병동 안에 침투할 테니까 말야."

"……."

"우리 팀은 나 포함해서 셋이야. 나하고 팀원 둘이지. 우리가 병원 종사자로 변장하고 제2병동에 접근할 테니까 헌병들한테 언질만 줘."

"조건을 말해."

조이가 말했을 때 무스가 풀썩 웃었다.

"이젠 말이 통하는군."

"이건 내가 월권을 하는 거야. 상부에서 알게 되면 난 옷을 벗어야 돼."

정색한 조이가 무스를 보았다.

"내가 뭘 믿고 당신 말대로 해야 돼?"

"좋아. 7 대 3으로 나누지. 세금 떼고 말야."

"7이 내 몫인가?"

"이런, 오해를 하는군. 7은 내 몫이지."

"그럼 그만둬."

종업원에게 맥주병을 받아든 조이가 눈썹을 모았다.

"도둑놈 심보구만, 이 용병이."

"이런 새까만 헌병 놈이."

와락 눈을 치켜떴던 무스가 곧 어깨를 늘어뜨리더니 말했다.

"좋아. 5 대 5로 하자. 너는 혼자 먹는 것이지만 우린 셋이야."

"좋아."

의외로 순순히 승낙한 조이가 한 모금 맥주를 삼켰다.

"언제부터 나올 건데?"

"내일부터."

"지노가 병동에 나타날 가능성이 있는 거야?"

"너만 알고 있으라구."

무스가 빈들거리는 눈으로 조이를 보았다.

"그놈이 이쪽저쪽에서 테러를 일으키고 있단 말야. 알고 있어?"

"지노가 테러를 일으킨다구?"

"그래."

무스가 말을 이었다.

"그건 손자병법으로 성동격서라고 하지. 그놈이 카밀라를 빼내려고 그런단 말야."

그때 조이가 손목시계를 보는 시늉을 했다.

"우리 조금 더 분위기 좋은 곳으로 가지."

오후 8시 반.

조이와 무스가 시내 퍼시픽 클럽 앞쪽에 나타났다. 퍼시픽 클럽은 아마존 클럽에서 1백 미터쯤 떨어진 누드 클럽이다. 술값이 아마존보다 2배는 비쌌지만 여자들이 많다.

골목 안쪽에 박혀있었기 때문에 둘은 어둠에 덮인 골목으로 들어섰다. 골목 좌우는 불이 꺼진 민가다. 조이가 앞장을 섰고 무스가 뒤를 따른다.

"이곳이 단골인 것 같군."

무스가 웃음 띤 목소리로 말했다. 골목 입구에서 클럽까지는 50미터. 이쪽은 걸어 들어가는 입구여서 오가는 사람이 없다. 앞장선 조이가 고개를 돌려 무스를 보았다.

"여기가 좋아, 무스."

조이의 목소리가 울린 순간이다.

"퍽."

둔탁한 발사음이 골목을 울렸다.

그 순간 아랫배에 격렬한 타격을 받은 무스가 허리를 꺾었다. 신음도 뱉어지지 않는다. 다음 순간 옆쪽 민가에서 나타난 사내 하나가 무스의 목덜미를 잡더니 어둠에 덮인 민가로 끌어들였다. 조이가 무스의 팔 하나를 잡아 거든다.

민가 뒷마당을 지나 옆집으로 끌고 가는 동안 무스가 신음했다. 총탄은 아랫배에 들어가 창자가 파열된 상태다. 중상이다. 이대로 두면 죽는다. 지금까지 세 번 총탄을 맞았다. 어깨, 옆구리, 그리고 엉덩이다.

그때 끌고 가던 조이와 사내가 집 안에서 멈췄다. 어둠에 덮인 집 안. 이곳도 빈집이다. 골목에서 30미터쯤 떨어진 두 번째 집.

무스가 입을 딱 벌렸지만 외침이 터지지 않는다. 창자가 엉망진창으로 파열되었기 때문이다. 뱃심이 있어야 비명도 터지는 법이다. 그때 사내가 말했다.

"불을 켜."

그 순간이다.

"퍽."

또 한 발의 총성. 무스는 입을 딱 벌렸다. 사내가 다시 한 발을 쏜 것이다. 이번에는 오른쪽 어깨에 맞았다. 어깨뼈가 부서졌다.

그때 조이가 불을 켜 촛불에 불을 붙였다. 그 순간이다. 무스는 눈을 감았다가 떴다. 앞에 선 사내가 눈에 익었기 때문이다. 콧수염만 기른 얼굴. 미군 작업복 차림으로 민병대처럼 보였지만 이 얼굴은?

다음 순간 무스가 숨을 들이켰다.

지노가 벽에 등을 붙이고 길게 늘어져있는 무스 함버크를 보았다. 권총을 쥔 손을 늘어뜨렸고 차분한 표정이다.

"무스 함버크."

지노가 부르자 무스는 고개를 들었다. 두 눈이 흐려졌지만 이를 악물고 있다. 지노가 말을 이었다.

"네가 쏜 건 맞아. 내가 오른쪽 가슴을 맞고 절벽으로 떨어졌다."

"질긴 놈."

무스가 잇새로 말했다.

"운이 좋았구나."

"너하고 안 만나고 끝낼 수도 있었는데."

지노가 가라앉은 시선으로 무스를 보았다.

"너하고 같이 있었던 때가 언제였지?"

"4년 전이야."

"107부대였던가?"

"3대대였지."

"넌 그때도 평이 안 좋았어."

"실적은 너보다 나았지."

고개를 끄덕인 지노가 총을 들어올렸다.

"무스, 할 말이 있으면 해라."

"너, 카밀라를 탈출시키려고 하는군."

"맞아."

"거봐."

무스의 시선이 옆쪽에 선 조이에게로 옮겨졌다. 눈에 초점이 잡혔다.

"내 말이 맞지?"

조이가 어깨를 늘어뜨렸을 때 무스가 지노를 보았다.

"자, 쏴라."

그 순간 지노가 든 베레타에서 발사음이 울렸다.

"퍽."

오후 9시 반.

침실의 불을 끈 카밀라가 침대로 들어갔다.

병동은 조용하다. 병동으로 옮긴 지 오늘이 사흘째 밤이다.

침대에 누운 카밀라가 심호흡을 했다. 병실 안의 불을 다 꺼놓아서 불빛 한 점 들어오지 않는다. 창문의 블라인드까지 다 내려놓았기 때문이다.

"오늘도 일찍 자는군."

CCTV를 보던 허드슨이 채피에게 말했다.

"이젠 좀 규칙적인 것 같지?"

"그래."

건성으로 대답한 채피가 하품을 했다.

이곳은 병실에서 50미터 떨어진 헌병대 막사 안. 칸막이가 된 왼쪽 방이 CCTV 감시소다. 그때 채피가 자리에서 일어섰다.

"나 담배 한 대 피우고 올게."

"야, 빨리 와."

허드슨이 이맛살을 찌푸렸다.

"너 밖에서 자려는 거 다 알아."

"알았어. 10분."

채피가 방을 나갔을 때 허드슨이 입맛을 다셨다. 화면은 짙은 어둠으로 덮여 있다. 창의 블라인드를 다 내려서 화면이 꺼진 것 같다. 이런 상태에서 화면을 쳐다보기만 하다니.

9시 45분이 되었을 때 침대에서 일어선 카밀라가 소리를 죽이고 화장실로 들어섰다. 화장실 불을 켠 카밀라가 위쪽 선반에 박아둔 비닐 가방을 꺼냈다. 가방을 열자 옷이 드러났다. 간호사 제복이다. 신발에 캡까지 들어 있다.

서둘러 옷을 벗고 갈아입고 났을 때 화장실에 간호사가 서 있다. 머리를 틀어 올려 캡 밑에 감췄고 얼굴에는 마스크를 썼다. 거울에 비친 모습이 완벽한 간호사다.

"야, 뉴튼, 카스, 일루 와."

뒤에서 조이가 불렀기 때문에 뉴튼과 카스가 놀라 몸을 돌렸다. 제2병동의 복도 안이다.

오후 9시 55분.

병동 복도는 텅 비었다. 뉴튼과 카스는 카밀라의 방 앞을 경비하고 있었던 것이다. 병실 복도로 나오는 방문 앞에서 헌병들은 24시간 경비를 서고 있다. 서둘러 뉴튼과 카스가 다가가자 조이는 눈을 부라렸다.

"이 새끼들, 늘어져서 잡담이나 하고."

뉴튼과 카스가 부동자세로 섰다.

"이 개자식들아, 앉아있지 말고 서 있으라고 했잖아?"

조이가 잇새로 말했다. 목소리를 낮췄지만 빈 복도를 울린다.

"두 시간을 견디지 못한단 말이냐?"

뉴튼과 카스의 근무 시간은 9시에서 11시다. 둘은 창틀에 걸터앉아 창밖으로 담배 연기를 내뿜고 있었던 것이다.

"죄송합니다."

선임인 뉴튼이 고개를 숙였을 때다. 손목시계를 본 조이가 말했다.

"잔디밭으로 나가서 5분 동안 잔디밭을 돌고 와."

"예, 분대장님."

"지금 즉시 실시."

그 순간 둘이 몸을 돌리더니 잔디밭으로 통하는 문을 열고 밖으로 나갔다.

둘이 나갔을 때 조이가 다시 손목시계를 보았다. 그러고는 심호흡을 하고 나서 카밀라의 병실로 다가갔다. 카밀라의 병실 문은 복도 쪽에서 열어야 열린다. 조이가 문을 열자 간호사 하나가 방에서 나왔다. 조이가 서둘러 문을 닫는다.

복도를 걸은 카밀라가 곧 1병동으로 나왔다. 1병동으로 꺾어지는 중간 통로까지 20미터밖에 안 되었지만 200미터로 느껴졌다.

중간 통로를 직진하면 현관이 나온다. 현관까지의 거리는 50미터.

카밀라의 옆으로 간호사 하나가 지났지만 시선도 주지 않는다. 1병동을 지날 때 의사 하나와 간호사 둘이 스치고 지나갔다. 카밀라는 그들과 시선을 마주치지 않았지만 온몸에 소름이 돋는 느낌이 든다.

이제 1병동을 지나 수술동을 지나갔다. 현관까지의 거리는 10미터.

그때 뒤에서 다급한 발자국 소리가 들렸다. 서너 명의 발자국 소리다.

다리에 힘이 풀렸기 때문에 카밀라는 벽 쪽으로 붙어 서서 고개를 돌렸다. 그때 의사와 간호사 둘이 카밀라를 스치고 지나갔다. 현관 옆에 응급실이 있는 것이다.

현관 앞.

응급실 앞쪽의 응급실 주차장에 주차시킨 7사단 마크를 붙인 SUV. 차의 뒷좌석에 앉은 지노가 현관을 응시하고 있다.

10시 3분.

이윽고 간호사 하나가 현관으로 나왔다. 조금 전에 응급차가 도착했기 때문에 의사와 간호사들이 옆쪽 응급실에 모여 있다. 그때 간호사 옆으로 민병대원 하나가 어둠 속에서 다가왔다.

로간이다.

“이쪽으로.”

로간이 말하자 퍼뜩 고개를 들었던 카밀라가 다가왔다.

“저기 사단 마크를 붙인 SUV.”

로간이 앞쪽을 눈으로 가리키며 말했다.

“가십시다.”

SUV와의 거리는 15미터 정도.

그들 옆으로 환자 가족으로 보이는 남녀 세 명이 뛰어 지나갔다. 카밀라는 SUV를 향해 발을 떼었다. 그 뒤로 로간이 가로막는 것 같은 자세로 따른다.

SUV로 다가가 섰을 때 뒤쪽 문이 안에서 열리면서 목소리가 울렸다.

“타요.”

지노다. 카밀라가 차에 올랐을 때 로간이 앞자리에 탔다. 운전석에 앉은 파하드가 곧 차를 발진시켰다.

차가 정문을 나가 도로에 들어선 것은 30초도 걸리지 않았다. 그때 지노가 손을 뻗쳐 카밀라의 손을 쥐었다. 카밀라도 지노의 손을 마주 잡는다. 그러나 둘의 얼굴은 앞쪽을 향해 있다.

거리로 들어선 SUV는 속력을 내었다.

뉴튼과 카스가 상기된 얼굴로 다가왔을 때 조이가 고개를 끄덕였다.

“됐어. 잠이 싹 달아난 얼굴이구나.”

“예, 분대장님.”

“창틀에 앉는 건 괜찮아. 그렇지만 담배는 피우지 마라.”

“예, 분대장님.”

“카밀라가 깰지 모르니까 병실 앞을 왔다 갔다 하지 말고.”

힐끗 카밀라의 병실 쪽에 시선을 주었던 조이가 발을 떼었다.

"좋아. 수고해라."

"예, 분대장님."

둘의 경례를 받으면서 조이가 복도를 걸었다.

오후 10시 5분이다.

앞으로 9시간 동안은 카밀라의 방이 비어있다는 것은 발각되지 않는다, 오전 7시가 되었을 때 카밀라의 방 점검이 있으니까.

티크리트를 벗어날 때 검문소는 그냥 지나쳤다.

민병대 차림의 병사 둘이 앞좌석에 앉았고 사단 수송대 소속의 SUV를 보자 검문 병사가 손만 흔들었다.

아마라와 잘룰라의 테러 때문에 이틀간 계엄령이 실시되었지만 싱겁게 풀렸다. 민병대 초소를 지난 SUV는 속력을 내었다.

"여기가 제일 신경 쓰였어."

뒤로 멀어져가는 검문소를 보면서 지노가 혼잣소리를 했다. 차는 다쿠바를 향해 달려가고 있다. 그때 고개를 든 카밀라가 지노를 보았다. 둘은 아직도 손을 잡고 있다.

"지노, 아버님은?"

지노는 앞쪽에 앉은 파하드와 로간의 몸이 굳어지는 것을 보았다. 잠깐 차 안에 정적이 덮였다.

"지노."

분위기를 느낀 것처럼 카밀라가 다시 불렀다. 그때 지노가 고개를 돌려 카밀라를 보았다.

"지금 북부지역에 피신하고 계십니다."

"우리는 그쪽으로 가는 중인가요?"

"아니, 우리는 지금 이란으로 갑니다."

"이란으로?"

"우리가 북쪽으로 갈 것을 놈들이 예상할 것이기 때문에."

"아버지는 언제 만나나요?"

"제가 다시 모시고 올 겁니다."

지노가 번들거리는 눈으로 카밀라를 보았다.

"지금 당장은 우리가 피신해야 됩니다."

카밀라가 입을 다물었다. 그러나 움켜쥔 지노의 손을 다시 고쳐 잡는다.

한 시간 반 후인 오후 11시 45분경.

SUV가 다쿠바 서쪽의 산길에서 멈춰 섰다. 이곳은 이정표가 세워진 산 중턱이다. 그때 어둠 속에서 사내 하나가 나타났다. 브라운이다.

"여기서 샛길로 가야 돼."

뒷좌석에 타면서 브라운이 말했다.

"샛길로 25킬로만 가면 국경마을이야."

지노는 뒷좌석 가운데에 앉았고 좌우에 카밀라와 브라운이 탄 셈이다.

"1차선 산길인데 1시간쯤 걸릴 거야."

브라운이 사전 답사를 한 것이다. 차가 출발했을 때에야 브라운이 고개를 돌려 카밀라를 보았다.

"공주, 반갑습니다."

카밀라가 웃기만 했고 브라운이 말을 이었다.

"이제 각하께 약속을 지켜드린 것 같아서 가장 기쁩니다……."

그 순간 브라운은 지노가 허벅지를 움켜쥐었기 때문에 입을 다물었다. 그때 카밀라가 고개를 끄덕였다.

"아버지께 폐를 끼쳐드리고 있어요."

이상한 분위기를 눈치챈 브라운이 입을 다물었고 차 안에 엔진음만 울렸다. 비포장 산길이어서 차가 심하게 흔들렸다. 인적도, 차량 통행도 없는 길이다.

오전 7시 2분.

헌병 상병 우드가 복도에서 카밀라의 방을 노크했다. 헌병들은 이것을 카밀라의 '기상시간'이라고 부른다. 감방에서 죄수들의 '점호시간'이라고 부르는 것을 그렇게 바꾼 것이다.

대답이 없었지만 감방에서처럼 '대답 확인'을 해온 것도 아니어서 우드는 몸을 돌렸다. '기상'시키는 것으로 끝낸 것이다.

그리고 한 시간이 지난 오전 8시 5분.

이번에는 헤크 일병이 손수레에 카밀라의 아침 식사를 싣고 병실 문을 노크했다. 병동 식당에서 카밀라의 '특급 식사'를 받아 온 것이다. 메뉴는 계란 프라이 2개, 토스트 2쪽, 햄과 베이컨 한 접시, 야채샐러드 한 접시, 포도, 사과, 멜론이 든 과일 한 접시, 우유 한 컵이다. 호텔급 식사다.

노크를 한 헤크가 방문을 열고 수레를 앞세운 채 들어섰다. 침실은 비어 있었다. 화장실 문이 닫혀 있었기 때문에 헤크가 화장실에 대고 말했다.

"아침식사 가져왔습니다."

그러고는 덧붙였다.

"식사 다 하시고 수레를 문에 붙여놓지 마세요."

어제는 수레 때문에 문을 못 열었다. 그러고 나서 헤크는 방을 나왔다.

"아직도 자는 거야?"

이번에는 CCTV 감시조가 된 뉴튼이 화면을 보면서 투덜거렸다.

오전 8시 15분.

CCTV에는 카밀라가 누운 뒷모습만 보인다. 시트에 둥글게 드러난 카밀라의 뒤태를 보면서 뉴튼이 입 안에 고인 침을 삼켰다. 카밀라가 누운 뒤쪽에 아침식사가 담긴 수레가 놓여 있다.

"수레가 들어왔는데 일어나지도 않아, 저 여자."

조금 전에 응접실 CCTV로 복도 쪽 입구로 들어선 헤크가 수레를 놓고 나가는 모습만 보였다. 헤크는 침대 앞쪽을 보았을 것이다.

"놔둬. 이따 치우면 되지 뭐."

옆에 앉은 밀란 상병이 말했다. 이곳 2대의 CCTV는 침실 뒤쪽과 응접실 전체를 비추고 있다. 뉴튼이 다시 카밀라의 엉덩이 부근을 훔쳐보고는 시선을 돌렸다.

1시간 후.

헌병 중사 조이가 CCTV를 보더니 소리쳤다. CCTV에는 수레에 실린 아침식사가 그대로 놓여 있다. 9시 반이다.

"방에 가봐!"

조이가 투덜거렸다.

"아침식사 안 먹으면 그냥 갖고 와!"

10분 후.

헌병대에 비상이 걸렸고 곧 7사단 전체가 비상상태로 돌입했다. 사단장 쟈크루만스키가 지프를 타고 달려왔을 때는 30분 후다.

"언제 사라진 거야?"

방에 들어선 쟈크가 어깨를 부풀리며 소리쳤다. 앞에는 헌병대장 루트 메이슨 중령이 부동자세로 서 있다.

"예, 그것이 날이 밝기 전인 것 같습니다."

"이런 병신."

쟈크가 어깨를 부풀렸다.

"그게 대답이냐?"

"장군, 그것이……."

루트가 쟈크를 응시했지만 눈이 흐려졌다.

"나간 흔적이 없습니다. CCTV에도 이상이 없었습니다."

"그럼 그년이 귀신이냐?"

"조사 중입니다."

"너, 헌병 몇 년 했어?"

"그건 왜 물으십니까?"

"지금 네가 무슨 일을 저질렀는지 알고나 있는 거냐?"

"제가 뭘 저질렀단 말입니까?"

루트 메이슨은 42세. 중령 7년 차. 대령 진급이 2번 누락되었다. 헌병은 진급하기가 어렵다. 그때 참다못한 참모장 호간이 나섰다.

"이봐, 중령, 이건 당신 잘못이야. 정신 차리라고."

"숙소를 이곳으로 옮긴 사단장 잘못입니다. 헌병대에 있었다면 이런 사고가 일어나지 않았어요."

루트의 목소리가 방을 울렸다.

"잠깐."

그때 한 사내가 나섰기 때문에 모두 입을 다물었다. CIA 주재관 리챠드 홀든이다. 40대 중반의 리챠드는 중키에 대머리다. 후줄근한 군복을 입고 있어서 용역회사 기술자 행색이다. 리챠드가 루트를 보았다. 작은 코, 못생긴 얼굴의 백인이다.

"중령, 넌 오늘 자로 영창갈 수가 있어. 그건 내가 보장해."

리챠드의 목소리는 낮았지만 좁은 방 안에 모인 7, 8명의 군인들이 숨을 죽였다.

"뭐? 책임이 없다구? 넌 강등된 후에 1년쯤 군 형무소에서 복역하고 나서 예편될 거야."

루트가 입만 벌렸고 리챠드의 말이 이어졌다.

"그러니까 입 닥치고 찌그러져 있어. 어차피 카밀라는 도망쳤으니까. 그럼 이곳 경비를 맡은 헌병 경비조를 모두 모아서 조사하기로 하지."

고개를 돌린 리챠드가 쟈크를 보았다.

"자, 7사단은 카밀라를 찾읍시다, 장군."

이곳은 이란의 타라와두.

인구 1천 명 남짓한 산골 마을이다. 국경에서 40킬로 정도 떨어진 타라와두는 목축업이 주업종인 마을로 양과 염소, 소를 키운다.

마을 위쪽의 객사 안. 가축을 사러 온 상인들이 많았기 때문에 객사는 떠들썩하다.

오후 3시 반.

밖에 나갔다 온 로간이 방 안에 옷과 가방, 신발까지 내놓았다. 가게에 가서 사 온 것이다. 이곳에 올 때도 군복을 벗고 이란 민간인 복장을 했지만 다시 갖췄다. 방 안쪽에 앉아있는 카밀라는 챠도르로 몸을 가린 차림이다.

"오후 6시 반에 케르만샤로 떠나는 버스가 있어. 밤 11시 반에 도착할 거야."

로간이 말을 이었다.

"케르만샤에서 페르시아 만의 부세르까지는 내일 밤늦게 도착하겠지."

이란을 남하하여 페르시아 만의 항구인 부세르에서 파키스탄으로 넘어갈 계획인 것이다. 지노가 고개를 끄덕였다.

"좋아. 그럼 여기서 5시 반에 출발하자."

출발 인원은 다섯. 이제는 모두 AK-47을 버렸고 제각기 권총만을 소지했다. 그리고 모두 이란인처럼 옷차림을 갖췄다.

방에 둘이 남았을 때다. 카밀라가 지노를 보았다.

"지노, 이제 말해줘요."

지노의 시선을 받은 카밀라가 물었다.

"지금 아버지는 어디 계세요?"

"카밀라."

지노가 카밀라의 시선을 맞받았다.

"아버님은 돌아가셨어요."

"……."

"내가 아버님 시신을 확인하고 매장해드렸어."

"……."

"아버님 유언은 로간과 브라운이 들었다고 해요. 아버님은 당신을 구해내라고 하셨다는데……."

"……."

"그것이 아버님의 마지막 소원이었다는 거요."

"그렇군요."

카밀라가 외면한 채 말했다.

"이란으로 넘어올 때부터 예상하고 있었어요."

이제는 지노가 침묵했고 카밀라의 목소리가 떨렸다.

"혼자 있고 싶어요, 지노."

고개를 끄덕인 지노가 자리에서 일어섰다.

"카밀라, 아버님은 돌아가시는 순간까지 당신을 걱정하셨어요. 아버님의 기대를 저버리면 안 돼요."

방에 혼자 남은 카밀라는 석상처럼 쪼그리고 앉아 움직이지 않았다. 앞쪽 벽을 응시한 채 숨도 쉬는 것 같지가 않다. 방 밖의 소음도 들리지 않는다.

객사 마당으로 나온 넷이 담장 쪽에 둘러섰다. 마당을 오가는 숙박객이 많았지만 넷에게 신경 쓰지는 않는다. 지노가 길게 숨을 뱉고 나서 말했다.

"방금 카밀라한테 말했어. 예상을 했다는군."

"충격을 받았겠지?"

브라운이 확인하듯 물었을 때 로간이 대답했다.

"당연하지."

로간도 어깨를 늘어뜨렸다.

"아무리 예상을 했다지만 충격을 안 받았을 리가 있나?"

"같이 가겠다는 거야?"

다시 브라운이 묻자 지노가 고개를 기울였다.

"대답은 안 했지만 같이 가야겠지. 아버님의 유언까지 말해주었으니까."

이제 모두 입을 다물었고 지노가 말을 이었다.

"파키스탄으로 들어가면 그곳에서는 다른 곳보다 안전할 거야."

"그곳이 우리들의 최종 목적지가 되겠구나."

로간이 말했을 때 브라운이 고개를 끄덕였다.

"파키스탄은 내가 놀던 곳이야. 그곳에만 가면 나한테 맡겨."

그때 지노의 시선이 옆에 서 있는 파하드에게 옮겨졌다.

"파하드, 고향으로 돌아가면 넌 뭘 할 거나?"

"우선 좀 쉬겠습니다."

파하드의 고향이 파키스탄 페샤와르인 것이다. 셋의 시선을 받은 파하드가 멋쩍은 듯 손바닥으로 뒷머리를 만졌다.

"쉬고 나서 다시 용병 일을 해야지요."

지노의 시선이 로간과 브라운을 스치고 지나갔다. 이제 파키스탄으로 들어가면 이 작전은 끝난다. 그때 로간이 말했다.

"이란을 돌파하는 것이 문제야."

그 시간의 티크리트.

닉 윌링이 SUV를 몰고 사령부 앞 주차장으로 들어섰다. 차를 주차시킨 닉이 브리핑장 앞으로 다가갔을 때 기다리고 서 있던 피터가 물었다.

"어디 있었던 거야?"

"취재 다녔어."

닉은 오전에 카밀라가 탈주한 소동이 벌어졌을 때 모습을 보이지 않았기 때문이다.

"진전 상황은 있는 거야?"

닉이 묻자 피터가 고개를 저었다.

"도대체 어떻게 나갔는지 알 수가 없어."

"CCTV에 안 찍힌 거야?"

"분석 중이야."

"귀신이 된 건가?"

"어쨌든 헌병대장이 업무정지를 당하고 사단장 진급도 물 건너갔어."

브리핑장에 정보침모가 나타나지 않았기 때문에 둘은 막사 앞에서 담배를 피워 물었다. 이미 첫 보도는 나갔기 때문에 세계가 떠들썩해진 상황이다. 첫 브리핑을 했던 오전 11시경에 닉은 조수였던 모간을 보냈던 것이다. 그때 피터가 말을 이었다.

"내부에 협조자가 있다는 거야. 그래서 이 사건은 CIA가 주관해서 조사를 하고 있어."

"지저스 크라이스트."

담배 연기를 내뿜은 닉이 쓴웃음을 지었다.

"이야기가 재미있어지는군."

눈을 가늘게 뜬 닉의 시선이 흐려졌다.

어젯밤 닉은 이란 국경 근처의 마을 사시란에서 기다리고 있다가 지노가 버리고 간 SUV를 타고 돌아온 것이다. 미리 약속을 했기 때문에 카밀라와 마주치지는 않았다. SUV가 국경에서 발견되면 당장 닉이 체포될 것이기 때문이다.

CIA 요원 카이즈는 조이하고도 안면이 있다.

이곳은 헌병대의 조사실.

이제는 조사관 의자에 카이즈가 앉았고 조이는 피의자 자리에 앉아있다.

오후 4시 10분.

"퍽."

욕설의 앞부분만 내뱉은 조이가 담배를 꺼내 입에 물면서 말했다.

"이게 무슨 꼴이야? 진급은 물 건너갔구만."

"이봐, 중사, 카밀라는 밖에서 문을 열어주지 않았으면 못 나가. 경비를 한 헌병 중 하나가 문을 열어준 거야."

카이즈가 말하자 조이는 고개를 저었다.

"내 부하들이 그랬을 리가 없어."

"너 포함해서 말이지?"
"문이 잘 안 닫혔을 때도 있어. 그럼 열고 밖으로 나올 수 있는 거지."
"그래서 밖으로 날아갔단 말인가?"
"글쎄, 그건 네가 알아봐야지."
"CCTV 분석 중이니까 알 수 있을 거야."
"빨리 해보라고 해."
담배를 비벼 끈 조이가 하품을 했다. 어젯밤 야근을 했기 때문에 잠을 설친 것이다.

"이 여자."
CCTV를 보던 CIA 수사관 마크 켐벨이 손으로 정지시킨 화면의 간호사를 가리켰다. 화면에 찍힌 시간은 10시 2분. 간호사 하나가 직선 통로를 걷는 장면이다.
수사관들의 시선이 화면에 모였다. 그러나 간호사는 눈만 내놓고 있다. 손에 환자 방을 치운 것 같은 쓰레기 주머니를 쥐고 있다.
"카밀라가 아닐까요?"
마크가 물었지만 동의하는 수사관이 나타나지 않았다. 수술용 마스크를 썼기 때문에 간호사의 눈만 드러난 모습이다. 캡을 써서 머리도 감춰졌다.
"지저스."
누군가 투덜거렸다.

버스는 심야버스다. 그래서 좌석이 침대처럼 눕혀졌고 3층 구조다. 2개씩 나란히 붙은 오른쪽 좌석에 지노와 카밀라가 같이 배치되었다.
오후 8시.

버스는 6시 30분에 출발해서 1시간 반째 달리고 있다. 창가의 자리에 누운 카밀라는 창 쪽으로 고개를 돌린 채 움직이지 않는다.

이란 국내는 검문소가 차량 운행을 막지 않는다. 차량을 세우고 검문을 하지 않는 것이다. 복도 쪽으로 커튼이 쳐졌기 때문에 이곳은 방이나 같다.

창밖은 어둠에 덮이고 있다. 도시를 벗어나 황무지 사이를 달리면서 검은 유리창에 카밀라의 얼굴이 비쳤다. 지노가 손을 뻗어 카밀라의 어깨를 감싸 안았다. 카밀라가 몸을 돌려 지노를 향해 돌아누웠다. 지노가 카밀라의 허리를 당겨 안았다. 카밀라가 두 팔을 벌려 지노의 목을 감싸 안는다. 그러고는 지노의 입술에 입술을 붙였다. 카밀라의 입에서 사과향이 맡아졌다. 뜨거운 젤리 같은 혀에서는 달콤한 멜론 맛이 난다.

무스 함버크의 시체가 발견되었을 때는 다음 날 오전 9시가 되어갈 무렵이다. 피살된 지 만 이틀이 지난 후다. 빈집에 개들이 들끓었기 때문에 따라 들어가 본 민병대원이 무스의 참혹한 시체를 발견한 것이다.

무스가 어디로 간다고 말도 하지 않아서 조원인 퍼킨스와 캔튼은 신고도 하지 않았다.

"무스야?"

무스의 시체가 확인된 것은 시체가 발견된 지 두 시간쯤이 지난 후다. 이맛살을 찌푸린 깁슨이 묻자 톰슨이 대답했다.

"예, 무스가 맞습니다. 신분증이 없었지만 지문이 맞았습니다."

"지노로군."

"제 생각도 그렇습니다."

"개자식, 복수까지 했어."

"카밀라를 데려간 것도 지노입니다."

"그렇다니까?"

아르카디는 이제 카밀라의 탈출도 지노의 소행으로 믿는 것이다. 무스의 피살로 심증이 더 굳어졌다. 그때 깁슨이 톰슨을 보았다.

"그 연놈들이 어디로 갔을 것 같나?"

사난다지를 지나 케르만샤, 마바즈를 거쳐 페르시아 만의 항구인 부세르에 도착했을 때는 다음 날 밤 12시가 되어갈 무렵이다. 기다리는 시간이 있었기 때문에 버스 여행이 만 하루가 걸렸다.

"이제 배만 타면 된다."

가장 들뜬 사람이 브라운, 그다음이 파하드가 될 것이다. 파하드는 파키스탄이 고향이고 브라운은 오랫동안 아프간, 파키스탄을 오가면서 살았다. 항구가 보이는 여관에 투숙했을 때 브라운이 말했다.

"내가 배 알아보고 올 테니까."

버스 안에서 잤기 때문인지 브라운이 방을 잡자마자 파하드하고 항구로 나가면서 말했다. 그때 지노가 브라운의 어깨를 잡았다.

"브라운, 조심해라."

"걱정 마, 방심하지 않으니까."

브라운이 허리춤에 찬 베레타를 툭 쳐 보이면서 웃었다.

"이곳에 이란 해군 경비대 경비가 심한 것도 알고 있어."

브라운이 서둘러 파하드를 앞세우고 어둠 속으로 사라졌다.

방 안.

지노와 카밀라는 같은 방을 썼다. 이제는 지노는 물론이고 카밀라도 다른 사람을 의식하지 않는다. 방은 바닥에 양탄자가 깔린 형태로 침대가 없다.

오전 1시가 되었을 때 둘은 나란히 누웠다. 여관 안은 조용하다. 그때 카밀라가 고개를 돌려 지노를 보았다.

"지노, 앞으로 어떻게 할 거야?"

지노가 대답 대신 카밀라의 허리를 당겨 안았다.

"우선 당신을 안전한 곳으로 피신시키는 것이 목적이야."

카밀라의 머리에 턱을 붙인 지노가 말을 이었다.

"카밀라, 당신은 꼭 살아야 해. 그것이 아버님의 유지를 받드는 거야."

"……."

"이제는 이라크를 잊도록 해. 앞으로 어떻게 살 것인가를 생각해봐."

"……."

"시간이 지나기를 기다리는 수밖에 없어."

"……."

"파키스탄에서 동남아로 넘어갈 수도 있겠지. 바닷가, 조용하고 평화로운 곳."

그때 카밀라가 몸을 붙이면서 말했다.

"지노, 안아줘."

"카밀라가 맞다."

CCTV의 간호사를 손으로 가리키면서 리챠드가 말했다.

"현관으로 나갔어."

오전 1시 반.

화면에 찍힌 시간은 10시 03분. 그때는 병실 앞 복도에 뉴튼과 카스가 경비를 섰던 시간이다. 마침내 눈만 보이는 사진으로 카밀라를 확인한 것이다. 의자에 등을 붙인 리챠드가 고개를 돌려 카이즈를 보았다.

"손에 든 쓰레기 백에는 환자복과 신발이 들었어. 가서 그때 경비병들을 잡아."

"카밀라 후세인의 대탈출."

뉴욕타임스 티크리트 특파원 닉 윌링의 특종 기사다.

닉은 헌병대 담당 조장 조이 맥클라우드 중사를 인터뷰한 기사를 실은 것이다. 타 언론매체는 헌병대에 얼씬도 못 했는데 닉이 유일하게 헌병대 담당 조장 조이를 인터뷰 했다.

"카밀라는 지노의 도움을 받고 탈출했을 가능성이 크다."

조이가 자신 있게 말했다. 닉과의 인터뷰 내용이다.

"카밀라는 잔디밭 쪽의 문을 열고 어둠에 싸인 병동을 지나 밖으로 나갔을 것이다."

그러고는 조이가 덧붙였다.

"나는 감시 책임자로 책임을 지고 예편하겠다. 분하지만 후회는 없다."

닉이 마지막으로 할 말이 없느냐고 물었을 때 조이가 말했다.

"나는 국가에 충성했다. 그리고 카밀라 후세인을 며칠 동안만이라도 경호하고 있었다는 것을 평생의 추억으로 삼겠다."

그렇게 뉴욕타임스 1면에 보도된 것이다. 조이 맥클라우드의 손바닥만 한 사진과 함께. 그 조이 옆에 카밀라의 사진도 같은 크기로 찍혀 있다.

"지저스."

뉴욕타임스는 비행기로 실려 와서 티크리트에는 전날 신문이 오후 5시경에 배달된다.

"닉 이 개아들놈이 헌병 조장을 잡았군."

"조상 놈이 예편을 각오한 것 같은네요."

보좌관 헌트가 신문을 탁자 위에 내던지며 말했다.

"두 놈 손발이 맞습니다."

병사들은 이번 사건에 대해서 엄격하게 '함구'를 지시받은 것이다. 그런데 카밀라의 경비 책임자였던 조이 맥클라우드 헌병 중사가 인터뷰를 해버렸다. 이것은 항명이나 같다.

더구나 뉴욕타임스의 닉 윌링이 누군가. 카밀라 사건으로 연거푸 특종을 터뜨려서 '기피 인물'이 되어있던 놈이 또 사고를 쳤다. 고개를 든 리챠드가 헌트를 보았다.

"카밀라를 지노가 데려간 건 맞아."

"그렇습니다."

수사관 출신의 헌트가 고개를 끄덕였다.

"그리고 내부 동조자가 있어요."

"맞다. 카밀라가 혼자 나갔을 리는 없지."

그때다. 방 안으로 카이즈가 뛰어 들어왔다.

"주재관님, 그 시간에 조이가 헌병 경비원 둘을 복도에서 내보냈습니다."

리챠드의 시선을 받은 카이즈가 숨을 골랐다.

"둘을 뒤쪽 잔디밭으로 내보내 기합을 준 겁니다. 잔디밭을 5분 동안 돌고 오라고 했답니다."

"……."

"5분간 복도에 조이 중사가 혼자 있었던 겁니다."

그때 옆에 서 있던 헌트가 리챠드를 보았다.

"주재관님, 퍼즐이 맞춰지는 것 같습니다."

둘의 시선을 받은 리챠드가 고개를 들었다.

"헌병 중사가 지노와 함께 카밀라를 탈출시켰단 말이지?"

둘을 번갈아 바라본 리챠드가 얼굴을 일그러뜨리며 웃었다.

"그렇게 확인되었을 때의 반응을 1분만 생각해봐라."

리챠드의 목소리가 낮아졌다.

"저기 병신 같은 헌병대장 놈은 말할 것도 없고 7사단장, 그리고 이라크 주둔 미군 사령관이 소환될 거다. 아마 청문회를 거쳐서 옷을 벗겠지."

"……."

"그사이에 대통령에 대한 이라크 침공 비난이 언론사로부터 빗발치게 될 것이고."

"……."

"우리도 유탄을 맞게 될 거야, 헌트."

"그럼 어떻게 할까요?"

"놔둬."

리챠드가 고개를 돌려 카이즈를 보았다.

"우리 셋만 알고 있도록. 알았나?"

"예, 주재관님."

카이즈가 어깨를 늘어뜨렸다. 두말할 필요도 없다.

그 시간에 조이는 헌병대장 루트 메이슨 앞에 불려가 있다. 헌병대장실 안. 루트가 들고 있던 뉴욕타임스 신문을 몽둥이처럼 말아들고 책상을 후려쳤다.

"이 개자식, 내 지시를 어기고 인터뷰를 해? 너, 명령 불복종으로 지금 즉시 영창이다."

루트의 목소리가 방을 울리고 밖으로도 새어나왔다. 밖의 사무실도 조용해졌다.

"너, 영창 갔다 와서 옷 벗어!"

그때 조이가 고개를 들었다.

"저, 지금 예편하겠습니다."

"뭐라고? 이 개자식, 뭐라고 했어?"

"예편 신청서를 제출했습니다."

어깨를 편 조이가 루트를 노려보았다.

"그리고 군 법무관에게 제 인권보호 신청을 했습니다."

"뭐? 군 법무관?"

"예, 영창에 보내시려면 우선 제 변호사인 법무관과 상의해보시죠."

예편을 결심한 사람만이 할 수 있는 행동이다. 루트가 입을 딱 벌렸을 때 조이의 목소리가 사무실까지 흘러나왔다.

"법무관은 윈스턴 대위입니다."

오전 11시 반.

부세르에 주둔한 이란 정보부 지역사령관실 안. 사령관 무타르 대령이 테헤란에서 온 전문을 읽고 나서 말했다. 앞에는 간부들이 서 있다.

"후세인의 딸 카밀라가 탈출해서 이란으로 넘어왔을 가능성이 있다는 거야."

무타르의 얼굴에 쓴웃음이 번졌다.

"카밀라와 그 일당을 수색하라는 지시다. 발견하면 체포하도록."

그때 간부 하나가 물었다.

"우리가 미국 놈들한테 협조해줄 이유가 있습니까?"

"카밀라 후세인을 잡으면 미국 놈들한테 비싸게 팔아먹을 수가 있지."

"경호원들이 있을 텐데요."

간부 하나가 다시 나섰을 때 무타르가 화를 냈다.

"웬 잔소리가 이렇게 많아? 방해하면 없애고 카밀라를 잡아. 본부 지시다."

그러고는 덧붙였다.

"카밀라를 호위하는 용병 놈이 유명한 놈이야. 그놈을 없애면 우리 정보부의 위상이 높아질 거다."

"오늘 밤 9시에 출발하기로 했어."

지노가 카밀라에게 말했다.

오후 2시.

다시 밖에 나갔다가 온 로간과 브라운이 어선 선장과 계약을 한 것이다. 1백 톤 급 어선으로 선원이 4명. 파키스탄을 여러 번 다녀온 경험이 있는 선장이다. 카밀라가 고개만 끄덕였고 지노가 말을 이었다.

"여긴 미국의 영향력이 거의 닿지 않는 곳이고 어선들은 파키스탄을 자주 왕래하고 있어. 경비선 검문을 당한 적도 없다는 거야."

방 안에는 둘뿐이다. 로간, 브라운, 파하드는 어선 수배를 끝낸 후에 항구에서 분위기를 살피고 있다. 그때 카밀라가 지노를 보았다.

"지노, 난 파키스탄에서 인도네시아로 가고 싶어."

"인도네시아?"

카밀라가 고개를 끄덕였다.

"그곳의 조그만 도시에 파묻혀 남은 인생을 보낼 거야."

"……."

"고아나 노인들, 가난한 사람들을 위한 사업을 하겠어."

"좋지."

지노가 고개를 끄덕였다.

"고아원, 양로원, 병원까지 만들어도 되겠다."

"그렇게 하면 소문이 날 테니까 안 돼."

카밀라의 얼굴에서 처음으로 쓴웃음이 번졌다.

"이름 없는 여자로, 숨어서 일하는 여자가 될 테니까."

그러더니 카밀라가 주머니에서 접힌 종이를 꺼내 지노에게 내밀었다.

"이거 갖고 있어."

"뭐야?"

"내 비자금이 예치된 은행 계좌번호, 비밀번호, 코드번호야. 거기에다 각 계좌마다 암호까지 적혀 있으니까 그대로만 하면 인출돼."

종이를 펴 본 지노가 고개를 끄덕였다.

"알았어. 내가 보관했다가 인도네시아에서 돌려주지."

"인도네시아까지 같이 갈 거지?"

"다른 사람은 몰라도 나는 가야지."

"고마워."

카밀라가 지노의 손을 쥐더니 자신의 얼굴에 붙였다. 카밀라의 볼은 부드럽고 따뜻했다. 지노가 나머지 손으로 카밀라의 양쪽 볼을 감싸 안았다. 카밀라가 눈을 감았다. 지노의 입술이 다가갔을 때 카밀라의 입술이 조금 벌어졌다.

6장 지노, 내 사랑, 안녕

선창가에 쪼그리고 앉은 로간과 브라운은 차림새나 모양이 꼭 부두 노동자 같다.

오후 3시 반.

선창은 어선과 화물선이 오가는 바람에 분주하다. 선원과 하역 인부, 어부들의 소음으로 가득 차 있다. 어선과 화물선이 뒤섞여 있기 때문이다. 그때 바다를 내려다보던 로간이 브라운에게 물었다.

"브라운, 파키스탄에 도착하면 바로 페샤와르로 갈 건가?"

"그래야지."

브라운이 길게 숨을 뱉었다.

"파하드하고 같이 가기로 했어."

주머니에서 담배를 꺼낸 브라운이 말을 이었다.

"용병 일을 안 해도 평생 먹고 살 만하지만 말야."

"난 지노하고 함께 갈 거다."

로간이 발밑의 더러운 바다를 내려다보았다. 죽은 고기를 뺏으려고 갈매기들이 싸우고 있다.

"지노는 카밀라를 따라가겠지?"

브라운이 묻자 로간이 고개를 끄덕였다.

"아마도."

"같이 살 건가?"

"모르지."

"용병을 그만둘 기회가 온 거야."

피우던 담배를 바다로 던진 브라운이 침을 뱉었다.

"나도 그런 기회가 와야 하는데."

그 시간에 그들의 오른쪽으로 50미터쯤 떨어진 어선 '술레망카'호로 사내 둘이 다가가 섰다. 둘 다 후줄근한 작업복 차림이다. 그중 하나가 배에 대고 묻는다.

"어이, 가트만, 언제 출항인가?"

"오늘 저녁."

조타실에서 나온 사내가 대답했다. 선장이다. 얼굴이 수염으로 덮인 거구다. 선창에 선 사내가 다시 물었다.

"별일 없지?"

"무슨 말이야?"

"우리는 밀항자를 조사하고 있어."

다른 사내가 대신 대답했다.

"여자가 낀 밀항자야."

"밀항자에 여자가 있는 건 당연하지."

선장이 투덜거렸다.

"그런데 왜 나한테 온 거야?"

"배마다 확인하고 다니는 거야."

"조사해봐, 그럼."

안면이 있는 사이여서 선장이 배 안을 가리켰다.

"들어와서 뒤져봐."

"아, 됐어."

사내들이 움직이지 않았기 때문에 선장이 몸을 돌렸다. 이 배가 카밀라 일행이 탈 배다.

"나 배를 보고 올 테니까."

지노가 말하자 카밀라는 고개를 끄덕이더니 자리에서 일어섰다.

오후 4시.

다가선 카밀라가 지노 앞에 섰다. 여관방 안. 카밀라가 지노를 보았다.

"그럼 난 떠날 준비를 할게, 지노."

"두 시간쯤 후에 돌아올 거야."

그때 카밀라가 두 팔로 지노의 허리를 감싸 안았다.

"사랑해, 지노, 영원히."

"나도 당신 같은 여자는 처음이야, 카밀라."

지노가 카밀라의 어깨 밑으로 손을 넣어 껴안았다.

"내가 인도네시아까지 따라갈 거야."

"고마워, 지노."

카밀라가 지노의 입술에 입을 붙였다. 입술이 뜨겁다. 두 눈을 감고 있었기 때문에 지노가 눈 위에도 입술을 붙였다.

선창에서 1백 미터쯤 떨어진 양고기집 안. 선장 가트만이 앞에 앉은 지노와 브라운을 번갈아 보았다.

"출발하기 전에 정보부의 점검을 받게 될 겁니다."

가트만이 무성한 수염을 손바닥으로 쓸면서 웃었다.

"하지만 그쯤은 아무것도 아니지. 선창에서 2킬로쯤만 서쪽으로 가면 바닷가 산의 바위가 있어요. 그 바위에서 기다리면 우리가 싣고 가지요."

"밤인데 괜찮겠소?"

브라운이 묻자 가트만이 이를 드러내면서 다시 웃었다.

"우리가 여러 번 밀수품을 싣고 갔던 곳이오. 정보부 놈들은 그곳을 모릅니다. 그리고 그곳까지 갈 놈도 없어요."

"밀고자가 있을지도 모르지 않소?"

"나하고 지금 그곳에 가봅시다."

가트만이 이제는 정색했다.

"돈을 벌려면 그쯤은 해드려야지."

"그렇게만 해주신다면 믿을 만하지."

브라운이 대답하고는 고개를 돌려 지노를 보았다. 지노가 고개를 끄덕였다. 그렇게까지 해준다면 믿을 만하다.

길도 없는 산속을 걷고 있다.

오후 5시 10분.

선창의 식당을 나와 길을 따라 1킬로쯤 걸은 후에 바닷가 산으로 들어온 것이다. 나무가 빽빽하게 들어차서 3미터쯤 앞도 보이지 않았기 때문에 셋은 바짝 붙어 걷고 있다. 선장 가트만이 앞장을 섰고 뒤를 브라운, 지노의 순서로 따른다. 가트만이 잔가지를 헤치고 가면서 말했다.

"요즘 난민 실어주는 일로 돈을 버는 선장들이 많아졌소. 지금은 좀 뜸한 편인데 서너 달 전만 해도 장사가 잘 되었지요."

브라운과 지노는 듣기만 했고 가트만이 말을 이었다.

"모두 이라크 관리, 군인과 가족들이었어요. 나도 한 번에 20명까지 실어준 적이 있었지요."

"……."

"저 위쪽 산트라디에는 어선들이 고기는 안 잡고 이라크 난민들을 파키스탄으로 실어 날랐지요. 그때는 정보부에서도 놔뒀는데 이번에 지랄을 하는군."

"이번에 뭐라고 합니까?"

브라운이 묻자 가트만이 고개를 돌려 뒤를 보았다.

"이번에는 여자가 낀 밀항자를 잡는다는 거야. 정보부대원들이 다 쏟아져 나왔어."

"여자가 누구라고 합니까?"

"그건 말하지 않았어요."

브라운이 고개를 돌려 지노를 보았다. 지노가 잠자코 시선만 주었기 때문에 브라운은 발을 떼었다. 카밀라다. 그때 가트만이 말을 이었다.

"그까짓 거 상관없어. 우린 실어다 주면 끝나는 거야."

이란과 이라크는 10년 전쟁으로 원수가 된 사이다. 그러나 지금은 이라크가 미국에 의해 멸망한 상황이 되었다. 그러자 이란 정부, 국민의 분위기가 바뀌었다. 이라크에 대한 동정심이 솟아오른 것이다. 이제는 미국에 대한 적개심이 덮여 있다.

지노가 소리죽여 숨을 뱉었다. 가트만에게 1인당 2천 불씩 1만 불로 계약을 한 것이다. 오늘 밤 9시에 출발해서 내일 오전 6시면 파키스탄의 과다르에 도착할 예정이다.

오전 10시.

백악관의 오벌룸. 대통령 부시가 CIA 부장 피터슨, 국무장관 아놀드, 안보보좌관 케이슨을 둘러보며 말했다.

"카밀라 후세인이 다시 뜨는구만. 미국 대통령인 나보다 먼저 뉴스 톱에 등장하고 있어."

부시가 어깨를 부풀렸다.

"이게 무슨 꼴이야? 잡았다가 다시 탈출해버리다니? 요즘 러시아 푸틴이 자주 웃는 사진이 나오는 거 봤지?"

모두 외면했고 부시의 얼굴이 붉어졌다.

"이런 개망신이 없어. 후세인 녹음테이프로 내 얼굴에 소변을 갈기더니 이젠 이게 뭐야? 딸이 탈출해?"

"……."

"그런데도 어떻게 탈출을 했는지 아직 찾아내지도 못하고 있어. 시카고 트리뷴 기사 읽어 봤어?"

"……."

"그 염병을 한 놈들은 외계인이 카밀라를 데려갔다고 하잖아? 그 만화를 봤겠지? 어떤 개아들놈이 그린 그림 말야."

모두 외면한 채 입을 다물고 있다. 그 만화에는 부시가 외계인을 보고 놀라는 그림이 그려져 있었다.

카밀라가 탈출한 지 오늘로 사흘째가 되는 날 아침이다. 부시는 매일 아침 신문을 보기가 겁이 난다고 했다. TV도 시간마다 '카밀라 방송'이다.

이제는 카밀라 후세인이 인기인이 되어서 '카밀라 팬클럽'이 생겨났다. 이라크 주둔 7사단장, 7사단 헌병 대장은 어제 미국으로 소환되었고 내일부터 청문회 '스타'가 될 예정이다. 그때 국무장관 아놀드가 겨우 입을 열었다.

"각하, 후세인 재판을 서둘러야 할 것 같습니다."

그때 부시의 눈동자에 초점이 잡혔다.

"무슨 말야?"

"후세인이 헛소리를 하기 시작했습니다."

바그다드의 미군 사령부 감옥에 갇혀있는 사담 후세인을 말한다. 부시의 시선을 받은 아놀드가 말을 이었다.

"후세인이 담당 변호사한테 자신은 대역 1호라고 했다는 겁니다."

"지저스. 그놈이 미쳤군."

"당황한 변호사가 국무부 담당에게만 알려주었는데 그렇게 떠들기 시작하면 사건이 커집니다."

"후세인이 미친 건가?"

"예, 그렇다고 볼 수밖에 없습니다."

"무슨 대답이 그래?"

"예, 후세인은 대역을 4명까지 데리고 있다는 소문이 났거든요."

"선오브비치."

숨을 고른 부시가 CIA 부장 피터슨을 보았다.

"그럼 지금 바그다드에 있는 놈이 대역이란 말야?"

"후세인입니다."

피터슨이 부시의 시선을 맞받았다.

"대역이라면서 빠져나가려는 것입니다."

"왜 갑자기 지랄이지?"

"심경의 변화를 일으킨 것이지요. 갇혀있다 보니까 살고 싶은 생각이 나지 않겠습니까?"

부시가 한숨을 쉬었다.

"그놈까지 떠들면 가장 먼저 나부터 미칠 거다. 그놈 입을 막아."

"예, 각하."

피터슨이 대답했다.

"변호사를 바꾸겠습니다. 그리고 후세인 면회도 금지시키지요."

"아예 주둥이를 꿰매든지."

"더 이상 말이 나가지 않게 하겠습니다."

"개아들놈."

이제 카밀라 후세인은 부시 머릿속에서 잠깐 사라졌다, 바그다드의 후세인이 대역이라면 이라크 침공부터 헛고생을 한 것이 될 테니까.

"여기군."

지노가 감탄한 표정으로 말했다.

"장소가 적당해. 바위 쪽에도 가려져 있고 배에 타기도 어렵지 않겠어."

"배에서 5미터짜리 널빤지만 대면 미끄러져 내려올 수 있어요."

가트만이 아래쪽을 손으로 가리켰다.

"배가 부딪칠 염려도 없고, 이곳은 나 외에 아는 사람이 없어."

"과연."

브라운도 고개를 끄덕였다. 산비탈에서 배로 미끄러져 들어가면 된다. 더구나 이곳은 작은 만의 귀퉁이여서 바다 쪽과는 시야가 차단되었다. 그리고 밤에는 배도 보이지 않을 것이다. 배 높이는 5미터 정도이니 5미터 정도의 널빤지만 비스듬히 이쪽에 대면 30도쯤의 경사를 미끄러져 내려오면 된다. 눈을 감고도 배 안으로 내려올 수 있다.

"훌륭해."

브라운이 최상의 찬사를 했다. 그러자 가트만이 웃음 띤 얼굴로 말했다.

"자, 그럼 9시에 이곳에서 기다리기만 하시지, 이라크 선생들."

가트만은 그들이 이라크 난민인 줄로만 아는 것이다.

산에서 나와 가트만과 헤어졌을 때는 6시 반이다.

여관에서 7시 반쯤 나와도 넉넉했기 때문에 지노와 브라운은 가게에 들러 배에서 먹을 음료수와 간식을 샀다.

"브라운, 난 카밀라하고 인도네시아로 갈 거다."

가게를 나온 지노가 말했을 때 브라운이 고개를 끄덕였다.

"인도네시아가 이슬람 국가 중 안정이 되었지."

"카밀라가 안정이 될 때까지 같이 있어주는 것이 낫겠어."

둘은 여관을 향해 나란히 걸어가고 있다. 오가는 행인들이 많았지만 둘은 이란인 행색이다. 그리고 이라크처럼 거리에서 검문 검색하는 민병대도 없다. 그때 브라운이 웃음 띤 얼굴로 지노를 보았다.

"지노, 아이를 낳으면 후세인 대통령의 피가 이어질 거다."

정색한 지노의 시선을 받은 브라운이 말을 이었다.

"아마 산에 묻힌 각하의 영혼도 기뻐하실 거다."

"그럴까?"

"알면서 시치미 떼지 마라, 용병."

브라운이 이맛살을 찌푸렸다.

"넌 인도네시아에서 카밀라하고 아들 다섯만 낳고 살아라, 용병."

"……."

"그리고 자식들이 성장했을 때 외할아버지 이야기를 해주는 거야."

"……."

"이라크에 들러 각하의 시신을 찾아올 수도 있겠지."

어느덧 여관 앞이다.

마당에 서 있던 로간과 파하드가 둘을 맞았다. 둘이 그들을 기다리고 있었던 것이다.

"자, 준비되었어. 7시 반에 떠나자."

지노가 말하고는 단층 여관의 복도 끝 방으로 다가갔다.

오후 7시 10분이다.

카밀라와 같은 방을 쓰고 있었기 때문에 지노는 노크를 하고 나서 갖고 있던 열쇠로 문을 열었다. 안으로 들어선 지노는 방의 불을 켜지 않아서 어두운 안쪽에 대고 말했다.

"카밀라, 나 왔어."

지노가 벽에 전등 스위치를 켰다. 방은 비었다. 그러나 안쪽 욕실의 문이 반쯤 열려 있었기 때문에 지노가 다가갔다.

욕실 문을 연 지노가 멈춰 섰다.

눈앞에 카밀라가 서 있었다. 고개를 숙이고 있다. 서 있는 것이 아니다.

매달려 있다.

목을 맨 나일론 끈을 풀었더니 카밀라가 늘어졌다. 이미 몸은 차갑다. 지노가 카밀라의 몸을 방바닥 위에 눕혔다. 카밀라는 반쯤 눈을 뜨고 있었지만 '보라고' 놔두었다. 두 손을 가슴 위에 모아 붙이고는 다리도 반듯이 고쳐 눕혔다.

카밀라는 정장 차림이다. 바지에 긴팔 셔츠를 입었고 머리도 단정했다. 신발만 신지 않았다.

눕히고 나서 방 안을 둘러보았더니 편지가 있다. 탁자 위에 단정하게 놓여 있다. 지노가 편지를 가져와 카밀라 옆에 앉아서 읽었다.

편지의 글이 옆에 누운 카밀라의 목소리처럼 종이에서 울려나왔다.

'지노, 내 사랑.

당신이 안아서 나를 내려주겠지요. 그것을 떠올리면 행복하게 갈 수 있어요.

지노, 아버지를 따라가겠어요. 내 바지 주머니에 내 머리칼과 손톱, 발톱을 자른 봉투가 있으니까 그걸 가져가고 날 매장시켜 주세요.

지노, 내 손톱, 발톱은 갖고 계시다가 나중에 아버지가 묻힌 곳에 갈 기회가 있다면 그 옆에 묻어주세요. 나도 이라크 땅에, 아버지 옆에 묻히고 싶으니까요.

지노, 내가 유일하게 사랑했던 남자.

지노, 내 사랑.

언젠가 우리가 천국에서 다시 만날 때가 있을 거예요. 확신해요, 지노.

지노, 내 사랑. 안녕.

당신의 카밀라가.'

인부들이 흙을 덮는 동안 지노는 눈도 깜빡이지 않고 서 있다.

오전 11시 반.

부세르 교외의 묘지. 식이 끝나고 카밀라의 관 위로 흙이 덮이고 있다. 둘러선 로간, 브라운, 파하드도 입을 열지 않는다.

흐린 날씨다. 바람이 불면서 비린 냄새가 맡아졌다. 로간은 그것이 피 냄새처럼 느껴졌다.

카밀라의 무덤이 생겨났다.

네모난 바위 위에 이름이 적혔다. 지노가 불러준 대로 '지노 카밀라'다.

좋은 관도 썼고 무덤 주위도 잘 다듬어진 석재로 쌓았다. 묘지 관리인한테 대금도 지불했기 때문에 잘 관리될 것이다.

인부들도 돌아간 후에 지노가 무덤 위를 손바닥으로 잠깐 덮더니 물러났다. 그러고는 몸을 돌렸다. 그것을 본 로간이 지노 흉내를 내고 나서 뒤를 따랐다.

브라운과 파하드까지 무덤을 쓰다듬고 몸을 돌렸다.

그렇게 사내 넷은 묘지를 나왔다. 말은 한마디도 하지 않았다.

다시 여관으로 돌아왔을 때는 오후 1시쯤 되었다.

카밀라를 눕혔던 그 방에 다시 둘러앉았을 때 지노가 먼저 입을 열었다.

"가야겠다."

세 쌍의 시선을 받은 지노가 방을 둘러보았다. 욕실 문은 지금도 반쯤 열려 있다. 그때 지노가 말을 이었다.

"용병 일 하러."

카라치.

인구 1,600만의 파키스탄 최대 도시이며 옛 수도다.

카라치 시내 빈카심 타운의 서쪽 주택가 안. 이곳은 담장이 높고 200평 정도의 마당까지 갖춘 벽돌 건물이다. 그러나 건평은 1백 평 정도로 외관이나 내부 장식이 수수한 편이다. 주변에 고급 주택이 많기 때문이다.

2층 응접실에 앉아있던 지노가 계단을 올라오는 파하드를 보았다.

"주인, 준비되었습니다."

다가온 파하드가 탁자 위에 가방을 내려놓고 앉았다.

"저도 주인이 떠나시면 페샤와르로 돌아갈 겁니다. 아무래도 이런 대도시는 저에게 맞지 않는 것 같아서요."

지노가 고개만 끄덕였다. 카라치에 온 지 두 달째다. 로간과 브라운이 제각기 프랑스와 영국으로 떠난 지 한 달쯤 된다. 그 후로는 둘이 남아 있었던 것이다. 파하드가 지노와 함께 있겠다고 했기 때문이다.

지노가 가방을 열고 여권을 꺼내보았다. 파키스탄 여권이다. 파키스탄 정부에서 발행한 정식 여권이다. 지노는 이제 '아마드 반수드'란 이름의 파키스탄 인이 되어있다. 고개를 든 지노가 파하드에게 말했다.

"파하드, 언제가 다시 만날 때가 있을 거야."

"예, 주인."

파하드는 지노를 주인으로 부른다. 심복했기 때문이다. 그래서 이번에도 따라가고 싶어 했지만 지노가 겨우 말렸다. 파하드가 번들거리는 눈으로 지노를 보았다.

"연락주시면 어느 곳에든 달려가지요."

지노는 내일 출발하는 것이다.

다음 날 오전 10시 반.

카라치 진나 국제공항을 출발한 여객기는 먼저 두바이에 착륙했다. 두바이에서 비행기를 갈아탄 아마드 반수드는 이제 파리로 날아갔다. 아마드는 다시 파리에서 비행기를 갈아탔다. 목적지는 콜롬비아의 보고타.

파키스탄 인 아마드가 보고타 공항의 입국 심사대 앞에 섰을 때는 그다음 날 오후 3시 반이다.

"아마드 씨?"

세관원이 여권과 지노를 번갈아 보면서 물었다. 영어다.

"그렇소."

지노의 시선을 받은 세관원이 다시 물었다.

"콜롬비아에 온 목적은?"

"사업차."

"무슨 사업?"

"인력 공급."

그러자 다시 지노를 올려다 본 세관원이 스탬프를 쥐더니 2초쯤 망설이다가 도장을 찍었다. 콜롬비아 입성이다.

입국장으로 나왔을 때 백인 사내 하나가 다가왔다. 지저분한 회색 머리칼, 헐렁한 양복 차림, 40대 초반쯤. 그러나 장신이다.

"아마드 씨?"

"존슨 씨요?"

지노가 되묻자 사내는 손을 내밀었다.

"맞습니다. 먼 길을 오셨네."

"할 수 없죠."

사내가 지노의 가방을 받아 쥐었기 때문에 지노는 손가방만 들었다.

보고타의 날씨는 서늘했다. 입국장 밖의 도로에 낡은 포드 반트럭이 세워져 있었는데 사내가 가방을 짐칸에 실었다. 차에 올랐을 때 존슨이 시동을 걸면서 말했다.

"여긴 보수는 좋지만 생존 확률이 적은 곳이오. 알고 있지요?"

지노가 힐끗 시선만 주었을 때 존슨이 쓴웃음을 지었다.

"그래서 여길 피신처로 정하고 오는 인간들도 있지만 말요."

차는 요란한 엔진음을 내면서 달려가기 시작했다. 존슨이 고개를 돌려 지노를 보았다.

"아마드, 당신 이름도 가명이지? 여권도 새로 만들었더구만."

여권 카피를 메일로 보냈던 것이다. 존슨이 말을 이었다.

"마르코 씨가 당신한테 관심이 대단하더군. 그래서 메스티소들을 보내지 않고 직접 나를 보낸 거요."

"……."

"내 직책은 마르코 씨 경호대장이야. 수하에 메스티소 병사 120명을 거느리고 있지. 그놈들도 모두 군 출신이라 독종이야. 그냥 안 죽어."

대답을 기다리지 않고 존슨이 앞을 향한 채 말을 계속한다.

"상대방인 과타르치 조직은 아예 남아공의 유제비노 용병단과 계약을 맺은 터라 전력이 막강하지. 현재 용병 1개 조 7명이 와 있어."

"……."

"우리 마르코 가문은 지금까지 용병을 안 썼는데 당신은 두목이 특별 고용한 셈이지."

"……."

"마르코 씨가 용병을 믿지 않기 때문에. 커크의 소개가 없었다면 당신도 고용하지 않았어."

그러더니 핸들 위에 걸친 손으로 제 얼굴을 가리켰다.

"난 시카고 경찰 출신이야. 자세히 말하면 난 용병이 아니지. 마르코 가문 일을 한 지는 7년쯤 되었고 미국에서는 수배 중이야."

"……."

"내가 시카고에서 두목의 마약을 받았거든."

"……."

"CIA는 날 잡으려고 내부에 첩자까지 심어놓았어. 작년에 말야."

존슨이 힐끗 백미러를 보더니 말을 이었다.

"뒤를 봐. 차 2대가 따라오고 있을 거야. 난 항상 차 2대를 경호 역으로 데리고 다녀."

"내가 할 일은 뭐야?"

마침내 지노가 묻자 존슨이 쓴웃음을 지었다.

"두목이 당신한테 기대가 큰 것 같아."

차는 이제 고원 위의 황무지에 뚫린 비포장도로를 달려가고 있다. 존슨이 말을 이었다.

"지금까지 우리들이 당하기만 했어. 수없이 죽었어. 하룻밤 사이에 20명이 죽었을 때도 있었다니까."

"……."

"도살이야. 이라크, 아프간은 군인 출신끼리의 전투지. 그런데 이곳은 아냐."

존슨이 고개를 절레절레 흔들었다.

"이번에는 우리가 보복해야 돼."

"병력은 얼마나 돼?"

"우리는 메스티소가 3백 명 가깝게 돼."

"……."

"과타르치 놈들도 비슷할 거야."

지노가 심호흡을 했다.

이라크에서 정반대 쪽 세상이다. 그리고 전혀 다른 전쟁이 일어나고 있다.

고원 위에 세워진 3층 대저택.

정문에서 1킬로 정도나 달렸을 때 숲에 둘러싸인 저택이 드러났다. 본관 좌우에 부속동이 둘러쌌고 뒤쪽에는 망루까지 설치되어 있다.

정문에서 현관까지 오는 동안 지노는 경비병을 30명까지 세었다가 그만두었다.

요새다. 후세인의 동굴 기지보다 더 치밀한 경비 체계다. 그리고 무기도 더 신형이다. 슈타이어 AUG 기관총, 베레타 AR70, 우지 기관총까지 목에 매달고 있다. 모두 백인과 인디오와의 혼혈인 메스티소로 잘 먹어서 얼굴에 윤기가 난다.

차가 현관 앞에 멈춰 섰을 때 존슨이 지노에게 말했다. 얼굴이 긴장으로 굳어 있다.

"자, 두목을 만나러 가지."

2층의 응접실은 1백 평도 더 되었다.

대리석 바닥이었고 안쪽 붉은색 가죽 소파에 앉아있던 중년 사내가 자리에서 일어나서 둘을 맞는다. 사내 뒤쪽에 두 사내가 석상처럼 서 있다. 경호원이다.

"오, 왔나?"

50대쯤의 사내는 웃음 띤 얼굴이다. 검은 머리, 이 사내가 저택의 주인인 것 같다. 지노가 다가서자 사내는 손을 내밀었다.

"잘 왔어. 지구를 반 바퀴 돌았나?"

유창한 영어다.

"반갑습니다."

악수를 나눈 지노에게 사내가 자리를 권하면서 말했다. 어느새 존슨은 사라졌다.

"내가 마르코야. 마르코 보든. 이 가문의 주인이지."

마르코는 검은 머리, 검은 눈의 스페인계다. 곧은 콧날, 배가 나온 거구, 눈의 흰자위가 많아서 유난히 눈빛이 강하다. 마르코가 지그시 지노를 보았다.

"커크 배링턴은 몇 명 안 되는 내 친구야."

"그렇다고 들었습니다."

지노가 고개를 끄덕였다. 마르코를 소개시켜준 사람이 커크 배링턴이다. 커크는 지노를 이라크로 보낸 용병회사 대표다. 지노는 시카고포스트 기자 케이트를 경호하는 용병으로 채용되었던 것이다. 그때 마르코가 다시 입을 열었다.

"그래서 여기선 자네를 지노라고 부르겠네."

"그러시지요."

"솔직히 커크가 자네를 추천해서 놀랐어."

"내가 원했습니다."

"커크한테 믿을 만한 용병을 추천해달라고 했거든."

마르코의 얼굴에 쓴웃음이 번졌다.

"10여 명을 추천받았지만 결국 자네를 택했네."

"……."

"후세인과 딸 카밀라를 탈출시킨 용병 아닌가? 결국 둘이 다 잡혔지만 말이네."

"……."

"그런데 카밀라를 자네가 탈출시켰다는 소문이 떠돌던데, 어떻게 된 건가?"

"소문입니다."

지노가 정색하고 마르코를 보았다.

"모르는 일입니다."

마르코가 고개를 끄덕였다.

"지노, 이젠 나를 도와주게."

지노가 시선만 주었고 마르코의 말이 이어졌다.

"존슨한테서 들었겠지만 내가 지금 전쟁 중이야."

밤.

침대에 누운 지노가 고개를 돌려 창밖을 보았다. 베란다의 유리문 밖은 짙은 어둠에 덮여 있다. 이곳은 대저택의 3층 방 안. 오른쪽에 붙은 침실이 지노에게 배정되었다. 귀빈용 침실이다. 마르코가 지노를 귀빈으로 대접한 것이다.

주위는 조용하다.

마르코는 거대한 마약 공장을 소유한 마약업자다. 과타르치와 함께 콜롬비아의 마약시장을 양분하고 있는 거물인 것이다. 이미 마르코와 과타르치는 미국 정부는 물론 인터폴에서 수배 중이다.

한동안 창밖을 바라보던 지노가 눈을 감았다.

이제 다시 시작이다. 이렇게 시간이 가겠지. 이곳에는 돈을 벌려고 온 것이 아니다. 후세인한테서 받은 수당, 거기에다 마지막 날, 카밀라가 갖고 있으라고 건네준 쪽지. 그것까지 합하면 엄청난 거금이 수중에 있다. 지노의 얼굴에 쓴웃음이 번졌다.

나는 돈이 필요 없는 용병이다. 나는 이곳에 시간을 보내려고 왔다. 그 시간이 갑자기 끝나기를 기다리는지도 모른다.

다음 날 아침.

1층의 식당에 셋이 둘러앉았다. 마르코와 지노, 존슨이다. 직사각형 테이블의 위쪽에 마르코가, 좌우에 지노, 존슨이 마주 보고 앉았다. 우유 잔을 든 마르코가 지노를 보았다.

"지노, 네가 온 것은 이미 과타르치 일가가 알고 있을지도 모른다."

마르코가 말을 이었다.

"과타르치 조직에 대해서 존슨한테 듣도록 해."

"예, 마르코 씨."

"과타르치는 배다른 동생 둘에다 경호대장 파블로가 심복이야. 그놈들을 제거하면 돼. 물론 유제비노의 용병 1개 조와 함께."

"제가 직접 봐야겠습니다."

"내가 안내역을 하나 붙여주지."

고개를 끄덕인 마르코가 하인을 손짓으로 부르더니 귓속말을 했다. 마르코가 다시 말을 이었다.

"지노, 넌 내 조직의 2인자야. 네가 후세인에게 충성을 바친 것처럼 나를 섬겨주면 그 대가를 주마."

지노의 시선을 받은 마르코가 빙그레 웃었다.

"나는 돈이 얼마든지 있는 사람이야. 후세인보다 많을지도 모른다."

아직 지노는 마르코와 용병 계약금을 결정하지 않은 상태다. 커크 배링턴도 계약금 이야기를 꺼내지 않은 것이다. 지노가 말을 꺼내지 않았기 때문이기도 했다. 그때 마르코가 허리를 펴고 말했다.

"지노, 너하고 계약했다고 커크한테 연락하지. 그리고 커크에게 에이전시 수수료로 2백만 불을 송금시켜주겠다."

엄청난 수수료다. 지노로서는 처음 듣는 금액이다. 마르코가 말을 이었다.

"지노, 너한테는 여기 있는 존슨과 같이 연봉 2천만 불을 주겠다. 오늘 자로 바하마 은행에 입금된 계좌번호를 주지."

지노는 고개만 끄덕였다.

식사를 마치고 방에 돌아왔을 때다. 문에서 노크 소리가 났다. 문으로 다가간 지노가 문을 열자 서 있던 여자가 눈인사를 했다.

"사만타입니다."

지노가 시선만 주었기 때문에 여자의 눈 밑이 조금 붉어졌다.

"제가 안내역으로 배치되었습니다."

"아, 그렇군."

의외였기 때문에 지노가 비켜서면서 말했다. 여자 안내역이다. 방으로 들어선 여자가 주춤거리며 섰다. 흰색 바지에 검정색 재킷을 입었고 긴 머리를 묶었다. 키가 컸고 날씬한 몸매, 갸름한 얼굴에 윤곽이 뚜렷한 용모, 메스티소다.

콜롬비아는 인구가 약 5천만, 면적이 프랑스의 2배 정도인 114만 제곱 킬로.

그중 20퍼센트가 백인이다. 60퍼센트는 백인과 원주민과의 혼혈인 메스티소다. 메스티소 여인 중 미인이 많은 것이다. 지노가 앞쪽 소파를 가리켰다.

"앉아. 난 남자 안내역이 올 줄 알았어."

"주인께서 저를 지명하셨습니다."

고개를 끄덕인 지노가 말했다.

"무기를 어디서 구하나?"

"예, 말씀만 하시면 지금 가져다 드리지요."

"소염기와 함께 베레타92F, 실탄 2백 발."

"예, 아마드 씨."

"헤클러 앤 코흐제 MP-5, 있지?"

"있습니다. 소염기까지 가져오지요. 실탄은 3백 발, 탄창도 3개 가져오겠습니다."

사만타가 자리에서 일어서며 말을 잇는다.

"방탄조끼까지 가져오겠습니다."

"우리는 메데인을 중심으로 활동하고 과타르치 가문은 페레이라가 본거지죠."

사만타가 탁자 위에 펴놓은 콜롬비아 지도를 손가락으로 짚으며 말했다. 가늘고 섬세한 손가락이다. 손톱은 옅은 분홍색이었고 갸름했다.

사만타가 말하는 동안 지노가 MP-5를 결합하고 있다. 시선은 지도에 준 채 MP-5를 보지도 않고 결합한다. 사만타가 말을 이었다.

"중부 고원지대에 모두 광대한 농장을 관리하고 있기 때문입니다. 우리는 27개의 양귀비 농장이 있고 과타르치는 32개 농장이 있거든요."

오전 11시.

지노의 방 안이다. 열린 베란다 문에서 시원한 바람이 밀려들어왔다. 짙은 숲 냄새가 맡아졌다. 사만타의 시선이 MP-5에 옮겨졌다가 돌아갔다.

"메데인에 우리의 저택이 있습니다. 그곳이 본부죠. 이곳은 보고타 별장이라고 부릅니다."

"……."

"우리는 헬기 12대, 쌍발 프로펠러 수송기 6대, 보잉 737 2대를 보유하고 있지요. 헬기는 주로 농장 점검이나 국내 수송용, 프로펠러 수송기는 국외 반출용, 보잉 737은 장거리 운행에 쓰이고 있습니다."

지노가 고개를 들었다. 이 정도면 놀랍다. 국가 수준이다. 사만타의 검은 눈동자가 또렷했다. 문득 사만타의 얼굴 위로 카밀라의 얼굴이 겹쳤다. 68일째다. 카밀라가 죽은 시간부터 계산한 날짜다. 그때 사만타의 목소리가 울렸다.

"과타르치 가문이 보유한 비행기도 우리와 비슷합니다. 우리는 현재 44개 마을과 도시를 관리하고 있습니다. 주민 숫자는 약 125만 명이죠."

"……."

"44개 도시의 학교, 의료시설은 물론 주민들의 의식주까지 책임지고 있는 터라 매달 이주해 오는 주민이 늘어납니다. 그래서 재정 지출의 절반 이상이 주민 복지로 투자되지요."

"……."

"그러니까 각 도시 마을의 시장에서부터 공무원, 경찰은 말할 것도 없고 군인까지 우리가 관리하는 셈입니다. 먹여 살리고 있는 거죠."

"……."

"과타르치 가문도 비슷합니다. 다만 그쪽은 남쪽이고 우리는 북쪽 지역일 뿐이죠."

"대통령이 되는 것이 낫지 않았을까?"

불쑥 지노가 물었다. 이제 다 조립된 MP-5를 세워들고 앉은 지노가 사만타를 보았다.

"이렇게 용병 고용할 것 없이 말야. 대통령 경호실을 운영하면 더 철저하게 될 텐데."

"과타르치가 몇 년 전에 그러려고 했다가 미국 정부의 암살 타깃이 되었습니다."

사만타가 정색하고 지노를 보았다. 이제는 코 밑에 작은 점 하나가 박혀 있는 것이 보인다.

"그래서 황급히 미국에 특사를 보냈다는 소문입니다. 절대 출마하지 않겠다는 서약을 하고 암살 대상에서 해제되었다고 합니다."

"……."

"미국은 우리와 과타르치를 경쟁시키면서 마약 수요를 조정하고 있거든요."

"……."

"만일 과타르치가 붕괴되면 우리가 콜롬비아를 독점하게 되니까요. 균형을 잡기 위해서 놔둔 것입니다."

"그런데 지금은 과타르치 세력이 더 강해진 모양이군."

"예, 아마드 씨."

사만타가 고개를 끄덕였다.

"남아공의 용병 1개 조가 온 후부터 전쟁이 많아졌습니다. 우리가 계속 당했고요."

"전력이 3백 명 정도라면서?"

"그것은 기동대로 정규군 역할이죠. 기동대 병력은 과타르치하고 비슷하게 3백 정도지만 농장 경비병 등은 5천 명도 넘습니다."

"그렇군."

"과타르치도 비슷하죠."

"그런데 네 경력을 말해봐."

"예, 아마드 씨."

고개를 든 사만타가 지노를 보았다.

"경찰대학을 졸업하고 보고타 경찰 정보과에 근무하다가 마르코 패밀리 일원이 되었지요."

"이유는 뭐야?"

"보수도 좋은 데다 경찰이 부패했기 때문입니다. 마르코 패밀리가 오히려 국가와 국민을 위해서 일한다고 생각했지요."

지노가 고개를 끄덕였다. 사만타가 경찰 출신이라는 것만 알면 되었다. 그만하면 기본은 갖춘 셈이니까.

회의.

저택 2층의 회의실 안. 상석에 마르코가 앉았고 테이블 좌우에 존슨과 지노, 그리고 또 한 사람, 페르난도가 앉았다.

페르난도는 40대 중반쯤의 백인으로 마르코의 참모 역할이다. 회색 머리칼, 마른 체격에 무표정한 얼굴의 사내다. 눈동자도 흐려서 죽은 생선의 눈 같다. 지노는 오늘 처음 만난다.

오후 4시 반.

마르코가 입을 열었다.

"난 내일 메데인으로 돌아갈 테니까 이곳은 지노한테 맡기겠다."

마르코의 시선이 지노에게 옮겨졌다.

"경비병 35명이 여기 남아 있을 거야. 지노, 네가 이곳에 남아서 상황 파악을 해."

마르코가 말을 이었다.

"아직 전쟁을 수행하기는 시기상조야, 먼저 적을 알아야 할 테니까."

"알겠습니다."

지노가 고개를 끄덕였다.

"보고타에도 과타르치 안가(安家)가 있다니까 그쪽 동향도 알아보겠습니다."

마르코의 얼굴에 웃음이 떠올랐다.

"과타르치 측에서도 너에 대한 정보를 갖고 있을 거야. 대비하도록."

회의가 끝났을 때 페르난도가 지노에게 다가와 말했다. 이곳은 저택 응접실 밖의 복도다. 페르난도가 흐린 눈으로 지노를 보았다.

"지노, 보고타에 과타르치의 용병 둘이 와 있어. 유제비노 용병단의 용병 둘이야."

페르난도가 말을 이었다.

"여긴 자네가 이라크에서 싸운 전쟁하고는 전혀 다른 양상이네."

"그런 것 같습니다, 페르난도."

그때 페르난도가 다가와 섰다.

"단 한 가지는 같아, 지노."

"뭡니까?"

"머리만 없어지면 끝나는 것이지."

페르난도의 눈에 초점이 잡혔다.

"우리도 그렇지만 과타르치 놈들도 두목을 제거하려고 끊임없이 암살자를 보내고 있어. 존슨의 임무 중 하나가 암살자 방어야."

"우리 측 암살자는 존슨이 보냅니까?"

"그랬겠지."

페르난도가 고개를 끄덕였다.

"지금까지 두목의 경호, 병력 운용은 존슨이 맡아왔어. 잘해왔지."

"두목이 살아남은 건 존슨의 덕분이군요."

"그런 셈이지."

페르난도의 눈이 다시 흐려졌다.

"지노."

"예, 페르난도."

"자네가 온 것이 두목에게 행운이야."

"무슨 말씀이오?"

"자네는 후세인을 탈출시킨 전설이야."

주위를 둘러본 페르난도가 말을 이었다.

"내가 두목에게 건의했어, 자네한테 다 맡겨도 된다고."

오후 7시 반.

보고타 중심부의 '란도 클럽' 안. 지노와 사만타가 구석 쪽 자리에 앉아있다. 이곳은 보고타의 특급 클럽으로 손님은 관광객이 많다. 위스키를 시킨 사만타가 지노에게 말했다.

"지난달에 여기서 제3경찰서장이 암살되었죠. 암살자 둘은 서장과 경호원 둘을 사살하고 클럽 뒷문으로 도망쳤습니다."

사만타가 뒤쪽을 눈으로 가리켰다.

"경찰서장 곤다르는 우리 패밀리였죠. 콰타르치가 보낸 암살자한테 당한 겁니다."

"패밀리라고 부르나?"

"네, 보고타에 4개 경찰서가 있는데 과타르치와 우리가 각각 2개씩 장악하고 있어요. 2개가 우리 패밀리 소속이라고 봐도 되죠."

이곳 '란도 클럽'은 마르코 가문, 즉 패밀리가 소유한 클럽인 것이다.

"그래서 어떻게 되었나?"

"제3경찰서에서 과타르치 가문의 수송책을 체포한 복수를 한 거죠. 헤로인 45킬로도 압수했으니까요."

사만타가 반짝이는 눈으로 지노를 보았다.

"일주일 후에 존슨 씨가 보낸 암살자가 제2경찰서장 자택을 급습해서 서장과 가족 3명을 사살했습니다."

"……."

"그 사건이 일어나자 바칼리 대통령이 양쪽 가문에 특사를 보내 보복 금지를 명령했기 때문에 전쟁은 중지된 상황입니다."

그때 지배인이 다가와 사만타에게 말했다.

"사만타 씨, 룸으로 가시지요."

"아니, 여기 있겠어요."

고개를 저은 사만타가 말을 이었다.

"그냥 둘러보려고 온 것이니까."

지배인의 시선이 지노를 스치고 지나갔다. 소개를 하지 않았기 때문에 지배인은 지노가 누군지 모른다. 지배인이 돌아갔을 때 지노가 자리에서 일어섰다.

"사만타, 이번에는 과타르치 구역으로 가보자."

전장 조사다. 정찰 다니는 것이나 같다.

"일본 관광객 행세를 하는 것이 안전해요."

사만타가 길 건너편 클럽을 눈으로 가리키면서 말했다.

오후 8시 반.

사만타와 지노는 승용차의 앞좌석에 나란히 앉아있다. 사만타가 말을 이었다.

"들어가시면 위스키를 시키세요. 조니워커는 1백 불 정도, 팁으로는 10불만 주시면 돼요."

고개를 돌린 사만타가 지노를 보았다.

"무기는 두고 가세요, 문 앞에서 수색할 테니까요."

길 건너편의 '마리온 클럽'은 휘황한 네온을 번쩍이고 있었는데 이곳은 과타르치의 구역이다. 제4경찰서가 1백 미터쯤 아래쪽에 위치하고 있었는데 경찰서장이 과타르치 패밀리다. 허리에 찬 베레타를 풀어놓은 지노가 차 문을 열면서 말했다.

"숙소로 돌아가서 기다려."

"괜찮겠어요?"

사만타가 물었지만 지노가 손만 들어보이고는 몸을 돌렸다.

과연 현관으로 들어서자 사내 둘이 다가와 가로막더니 다짜고짜 몸수색을 했다. 한 명이 지노의 팔을 들도록 하고는 위아래를 훑었고 다른 한 명은 옆에 지켜 서 있다.

"오케이."

수색을 마친 사내가 손으로 앞쪽 문을 가리켰다.

"이쪽으로."

클럽 현관 안이다. 사내가 가리킨 문을 열고 들어섰을 때 이번에는 종업원이 다가왔다. 이곳은 '란도 클럽'보다는 고급스럽지 않았지만 넓고 사람이 더 많았다. 종업원에게 10불을 쥐어주자 지노는 안쪽 자리로 안내되었다.

"일본에서 오셨습니까?"

종업원이 사근사근한 목소리로 묻자 지노가 고개를 끄덕였다.

"그래."

"술은 뭘로 드릴까요?"

"스카치, 발렌타인으로."

"17년이 2백 불입니다."

"1백 불 아닌가?"

지노가 눈살을 찌푸리더니 지나는 종업원을 손짓으로 불렀다. 다가선 종업원이 힐끗 옆에 선 종업원에게 시선을 주었다.

"부르셨습니까?"

그때 지노가 주머니에서 10불 지폐를 꺼내 내밀었다.

"발렌타인 17년이 얼마야?"

"1백 불입니다, 손님."

고개를 끄덕인 지노가 다시 10불을 꺼내 종업원에게 내밀었다.

"네가 내 담당을 하고 술 가져와."

"예, 손님."

종업원들이 돌아갔을 때다. 여자 하나가 다가오더니 옆자리에 앉았다. 짙은 향수 냄새가 맡아졌다. 백인 미인이다. 가발인 것 같은 금발을 어깨까지 늘어뜨렸고 푸른 눈동자, 곧은 콧날, 붉은 루주를 바른 입술이 육감적이다.

"바가지를 씌우는 놈들이 많아요."

"저런 놈은 쫓아내야 돼."

여자가 고개를 끄덕였다.

"요즘은 일본인 손님들이 많아서 자주 그런 일이 일어나는 것 같아요."

"일본인이 돈이 많다는 소문이 났나?"

"요즘 투자하러 많이 오니까요."

그때 지노가 눈썹을 모았다.

"그런데 당신은 누구야?"

"여기 지배인입니다."

"그렇군."

고개를 끄덕인 지노가 지그시 여자를 보았다. 시선을 받은 여자가 빙그레 웃는다. 그때 종업원이 술병을 들고 다가와 앞에 놓았다. 여자가 술병 마개를 뜯더니 지노의 잔에 술을 따랐다.

"전 헬레나입니다."

"난 이토야."

"이토 씨, 여긴 처음이시죠?"

"잘 맞혔어."

"오늘 밤 즐기실 건가요?"

"헬레나, 당신이라면."

"위층이 호텔인 거 아시죠?"

지노가 한 모금에 술을 삼키고는 고개를 끄덕였다.

"당신은 올라갔다가 다시 일하러 내려올 건가?"

"클럽은 5시가 되어야 문을 닫기 때문에 어쩔 수 없죠."

"하룻밤에 몇 번이나 올라갔다가 내려오는 거야?"

그때 헬레나가 이를 드러내고 웃었다.

"이토, 난 지난 6개월간 올라간 적이 없어요."

"미안해. 믿어줄게."

"한 시간 반쯤 쉬었다가 가죠. 그런데 5백 불이 들어요."

"투자금이 좀 많은 것 같은데."

"가시겠어요?"

헬레나의 두 눈이 어둠 속에서 반짝였다.

이곳은 적지(敵地)다.

"다음에."

지노가 고개를 저었다.

"난 여유 있게 놀고 싶어서 그래."

"그러시죠."

헬레나가 웃음 띤 얼굴로 말을 이었다.

"다음에 기회가 올지 모르지만."

"예약해놓을까?"

술잔을 든 지노가 헬레나를 보았다.

"낮에 만나든지 말야. 그땐 시간 여유가 좀 있겠지."

"예약을 한다구요?"

헬레나의 눈이 초승달처럼 굽혀졌다. 그때 지노가 다시 물었다.

"예약금을 내놓을까?"

"예약금?"

이제는 헬레나가 이를 드러내고 웃었다.

"얼마 주실 건데?"

"불러봐, 투자금을."

"하루 휴가 낼 테니까, 1500불."

"오케이."

"정말 그 돈 주실 건가요?"

"그 돈을 흥정하는 건 실례지."

"그럼 내일 오전에 만나요. 내가 묵으시는 호텔로 갈까요?"

"내가 데리러 가지. 장소를 정해."

"오케이. 인터내셔널 호텔 라운지, 오전 11시에."

고개를 끄덕인 지노가 주머니에서 100불짜리를 한줌 꺼내어 헬레나에게 내밀었다. 어림잡아 20장 가깝게 보인다.

"돈 세기가 민망해서 그래, 헬레나. 이거 선금으로 받아."

숨을 들이켠 헬레나가 돈을 받더니 가슴에 쑤셔 넣었다. 젖가슴 윗부분이다. 술잔을 든 지노가 한 모금을 삼키고는 자리에서 일어섰다.

"여기 온 소득은 있었으니까 오늘은 이만."

"가시게요?"

삼분의 일도 마시지 않은 술병을 보더니 헬레나가 따라 일어서며 말했다.

"그럼 내일 봐요, 이토."

"오케이."

"꼭 나갈게요."

헬레나가 다시 웃었다.

숙소로 돌아왔을 때는 오후 11시가 되어갈 무렵이다.

이곳은 보고타 시내의 단층 저택 안. 응접실에서 기다리던 사만타가 고개를 들고 지노를 보았다.

"마리온 클럽이 용병들의 단골이에요. 그래서 걱정했어요."

"아직 내 얼굴이 수배되지 않은 것 같다. 그래서 일본인 행세를 했어."

"일본인들이 인터내셔널 호텔에 많이 투숙하고 있어요."

"그렇군. 그래서 그런지 지배인이 인터내셔널 호텔에서 만나자는군."

"헬레나 말인가요?"

사만타가 정색하고 물었다.

"맞아. 금발 가발을 쓰고 있었어."

"용병 피커슨의 애인이에요."

“저런.”

지노의 얼굴에 쓴웃음이 번졌다.

“내가 저절로 구덩이로 들어가는구나.”

“약속하셨어요?”

“내일 하루 나하고 놀기로 하고 계약금까지 주었어.”

“그년이 일본인 킬러로 소문났어요.”

“제대로 잡았군.”

“일본인 실종자가 셋이나 되어서 일본 대사관이 정부에 특사를 보낼 정도예요.”

“난 파키스탄 여권이야, 사만타.”

안가에는 사만타가 데려온 메스티소 경호원 6명이 지키고 있다. 지노가 혼잣말을 했다.

“바로 작전에 투입되어서 반갑다.”

그 이유를 말할 필요는 없다.

“뭐하는 놈인데?”

피커슨이 묻자 헬레나가 얼굴을 활짝 펴고 웃었다.

“투자자야. 나한테 선금으로 1,800불이나 주고 갔어.”

헬레나가 두 손을 펴고 뭔가를 가득 담는 시늉을 해보였다.

“주머니에서 집히는 대로 건네주었는데 나중에 세어보니까 100불짜리가 18장이나 되었어.”

“개 같은 일본 놈.”

마리온 클럽 안쪽 VIP 룸 안이다. 늦게 들어온 피커슨에게 헬레나가 ‘호구’를 잡은 무용담을 자랑하는 중이다. 그때 정색한 피커슨이 헬레나를 보았다.

"그놈은 어디 투숙하고 있는 거야?"

"내일 알아봐야지."

그때 피커슨이 눈썹을 모았다.

"내일 그놈을 데리고 카타산의 별장으로 가. 너하고 같이 있는 장면은 보이지 말고."

"이번에는 어떻게 할 건데?"

"그놈 키를 받아서 방을 털어야지. 죽이면 시끄러워져."

"털면 나한테 절반은 주는 거지?"

"욕심은."

쓴웃음을 지은 피커슨이 손가락 2개를 펴 보였다.

"20퍼센트를 주지."

"좋아."

헬레나가 고개를 끄덕였다.

일본인 실종자 중 하나는 헬레나 소행이다. 헬레나가 유혹해서 피커슨과 함께 처리했던 것이다. 용병 피커슨은 과타르치 조직의 보고타 책임자로 요즘 일본인 납치로 부수입을 챙겨왔다. 경찰까지 장악하고 있는 터라 피커슨 일당에게는 무법천지다.

11시 5분.

인터내셔널 호텔 라운지에 앉아있던 지노에게 웨이터가 다가왔다.

"이토 씨인가요?"

"맞아."

지노가 대답하자 종업원이 눈으로 카운터를 가리켰다.

"전화 왔습니다."

자리에서 일어선 지노가 카운터로 다가가 전화기를 귀에 붙였다.

"여보세요."

"이토 씨?"

여자 목소리, 헬레나다.

"아, 헬레나."

"여기, 호텔 뒷문 건너편의 흰색 벤츠에 타고 있어요. 이리 오세요."

"오케이."

가볍게 대답한 지노가 전화기를 내려놓았다.

11시 15분.

지노가 다가갔을 때 운전석에 앉아있던 헬레나가 활짝 웃었다. 흰색 벤츠는 말끔하게 세차되어 있다. 옆쪽으로 돌아간 지노가 옆자리에 앉았을 때 헬레나가 말했다.

"우리, 교외로 가요."

"좋지."

"경치 좋은 곳에 별장이 있어요."

"가자구."

벤츠는 미끄러지듯이 달려가고 있다.

카타산의 별장은 고원지대의 조금 높은 분지여서 전망이 좋다. 20여 채의 별장이 드문드문 흩어져 있어서 고위 관리, 재벌들의 별장지대가 되어있다. 붉은색 지붕으로 덮인 별장 지대가 멀리서도 보였기 때문에 지노가 눈을 가늘게 떴다.

오전 11시 45분.

별장과 4킬로쯤 떨어진 위치다.

"그럼 같구나."

"우리 별장은 저 안쪽에 있어."

헬레나가 눈으로 앞쪽을 가리키며 말했다. 차는 고원 위에 뚫린 길을 달리는 중이었는데 왕복 2차선 도로다. 오가는 차량이 드물었기 때문에 헬레나는 차에 속력을 내었다. 그때 지노가 헬레나에게 말했다.

"헬레나, 차를 잠깐 세워."

"왜?"

속력을 줄이면서 헬레나가 묻자 지노가 웃음 띤 얼굴로 앞쪽을 가리켰다.

"저쪽에서, 잠깐 할일이 있어."

앞쪽의 꽤 넓은 갓길이 보인다. 헬레나가 차를 세웠을 때 지노가 길게 숨을 뱉었다. 의아한 표정이 된 헬레나가 시선을 주었을 때다. 지노가 손을 뻗쳐 시동을 끄더니 다음 순간 팔꿈치로 헬레나의 관자놀이를 찍었다.

"퍽!"

뼈 부서지는 소리와 함께 헬레나의 머리가 뒤로 젖혀졌다.

오후 12시 50분.

별장에서 기다리던 피커슨이 핸드폰을 귀에 붙이고 물었다.

"어떻게 된 거야?"

"호텔에서 11시 15분경에 떠난 건 확실합니다. 도중에 어디 들른다는 말은 없었는데요."

인터내셔널 호텔에서 감시했던 부하다.

"제기랄."

피커슨이 투덜거렸다.

"그 염병할 년이 뭘 꾸물대는 거야?"

지난번에도 방에서 꾸물대는 바람에 밖에 있던 부하들이 30분이나 늦게 들어갔던 것이다. 이번에도 도중에서 노닥거리는 것 같다.

지노가 앞에 앉은 두 사내를 보았다. 마구로와 호타크다. 둘은 메스티소로 지노를 수행한 경호원이다.

이곳은 안가의 응접실 안. 오후 6시 반이다. 그때 마구로가 입을 열었다.

"차는 요팔로 가져갔습니다. 그곳에서 내일 중에 베네수엘라로 끌고 가서 팔아치울 겁니다."

지노가 고개만 끄덕였을 때 이번에는 호타크가 말했다.

"피커슨이 헬레나를 찾으려고 시내를 뒤지고 있습니다. 일본인이 많이 투숙한 힐튼 호텔까지 확인하는 중입니다."

그때 옆쪽에 앉아있던 사만타가 지노를 보았다.

"이토의 인상착의를 그려서 정보원들에게 나눠주었다고 합니다."

"내 얼굴이 대번에 유명해지겠구나."

지노가 혼잣소리처럼 말했다.

"어쩔 수 없지."

고개를 든 지노가 마구로와 호타크를 보았다.

"오늘 밤에는 너희들 둘만 따라와."

경찰에 신고를 할 수도 없는 일이라 피커슨은 부하들만 동원했다. 정보원이 보고타 시내를 샅샅이 뒤지는 터라 금세 소문이 퍼졌다. '일본인이 여자를 납치했다'는 소문이다. 모든 호텔에 이토란 일본인은 투숙하지 않았다.

"차까지 보이지 않다니 계획적이야."

피커슨이 버럭버럭 화를 내면서 소리쳤다. 이곳은 피커슨의 안가 안. 밤 11시가 되어가고 있다. 술에 취한 피커슨이 앞에 앉은 베르케에게 말을 이었다.

"하지만 보고타에 있을 거다. 그놈이 헬레나를 잡아간 목적이 있어."

"일본 기관원일까요?"

베르케가 묻자 피커슨이 고개를 저었다.

"마르코 가문일지도 모른다."

"그럴 리가요?"

"소문이 났어. 마르코가 용병을 고용했다는 소문."

"저도 들었습니다만 하필 헬레나를……."

"헬레나 뒤에 내가 있거든."

피커슨이 어깨를 부풀렸다가 내렸다.

안가는 조용하다. 시청 옆 주택가에 위치한 단층 저택은 담장이 높고 1백 평 가량의 정원까지 갖춰져 있다. 저택 안에는 피커슨이 직접 지휘하는 7명의 부하와 함께 숙식하고 있다. 긴장한 베르케에게 피커슨이 말을 이었다.

"대원들을 비상 소집해라. 내일 오전 8시까지 간부들은 이곳으로 모이라고 해."

그 시간에 지노가 담장을 넘어 뒷마당으로 뛰어내렸다. 바로 앞에는 방금 뒷머리가 박살나서 쓰러진 경비원의 시체가 쓰러져 있다. 지노가 담장 위에서 쏜 것이다.

이어서 마구로와 호타크가 뒷마당에 뛰어내렸다.

앞쪽 본채와의 거리는 30미터. 주방 쪽 창문의 불빛이 흘러나올 뿐이다.

앞장선 지노가 뒷마당을 달려 본채의 왼쪽 모퉁이로 붙었다. 그 뒤를 마구로, 호타크가 따른다.

저택 앞마당 경비는 둘. 본채에서 대문까지는 40미터 정도였는데 정원수와

작은 연못까지 조성되어 있다. 경비는 정문 뒤에 하나, 본채 현관 옆에 하나가 서 있다.

정문 뒤에 선 사내는 담배를 피우고 있어서 빨아들일 때마다 얼굴 윤곽이 드러난다. 둘 다 총을 목에 걸고 있었는데 눈에 익은 AK-47이다. 그때 지노가 고개를 돌려 마구로를 보았다.

"먼저 정문 뒤의 놈을 없애고 그다음이 현관 경비다."

지노가 낮게 말하자 마구로가 대답했다.

"대장님, 제가 정문으로 가지요."

"아니, 내가 없애지."

저택은 조용하다. 1자형 구조로 길이가 30미터, 폭이 15미터 정도의 사각형 구조다. 문은 현관과 주방 쪽 뒷문까지 2곳.

지금 셋은 왼쪽 모퉁이에 붙어 서있다. 현관까지의 거리는 15미터. 이곳에서 정문까지는 40미터 정도다.

고개를 돌린 지노가 호타크를 보았다.

"네가 뒷문을 맡아라. 밖으로 나오는 놈들을 없애."

"예, 대장."

호타크가 소리 없이 어둠 속으로 사라졌다. 그때 지노가 들고 있던 MP-5를 치켜들고 정문 쪽 경비를 겨눴다. 스코프에 경비의 얼굴이 드러났다.

거리는 46미터. 뒤에 선 마구로는 숨을 죽이고 있다. 다음 순간, 지노의 총구에서 낮은 발사음이 울렸다.

"퍽!"

그 순간 얼굴이 부서진 경비가 어둠 속으로 쓰러졌다.

"퍽!"

다음 순간 총구를 돌린 지노가 15미터 거리의 현관 앞 경비를 쏘았다. 이번에도 머리통이 깨진 경비가 현관 앞에 쓰러지면서 꽤 큰 충돌음이 일어났다. 들고 있던 AK-47이 대리석 바닥에 떨어졌기 때문이다.

그 순간이다. 현관의 불이 켜졌기 때문에 지노의 얼굴에 쓴웃음이 떠올랐다.

"밖에 나가봐!"

피커슨이 소리쳤다. 현관에서 울린 금속성 소리가 응접실에까지 들린 것이다. 그때 방에 있던 부하 하나가 서둘러 현관으로 다가갔다. 셔츠 차림으로 손에 권총을 쥐었다.

피커슨이 벽에 기대 세워놓은 우지를 집어 들었다. 일어선 베르케는 허리에 찬 콜트를 꺼내 쥐었다. 그때 현관문을 열고 밖으로 나갔던 부하가 뛰어 들어왔다.

그것을 본 피커슨이 벌떡 일어섰다. 뛰어 들어온 것이 아니다. 총을 맞고 현관 안으로 쓰러진 것이다. 머리통이 현관 안쪽 모퉁이에 부딪치면서 흰 뇌수가 쏟아졌다.

"엇!"

놀란 베르케가 현관을 향해 총구를 겨눴다. 그 순간 피커슨이 소리쳤다.

"옆쪽으로!"

피커슨이 왼쪽 기둥 옆으로 몸을 날린 순간이다. 반쯤 열린 현관문 밖에서 돌멩이 하나가 안으로 굴러 들어왔다.

"꽝!"

그것이 무엇인지 구별하기도 전에 응접실이 폭발했다. 수류탄이다. 베르케는 피한다고 피커슨의 반대쪽으로 몸을 날렸지만 오히려 수류탄 앞이다. 폭발과 함께 몸이 허공에 떴고 갈가리 분해되었다. 다음 순간.

"꽝!"

또 한 발의 수류탄이 폭발하면서 기둥이 무너졌다. 지붕 한쪽이 무너져 내리더니 집 안에는 불길이 치솟았다. 정전이 되었지만 불길로 뒤덮인 저택은 더 밝아졌다.

"쾅!"

또 한 발의 수류탄이 터졌을 때 지붕을 받치고 있던 기둥 하나가 무너지면서 저택은 대폭발을 일으켰다. 가스가 터진 것이다.

"꾸쾅쾅!"

지붕과 기둥이 밤하늘로 불덩이와 함께 솟아올랐다. 보고타 시 서쪽지역 주민 대부분이 진동과 함께 폭발음을 들었다.

돌아오는 차 안에서 지노가 말했다.

"헬레나를 데려가 처리해."

"예, 보스."

마구로가 바로 대답했다.

"북쪽 고원에 묻으면 몇 백 년이 지나도 못 찾습니다."

뒤쪽 자리에 등을 붙이고 앉은 지노가 창밖을 보았다.

피커슨 저택의 사상자는 관심이 없다. 일단 혼비백산을 시켜놓았으니 기선은 잡았다. 피커슨 저택 습격은 의도적이다. 이미 마르코의 용병 소문은 났을 테니 확실하게 경고를 한 것이다.

오전 8시 반.

보고타의 과타르치 가문 소유의 대저택 안. 이곳이 보고타 본부 역할을 한다. 급거 페레이라에서 달려온 용병단의 수장 체르넨코가 쓴웃음을 짓고 말했다.

"헬레나를 미끼로 피커슨과 부하들을 박살내었구만. 이건 지금까지 마르코 일당의 수단하고는 다른데."

그때 앞쪽에 앉은 사내가 대답했다.

"이번에 마르코 가문에서 고용한 용병이 꽤 거물이라는 소문입니다."

"이토가 그놈이란 말인가?"

"그런 것 같습니다."

저택의 응접실 안에는 셋이 앉아있다. 체르넨코와 방금 대답한 미구엘, 그리고 잠자코 앉아있는 세실리아다.

체르넨코는 38세. 20년 가까운 군과 용병 생활을 거친 베테랑이다. 잿빛 머리칼과 갈색 눈동자의 거구. 고개를 든 체르넨코가 세실리아를 보았다.

"아예 수류탄으로 저택을 붕괴시킨 건 우리한테 신고를 한 것 같은데요, 세실리아. 그렇지 않습니까?"

세실리아는 대답 대신 쓴웃음만 지었다. 흰 얼굴에 웃음기가 떠올랐다가 금세 지워졌다.

세실리아는 과타르치의 외동딸이다. 28세. 미국에서 대학을 졸업하고 돌아와 아버지 과타르치의 비서 역할을 했는데 본인이 자청했다는 소문이다. 과타르치는 세실리아가 미국에서 살기를 바랐다는 것이다.

그것이 5년 전이었고 지금 세실리아는 과타르치의 영업 담당 보좌역이다. 실무 책임자는 아니지만 영업 전반에 대한 '감찰권'이 있는 것이다. 실세다. 후계자인 오빠 호세보다 세실리아가 더 과타르치의 신임을 받는다는 소문도 났다. 그때 미구엘이 말했다.

"피커슨과 부하 7명이 몰사했습니다. 가만 두면 사기에 영향이 옵니다."

당연한 말이다. 이렇게 당하고 놔둔다면 바닥 민심부터 흔들린다. 과타르치 가문에서 먹여 살리는 마을과 도시가 48개, 인구는 140만 가깝게 되는 것이다.

그때 세실리아가 입을 열었다.

"이유가 뭘까요?"

"당연히 도전이오."

체르넨코가 바로 대답했다.

"그놈의 신고식이라고 해도 되겠군. 마르코에 대한 실력 과시도 포함해서."

"지금 보고타에 있겠지요?"

"그럴 겁니다."

"우선 그 용병에 대해서 알아봐야겠어요."

세실리아가 말을 이었다.

"그러고 나서 대응합시다."

"그러지요."

체르넨코가 고개를 끄덕였다. 세실리아는 과타르치의 지시를 받고 특파된 것이다. 이번 사건의 지휘는 세실리아가 맡는다. 세실리아가 미구엘에게 말했다.

"이토가 가명일 거야. 그와 비슷한 인상착의의 사내를 찾아. 특히 마르코의 영업장에서."

"예, 아가씨."

미구엘이 고분고분 대답했다.

"곧 찾아낼 겁니다."

어린아이부터 노인까지 정보원이 수천 명이다. 현상금을 걸면 금세 정보가 쏟아지는 것이다. 세실리아가 말을 이었다.

"현상금으로 1만 불을 걸도록."

오후 5시 반.

지노가 존슨의 전화를 받는다. 존슨은 지금 메데인에서 전화를 한다.

"아마드, 보고타에서 신고식을 했구만. 지금 과타르치에선 널 찾느라고 현상금까지 걸었는데, 알지?"

존슨은 지노를 아마드로 불러준다. 지노가 쓴웃음을 짓고 대답했다.

"날 납치하려고 했기 때문이야. 물론 적지(敵地)에 들어간 내가 먹음직하게 보이긴 했겠지만 그냥 덥석 물려고 했거든."

"그 하이에나 같던 헬레나에다 납치 전문범 피커슨까지 일거에 몰사시키는 바람에 금세 히어로가 되었어, 네가."

"대비하고 있으니까 걱정 안 해도 돼."

"보스 지시야. 당분간은 너한테 보고타를 맡긴다고 했어. 어쨌든 보고타가 금융과 권력의 중심지니까."

존슨이 말을 이었다.

"보고타를 너한테 맡기고 우리는 농장과 영업 관리를 하는 거지."

이곳은 이라크와 다른 세상이다. 전쟁의 양상이 더 복잡하고 치열하다. 멀쩡한 세상의 이면에서 벌어지는 전쟁인 것이다.

"지노 장이라는 놈입니다."

미구엘이 세실리아에게 보고했다.

밤 11시.

미구엘은 방금 시내에서 돌아왔다. 세실리아의 안가 안. 미구엘이 말을 이었다.

"미국계 용병회사인 커크 컴퍼니 소개로 마르코와 계약한 것입니다."

미구엘은 메스티소로 36세. 보고타 지역 책임자다. 정부 각 부처에 정보원을 심어놓았기 때문에 정보력이 국가기관 수준이다. 미구엘이 말을 이었다.

"지노 장은 중동지역에서 유명한 놈입니다. 후세인의 용병으로 후세인의 딸 카밀라를 이라크에서 탈출시킨 놈입니다."

"……."

"그러고는 후세인의 증언 테이프를 세상에 퍼뜨렸지요. 지노 장이 말입니다."

"……."

"테이프를 터뜨린 후에 지노는 다시 후세인과 카밀라를 이라크로 밀입국시켰지요. 그랬다가 둘 다 잡히고 나서 지노가 이곳까지 날아온 겁니다."

미구엘이 번들거리는 눈으로 세실리아를 보았다.

"그놈이 지금 이곳 보고타에 온 것입니다."

"그놈이 이토라는 놈인가?"

"맞습니다."

고개를 든 세실리아가 입을 열었다.

"마르코가 용병을 잘 썼네."

미구엘은 시선을 내렸다.

이제 용병의 정체가 드러났다. 지노라는 용병. 이토란 이름으로 나타나 '마리온 클럽'의 매니저인 헬레나를 유인한 인물. 이어서 그날 밤 헬레나의 애인 피커슨의 안가를 폭파시켜 떼죽음을 시킨 주범이다.

다음 날 오전 저택 식당에서 식사를 마친 지노가 응접실로 나왔을 때다. 사만타가 앞자리에 앉으면서 말했다.

"시내에 정보원이 깔렸어요. 보좌관님한테 현상금 1만 불이 걸려 있습니다."

"그럴 만하지."

지노가 고개를 끄덕였다.

"예상하고 있던 일이야. 아마 나에 대해서 과타르치 측에서는 알고 있을지도 모른다."

"피하셔야 되지 않을까요?"

"아니, 그럴 필요 없어."

고개를 든 지노가 사만타를 보았다.

"기반을 굳힐 거다."

체르넨코가 지노의 정체를 듣고 나서 가장 먼저 한 일은 페레이라에 있는 용병 바운트와 고든을 부른 것이었다. 바운트와 고든은 각각 20명씩의 병사를 지휘하고 있었는데 기동 타격대 역할이다. 물론 과타르치의 허락을 받고 지원받은 것이다.

체르넨코는 러시아 출신으로 남아공 용병회사 유제비노에서 파견된 7명 용병의 수장(首長)이다. 그중에서 피커슨이 피살되었으니 용병은 6명이 된 셈이다.

"그놈이 지노 장이라니. 분위기가 좀 달라졌어."

오늘은 시내의 다른 안가에서 체르넨코가 말했다. 세실리아가 참석하지 않는 용병 셋만의 회의다.

"소문이지만 마르코가 지노 그놈한테 존슨과 동급의 대우를 해준다는 거다. 단숨에 2인자를 시킨 거지."

"지노라면 그럴 만하지."

바운트가 바로 말을 받는다.

"존슨은 나이만 들었지 경력은 지노를 당하지 못할걸?"

"맞아."

고든이 고개를 끄덕였다.

"나도 소문 들었어. 지노 그놈은 후세인한테서 몇 천만 불을 받은 놈이야. 이라크에서 미군을 갖고 놀았다구. 존슨 따위가 비교될 수 없지."

"이 자식들이 남의 말 하는 것 같군."

체르넨코가 둘을 흘겨보았다.

"야, 이 개놈들아, 그놈이 피커슨을 형체도 알아볼 수 없도록 만든 놈이야. 네 동료를 죽인 놈이라구."

"그건 그 자식이 헬레나하고 노닥거렸기 때문이지. 헬레나가 피커슨 안가를 불지 않았다면 그렇게 당하지 않았어."

고든이 투덜거렸다.

"내가 인질극 그만하라고 했어. 특히 일본 놈 납치하는 거 말야."

이번에는 바운트가 말했다.

"자식이 돈 욕심을 내다가 당한 거야."

"닥쳐."

체르넨코가 버럭 소리쳤다. 세실리아가 있었다면 이런 분위기가 안 되었다. 헬레나하고 노닥거렸다는 말도 안 나왔다. 그때 체르넨코가 말을 이었다.

"세실리아는 좀 두고 보자는 의견이지만 이대로 놔둘 수는 없어. 오늘 밤 마르코 영업장 하나를 박살내도록 하지."

체르넨코가 고든을 보았다.

"고든, 네가 '서든 클럽'을 기습해서 마르코 측 경비를 10명만 없애."

"그러지."

고든이 고개를 끄덕였다. '서든 클럽'은 마르코 영업장 중 하나다. 그때 체르넨코가 바운트에게 말했다.

"바운트, 넌 경계를 맡아. 마르코 측에서 반격할 때를 대비하란 말야."

"알았어. 내가 한두 번 이 일 하나?"

"지노가 어떻게 반응하나 보자."

"이라크하고는 전쟁 양상이 다르다는 걸 놈이 실감할 거야."

자리에서 일어선 고든이 말을 이었다.

"여긴 산속을 헤매면서 동굴 전쟁을 하는 곳이 아니니까."

오후 3시 반.

이곳은 보고타 서쪽 교외의 빈민촌 안이다. 다닥다닥 붙은 합판으로 만든 집이어서 옆집의 아이 울음소리가 울리고 있다. 지노가 옆에 앉은 마구로에게 물었다.

"이쪽 지역은 몇 명이냐?"

"예, 4구역은 220가구, 975명입니다."

"가구당 4명이 넘는군."

"예, 아이들이 많습니다."

집 안은 바닥에 판자를 붙였고 벽은 합판과 폐품이 된 문짝 등으로 만들었다. 창문도 없어서 방은 어둡다. 구석에 양초를 켜놓았기 때문에 그림자가 흔들리고 있다. 방 안에는 퀴퀴한 냄새가 가득차서 숨이 막힌다.

그때 앞쪽 문이 열리면서 호타크가 사내 둘을 데리고 들어섰다. 남루한 차림의 중년 사내다. 앞쪽에 앉은 둘이 고개를 들고 지노를 보았다. 주민 대표다. 옆쪽에 앉은 호타크가 지노에게 말했다.

"4구역 대표입니다."

고개를 끄덕인 지노가 둘을 번갈아보았다.

"지금까지 한 달 생활비로 얼마를 지원받았지요?"

"예, 가구당 50불씩 받았습니다."

사내 하나가 대답했다. 220가구에 가구당 50불씩을 받은 것이다. 220가구면 한 달에 11,000불이다. 거기에다 마르코 가문은 빈민가를 12구역으로 나눠 지원금을 지급하고 있다. 이렇게 보고타 지역의 마르코 세력권이 형성되어 있는 것이다. 그때 지노가 입을 열었다.

"내가 상황을 알아보려고 온 겁니다. 여기 온 지 얼마 되지 않았어요."

지노가 말을 이었다.

"앞으로 자주 오도록 하겠습니다."

그러고는 옆에 앉은 마구로를 보았다. 그때 마구로가 주머니에서 봉투를 꺼내 사내들 앞에 놓았다.

"여기, 보좌관님께서 4구역 주민들에게 격려금을 가져왔습니다."

마구로가 눈으로 봉투를 가리켰다.

"1가구당 30불씩 6,600불이오. 이건 매달 나가는 지원금과는 별도요."

"감사합니다."

두 사내가 일제히 고개를 숙이더니 얼굴을 펴고 웃었다. 사내 하나가 봉투를 집더니 주머니에 넣으면서 말했다.

"잘 쓰겠습니다."

지금 지노는 각 구역을 다니면서 격려금을 나눠주고 있다. 지노의 개인 자금인 것이다.

이곳에서는 1가구가 매월 50불이면 먹고는 산다. 이런 방식으로 주민들은 마르코의 국민이 되어 있다. 그래서 가문의 마약 보관은 물론 정보 수집, 환전까지 맡아왔고 '마르코 부대원'도 이곳에서 차출되는 것이다.

'서든 클럽'이 기습을 당했을 때는 오후 10시 무렵.

손님으로 가장한 메스티소 3명이 먼저 홀 안에서 지배인과 종업원 둘을 쏘았는데 총성이 컸다. 그 순간 홀이 난장판이 되면서 손님들이 쏟아져 나왔다. 그때다.

"탕, 탕, 탕, 탕."

이번에는 현관에서 총성이 울렸나.

현관에서 손님들을 진정시키려던 종업원 넷이 다시 총격을 받았다. 손님 사이에 끼어있던 습격자가 쏜 것이다. 무방비 상태인 터라 여지없이 당해버렸다.

"탕, 탕, 탕, 탕."

다시 클럽 밖에서 총성이 울렸다.

이번에는 현관 밖에서 수습하던 종업원들이 총격을 받았다. 모두 제복을 입고 있던 터라 표적으로 세워진 것이나 같다. 손님들 사이에 섞여있던 습격자가 '과녁'을 쏜 것이다. 종업원은 모두 마르코의 병사였고 습격자는 과타르치 측인 것이다.

오후 11시.

안가로 돌아와 있던 지노가 사만타의 보고를 받는다. 사만타가 사건 현장에서 보고를 받은 것이다.

"서든 클럽이 습격을 받아 11명이 피살되었습니다."

사만타가 번들거리는 눈으로 지노를 보았다.

"과타르치 놈들입니다. 기습자 중 두 명이 과타르치 병사들인 것이 확인되었습니다."

보복을 한 것이다. 피커슨을 습격한 것에 대한 보복이다.

"보고타에 과타르치의 용병대장 체르넨코와 세실리아가 와 있다고 합니다."

"세실리아가 누구야?"

"과타르치의 딸이죠. 영업 담당 보좌역인데 권력이 막강합니다."

사만타가 말을 이었다.

"오늘 밤의 기습도 둘의 작품일 것 같습니다."

지노가 고개만 끄덕였다. 전쟁이 시작된 것이다.

다음 날 오전 8시.

지노가 응접실로 나왔을 때 마구로가 서둘러 들어섰다. 손에 전화기를 들고 있다.

"보스, 전화가 왔는데요, 아마드를 찾습니다."

"누구냐?"

"마이클 우드워드라는데요, 미국 대사관이라고 합니다."

순간 숨을 멈췄던 지노가 전화기를 받아 들었다. 응접실에는 사만타와 마구로까지 셋이다. 전화기를 귀에 붙인 지노가 응답했다.

"예, 전화 바꿨습니다."

"반갑습니다, 아마드 씨."

사내가 밝은 목소리로 말했다.

"이렇게 통화하게 되어 영광입니다, 아마드 씨."

"아, 그래요?"

지노의 시선이 앞쪽에 앉은 사만타와 마구로를 스치고 지나갔다. 그때 사내가 말을 이었다.

"아마드 씨, 저하고 둘이서 만나 이야기를 해야겠는데요. 물론 건설적인 대화입니다."

"건설적인 대화라고 했습니까?"

지노의 얼굴에 웃음이 떠올랐다.

"미국 대사관하고 나하고 무슨 관계가 있다고 그럽니까?"

"아마드 씨."

사내의 목소리에 다시 웃음기가 띠어졌다.

"미국 대사관 전화를 받으시고 짐작은 하시지 않았습니까?"

"누구라고 하셨던가?"

"마이클 우드워드라고 했습니다."

"미국 대사관에 계시다구?"

"대사관 사무실에서 전화를 합니다만 실은 CIA 보고타 지사장이죠."

"과연."

"부하 요원을 시키려다가 예의상 내가 직접 전화하는 겁니다."

그러고는 사내의 목소리에 웃음기가 지워졌다.

"지노 장에 대한 예의를 차린 것이지요."

지노는 숨을 들이켰다. 예상은 했다. CIA가 보통 조직인가?

오후 1시 반.

보고타 동쪽 산마리노 성당 뒤쪽의 루체른 호텔. 붉은 벽돌 담장 안의 3층짜리 작은 호텔이다.

지노가 1층 라운지 안쪽의 방으로 들어서자 앉아있던 사내가 일어섰다. 검은 머리의 백인. 콧날이 굽은 것을 보면 유태인 같다. 장신, 푸른 눈, 30대 후반쯤. 사내가 다가선 지노에게 손을 내밀며 웃었다.

"마이클입니다. 본명이죠."

"지노올시다."

악수를 나눈 둘은 탁자를 사이에 두고 마주 앉았다. 탁자 위에는 음료수가 여러 종류여서 골라 집기만 하면 된다. 마이클이 방해받지 않도록 배려한 것이다. 마이클이 오렌지 주스 캔을 집으면서 지노를 보았다. 여전히 웃음 띤 얼굴이다.

"카밀라 씨하고 이란으로 빠져 나간 것으로 사건이 종결되었습니다. 알고 계십니까?"

"모릅니다."

생수병을 쥔 지노가 마이클을 보았다. 처음 듣는 말이다. 그때 마이클이 말을 이었다.

"우리는 당신이 파키스탄이나 아프간으로 들어간 줄 알았거든요."

"……."

"그러다 마르코가 거물 용병을 채용했다는 소문을 듣고 추적한 겁니다. 그랬더니 대박이 난 거죠."

한 모금 주스를 삼킨 마이클이 눈을 가늘게 뜨고 지노를 보았다.

"당신을 이곳에서 만나다니."

"본부에 보고를 했더니 만나라고 합디까?"

"본부에서도 놀란 것 같습니다."

"당연하지요."

"회의를 했는지 이틀 만인 어제 연락이 왔어요. 당신을 만나라고 말입니다."

"잡으라고 안 한 게 이상하군."

"다 끝난 일 일부러 사건 만들 일 있습니까? 나라 망신이죠."

마이클의 얼굴에 쓴웃음이 번졌다.

"괜히 저격 총이나 들이대었다가 이득 볼 일도 없지요. 그러자고 했다면 내가 반대했을 겁니다."

"그럼 지노 여권을 들고 다녀도 됩니까? 아직 유효 기간 살아있는데."

"그건 아직 시기상조인 것 같으니까 삼가주시고. 국무부하고는 우리가 입장이 다르니까요."

"그 이야기 하시려고 만난 겁니까?"

"그럴 리가 있습니까?"

마이클이 상체를 세우더니 지노를 보았다.

"괴티르치 가문하고 전쟁을 하시려는 겁니까? 그걸 상의해야겠는데요, 지노 씨."

정색한 마이클이 말을 이었다.

"과타르치는 우리 통제를 받고 있지요. 알고 계셨습니까?"

"내가 알 리가 있습니까?"

"지난번에 과타르치가 대통령 출마를 기획했다는 소문은 들었지요?"

"그건 들은 것 같은데."

"우리가 막았지요."

마이클의 얼굴에 쓴웃음이 번졌다.

"그러지 않았다면 내전이 일어났을 테니까요. 마르코 가문이 가만있었겠습니까?"

"……."

"과타르치가 요즘 세력을 다시 급격하게 확장시키고 있는 것이 문제였지요. 그래서 마르코가 당신을 고용한 것이지만."

"……."

"우리는 과타르치는 물론이고 마르코 가문의 마약 생산, 수출량까지 조정합니다. 특히 외국으로의 반출량은 우리가 통제하고 있지요."

"……."

"과타르치가 지난 7개월 동안 배정량보다 50퍼센트나 더 수출한 것이 드러났습니다. 우리 모르게 내보내는 방법이 얼마든지 있으니까요."

"……."

"그래서 우리도 제재를 가하려던 참인데 당신이 날아온 겁니다."

마이클이 정색하고 지노를 보았다.

"하지만, 지노, 전쟁은 바람직하지 않습니다. 이렇게 서로 치고받는다면 곧 내전이 일어나고 그 여파가 주변국까지 퍼진단 말입니다."

그때 지노가 고개를 들었다.

"나한테 바라는 게 뭡니까?"

지노의 얼굴에 웃음기가 번졌다.

"내가 당신들 수단을 알지. 날 앞잡이로 쓰는 대신 내 신분을 보장해주겠다는 것 아닙니까?"

"지노, 당신이니까 말하겠는데……."

마이클이 지노를 보았다. 어느덧 굳어진 표정이다.

"여기선 선도 악도 존재하지 않아요. 오직 힘이 지배하는 세상이고 그 힘은 돈에서 나옵니다. 그리고 돈은 마약에서 나오지요."

"마약이 권력이군."

"우리는 그 마약을 조정하고 있지요."

담배를 꺼낸 마이클이 불을 붙이고는 말을 이었다.

"지노, 당신이 조정자 역할을 해줘요. 우리가 정보를 줄 테니까 과타르치의 세력을 견제하는 역할을 해달라는 겁니다. 대신 당신의 신분을 보장해드리지요."

"당신의 고용인이 되란 말인가?"

"서로 돕자는 말이지. 그것으로 당신은 마르코의 신임을 받고 위상을 굳히게 될 테니까."

지노의 시선을 받은 마이클의 두 눈이 번들거렸다.

"아시오? 존슨이 과타르치의 정보원이라는 사실을?"

"……."

"존슨은 과타르치한테서 직접 뇌물을 받지. 그러고는 특급 정보만 전해주고 있어. 그래서 마르코 조직이 과타르치보다 강해지지 않는 거야."

"……."

"뇌물 받은 지는 2년쯤 되었는데 3천만 불쯤 될 거야. 거금이지."

마이클이 고개를 절레절레 흔들었다.

"우린 꿈도 못 꿀 거금이야."

"……."

"내가 당신한테 온 가장 큰 이유가 그것 때문이야. 존슨은 마르코를 없애려고 해. 욕심이 많은 거지. 그걸 내가 과타르치를 시켜 겨우 막고 있는 실정이라니까."

"……."

"존슨이 마르코의 아들 블라드를 제 손아귀에 넣고 있어. 25살짜리 블라드를 내세우고 제가 마르코 가문을 장악하겠다는 것이지."

"페르난도는?"

마침내 끌려든 지노가 묻자 마이클이 길게 숨을 뱉었다.

"그 영감은 머리가 좋은지는 모르지만 정보는 깡통이야. 존슨도 머리가 좋은 놈이거든. 잘 은폐하고 있지."

지노가 손을 뻗어 탁자 위에 놓인 마이클의 담뱃갑을 집었다. 담배를 입에 문 지노를 향해 마이클이 쓴웃음을 지어 보였다.

"어때, 지노. 여긴 이라크보다 더 복잡하지?"

<2권에 계속>